인조의 나라

주자학은
조선후기를 어떻게 망쳤나

인조의 나라

주자학은
조선후기를 어떻게 망쳤나

초판인쇄 2020년 5월 25일
초판발행 2020년 5월 29일
2쇄 발행 2020년 12월 15일

지은이 김형진
펴낸이 이재욱
펴낸곳 (주)새로운사람들
디자인 김남호
마케팅관리 김종림

등록일 1994년 10월 27일
등록번호 제2-1825호
주소 서울 도봉구 덕릉로 54가길 25(창동 557-85, 우 01473)
전화 02)2237.3301, 2237.3316 **팩스** 02)2237.3389
이메일 ssbooks@chol.com
홈페이지 http://www.ssbooks.biz

ISBN 978-89-8120-590-4(03910)
*책값은 뒤표지에 씌어 있습니다.

인조의 나라

주자학은
조선후기를 어떻게 망쳤나

김형진

새로운사람들

〈책머리에〉

우리는 '인조의 나라'로부터 자유로운가?

역사는 누구의 것인가. 일반적 구분에 따르면 역사의 생산은 역사가의 몫이고, 독자는 그렇게 생산된 역사를 소비하는 역할에 그친다. 그러나 역사가 단순히 사실의 나열이 아니라, 일정한 관점과 시각을 바탕으로 재구성된 과거라면, 그런 체계를 재단하는 특권이 역사가에게만 귀속되는 것인지 궁금하다.

서술된 역사가 독자의 궁금증을 해소하지 못하고, 중립을 가장하여, 있어도 그만, 없어도 그만인, 유명무실한 결론에 그치고 만다면, 독자의 의구심은 증폭될 수밖에 없다.

역사가의 공정하고 공평한 태도는 중요하다. 역사가의 시각이 한쪽 극단에 치우쳤을 경우 그의 생산물은 차라리 선전 문구에 가까울 것이기 때문이다. 근대 실증사학을 수립한 독일의 랑케(Leopold von Ranke)는 어떠한 편견이나 선입견에 사로잡히지 않고 끝까지 객관적인 입장에서 엄격한 사료 비판과 사실에 충실한, 있는 그대로의 서술을 강조했고, 역사가는 사실을 알리는 역할만 해야 한다고 강조한 바 있다. 그의 방법론은 후세 역사가들에게 획기적인 시사점을 준 것은 틀림없으나, 큰 틀에서 보면 그도 결국 독일 민족주의나 기독교적 세계관에서 벗어나지 못했다. 독일과 타국, 유럽과 다른 대륙을 엄밀한 의미에서 절대적으로 공정하게 다룬 것은 아니기 때문이다. 그런 점에서 자신이 의식, 무의식적으로 함몰돼 있는 세계관에서 완벽하게 해방됐다고 볼 수 없다. 따라서 완전한 중립, 완전한 객관은 역사가의 희망사항일 뿐, 모든 역사는 역사가의 머릿속에서 내재적 질서에 따라 구축되고, 성립된 과거라 할 수 있다.

역사가가 성급하게 개입하지 않고 사실들이 스스로 말을 하게 만들더라도 어떤 사실도 다른 사실과의 연관성을 상실한, 고립되고 순수한 사실일 수 없다. 사실의 취사와 연결 자체가 이미 특정 가치관의 산물이기 때문이다. 역사가는 자신의 분석틀에 따라 유의미한 사실을 선택하고, 그와 관련성이 있는 사실을 취합하여, 집합된 사실에서 일정한 의미가 생겨나도록 만든다. 역사는 일단 역사가의 검열을 통과한 사실의 조합과 배열이고, 궁극적으로는 그것들이 어떤 뜻을 가지도록 의도적으로 조직(組織)된 것이라는 얘기다. 따라서 역사가가 아무리 중립을 높이 내걸더라도, 그렇게 표방된 중립 자체가 내면의 의도, 가치관의 산물이라는 점은 변함없다. 결국 아무런 입장이 없는 역사는 없다.

이런 점에서 나는 역사를 읽는 행위가 역사가와 독자 사이의 세계관의 충돌이라고 본다. 독자도 나름대로 일정한 가치관이 있을 것이기 때문에 작품을 무비판적으로 수용할 의무만 있는 것이 아니다. 역사가 독자의 지적 갈증을 충족시키지 못할 뿐더러 가치 체계와 상충되기도 하는 경우, 독자는 역사를 외면해 버리거나 아무 행동도 하지 않는 수동적 태도를 넘어, 역사가를 자극하고, 촉발하며, 나아가 적극적으로 새로운 견해를 피력하는 것도 바람직하다. 우리 강단 사학자들은 학문적 엄격성에 대한 확신을 가지고 자신들의 성과에 자부심을 표하고 있지만, 나는 솔직히 그들의 작업결과가 독자들이 가질 수 있는 모든 의문에 대해 충분한 해명이 됐는지 여부에 관해서는 선뜻 긍정하지 못한다.

우리 학계에서 "사실과 사료에 입각한 역사", "중립적인 역사"라는 슬로건 자체가 학문적 공정성, 공평성을 확보하기 위한 수단이 아니라 타자를 배제하기 위한 장치로 작용하고 있다는 점은 어느 정도 알려져 있다. 역사는 언제나 해석에 관한 한 열려 있음에도 참신한 견해나 획기적인 결론은 학문적 정밀성을 상실한 수준 낮은 소견에 지나지 않는 것으로 폄하됐다. 그들이 다른 의견을 지칭할 때 즐겨 사용하는 '유사사학(類似史學)' 또는 '사료오독(史料誤讀)'이라는 냉소적 표현 속에는 자신들의 정통성(Authenticity)을 부각시키려는 의도가 숨어 있다. 하지만 이는 과거 조상들이 애용한 '사문난적(斯文亂賊)'이라는 사상적 무기와 정신적으로 맞닿아 있는 것이 아닌가. 개방성과 포용성, 유연성을 잃은 학문은 스스로 질식하게 마련이다. 결과적으로 그들이 내건 역사는 늘 비슷하거나 일정 범위 내의 결론을 제시하는 데 그치고, 이렇게 정해진 테두리와 선을 넘지 않으려는 역사는 아무런 교훈도 주지 못하는 죽은 역사에 머물고 만다. 역사는 현재를 비춰주는 거울이 될 때 의미가 있다. 역사가 단순한 사실들의 나열에 그친다면, 차라리 모든 역사를 중요한 사건을 연대순으로 적은 연대기(年代記)로 만드는 것이 나을 수도 있다.

나는, 이 책의 저술범위 내로 국한한다면, 다음과 같은 것들을 강단사학의 무기력과 매너리즘의 사례로 본다. 먼저 최명길과 김상헌에 대한 평가가 있다. 그들이 병자호란 시기 대표적인 정치 라이벌이었고, 사후의 평가도 극명하게 갈린다는 점은, 모두가 알고 있다. 하지만 역사가들이 고집하는 표준해석에 의하면, 그들은 나중에 심양의 감옥에서 각자의 행동이 나라를 위한 충정에서 비롯된 것임을 알고 서로를 깊이 이해하게 됐다는 것이다. 그러나 이런 강제적 화해가 우리에게 제시하는 것은 아무 것도 없다. 그들이 남긴 기록은,

그들이 상대를 어떻게 생각했는지를 엄중히 증거하고 있을 뿐더러, 어떤 면에서 그들의 대립은 여전히 진행 중이기 때문이다. 지난 3백여 년간 역사의 승자는 김상헌이었다. 김상헌이 절의를 높인 인물로 존숭(尊崇)받는 동안, 최명길은 송나라의 역적 진회(秦檜)에 비유되며 다시없는 소인배로 치부됐다. 김상헌이 납득했다는 최명길의 진심은 어떤 내용이었는지, 그럼에도 불구하고 송시열 등 후인들이 납득됐다던 그의 행적을 맹렬히 비난한 이유는 무엇인지를 해명하지 않고, 두 사람을 억지로 화해시키는 데서 끝내고 마는 역사는 쟁점을 남김없이 고찰한 역사라 할 수 없다.

근래 최명길에 대한 긍정의 평가가 늘어나면서, 그의 실사구시 정신에 주목하는 경향이 있다. 표준해석에 따르면 그의 현실에 대한 탄력적 태도는 양명학에서 비롯됐다고 설명하는 것이 일반이다. 그러나 이는 양명학을 배운 사람은 모두 실용적이었다는 그릇된 관념을 심어줄 뿐더러, 양명학이 주자학과 근원 및 내역을 달리하는 전혀 관계없는 별도의 학문이라는 인상을 줄 우려가 있다. 이렇게 융통성의 배경으로 양명학을 들고 더 이상의 탐구를 멈추는 것은, 김상헌과 최명길을 억지로 화해시킨 다음 만족하고 마는 것과 마찬가지로 학문적 중립성을 가장한 불성실, 나태에 다름 아니다. 자료에 의하면 최명길도 모든 면에서 주자학의 신봉자였다는 사실은 부인할 수 없는 바, 오히려 원칙보다 상황에 맞춘 적실성을 우선시하는 자세가 양명학에 대해서도 거부감 없이 열린 모습을 보인 배경이라고 해석되는 것이다.

그러나 당시에는 이런 개방적 합리적 모습이 오히려 비난을 받는 주된 요소였다. 오늘날 오픈 마인드와 신축성은 우선적 덕목이지만, 당시 양반 지시관료들은 일반적으로 권도(權道, 이의 반대는 正道)

라는 말로 표현되는, 실무에 대한 변통적 태도, 임기응변적 대응을 경멸했다. 이런 교조적이고 경직된 자세가 최명길에 대한 악평에 영향을 미친 것은 아닌지, 그렇다면 이런 독단적인 시각은 어디서 연원된 것인지를 규명해야만 최명길에 대한 악평과 송시열 등 후인들의 행태를 이해할 수 있다고 본다.

또한 북경에서 서양문물에 호의를 보였다는 이유로 소현세자가 등극했다면 조선의 행로가 달라졌을 것이라는 기대와 아쉬움이 섞인 예측이나, 북벌이라는 허황된 목표에 매달렸다는 사유로 비난받는 효종에 대한 고식적 평가도 표준사학이 만들어낸 매너리즘의 예라고 본다. 가령 소현세자가 확고한 개혁의지를 가졌다고 가정해도 당시의 답답하고 숨 막히는 정치적 환경에서 누구와 어떤 방법으로 꿈을 현실로 실현하고 구체화할 수 있는 가능성이 있었는지를 규명해야만, 의문점을 남기지 않는 연구라 할 수 있다. 마찬가지로 효종도 단순히 복수심에 젖어 앞뒤를 고려하지 않고 공허한 이상을 좇기만 했던 임금은 아니라는 자료들이 충분히 있다. 효종은 오히려 자신의 힘과 한계를 정확히 알고 있었다. 그가 재위기간 추진한 군사역량 강화책은 심양 경험에서 비롯된 것으로 나름대로의 개혁 방안은 아니었는지 알아봐야 한다. 몇 개의 사례를 통해 알 수 있는 바와 같이, 아직 우리 역사의 갈 길은 멀다. 그럼에도 남아 있는 쟁점은 더 이상 없다는 식의 고압적 자세로는, 날로 높아가는 독자의 지적 수준에 뒤처지는 운명에 놓일 수밖에 없을 것이다.

앞서 말한 바와 같이 아무런 관점이나 입장이 없는 역사는 없다. 그런 점에서 모든 역사는 어떤 의도를 가지고 기술된 것이다. 그 중 기본임무는 현재를 되돌아보고 반성할 계기를 부여하는 데 있다. 과거의 실수를 반복하는 민족에게 희망이 없는 것은 당연하다. 내가 인조를 주목한 것은 조선후기가 그로부터 시발됐고, 조선후기를 규정한 정치적, 사상적, 경제적 구조의 원형이 구축된 시기라고 보았기 때문이다. 후기조선이 어떤 나라, 어떤 사회였는지는 잘 알고 있을 터이지만, 오늘의 우리가 그 유산으로부터 완전히 벗어났다고 장담할 수 있는지에 관해서는 의견이 엇갈릴 것이다. 그러나 과거의 망령을 떨쳐버리는 것은 생각보다 쉬운 일이 아니다. 일개인(一個人)의 각성이나, 몇몇의 외침으로 끝날 문제가 아니기 때문이다. 나는 이 책을 과거보다는 오히려 현재를 진단하고 교정하는 데 도움이 됐으면 하는 바람으로 썼다. 지금 일어나고 있는 현실은, 우리가 조상들의 역사를 되풀이하고 있는 것은 아닌가 하는 우울한 느낌을 주기 때문이다. 그 목적이 얼마나 달성됐는지는 독자들의 평가에 달렸다. 여러분의 비평을 겸허히 기다린다.

언제나 그렇듯, 책은 한 사람의 노력만으로 발간되는 것이 아니다. 원고를 한 줄 한 줄 꼼꼼히 읽고 잘못된 견해와 불분명한 표현을 지적해준 황진선, 이기주, 김병직, 백재선이 없었다면 이 책은 아마도 많은 부분에서 오류투성이로 남았을 것이다. 저자와 같은 길을 가는 이들의 학문적 성취를 기원한다. 또한 구하기 힘든 자료를 내 일처럼 정성껏 찾아준 정문종, 남대정에게도 고마움을 표하지 않을 수 없다. 그저 감사할 따름이다. 나의 아내 장찬옥은 언제나 든든한 지원군으로서 원고를 정리하고 다듬는 궂은 일을 도맡았다. 그리고 지난번 책에 이어 졸작의 출판에 선뜻 동의해주고, 책의 모양새를 갖추도록 힘써 주신 출판사 이재욱 사장님과 관계자들에게도 고마움을 전하고 싶다.

2020. 1. 3.

김 형 진

차례

책머리에 4

1장 조선후기의 시발점

한 가지 의문 16
역사의 임무 18
청태종(淸太宗)-홍타이지 20
사상의 지배 23
조선의 특수성 26
재조지은(再造之恩) 29
조선중화론 32
양반계급 37
명분론, 절의론 40
김상헌 가문의 영광 45

2장 17세기 초, 조선과 세계

역사의 분기(分岐) 50
세계사적 불균형 52
각국의 사정 54
조선의 제도와 역사적 갈림 57
만력제(萬曆帝)-고려 천자 70
친명배청(親明排淸) 78

3장 인조반정

군사쿠데타 90
광해군 93
인조-능양군(綾陽君) 102
반정공신 107
인조의 가족 113
인조시대 조감 117
인조라는 인물 122
이괄의 난과 원종추숭(元宗追崇) 125
인조의 공과 134
인조의 유산 142

4장 병자호란

공론과 전쟁 148
정묘호란 155
무대책의 전쟁대비 160
홍타이지-조선을 친정(親征)한 최초의 외국 군주 172
개전과 지리멸렬 175
호기로운 공론 189
공론과 인지부조화 195
드러난 항전의사의 실상 200

삼전도비 206
포로와 속환(贖還) 210
강화된 대명의리(對明義理) 217

5장 소현세자와 봉림대군-효종

소현세자가 즉위했다면 224
소현세자 228
청과 조선의 다른 목표 232
인조의 변심, 세자의 독살 240
강빈 사사(賜死) 250
주자학 이데올로기의 퇴락과 효종 256
효종의 공과 263
효종과 송시열 277

6장 주자학과 조선유학

김상헌과 최명길 288
김상헌 292
최명길 303
편향된 시각, 편향된 평가 313
송시열과 의리선양(義理宣揚) 319
춘추대의와 그 그늘 327
절의(節義)가 만든 세상 340

7장 우리는 조선을 극복할 수 있는가

몇 가지 질문 354
국가란 무엇인가 356
실용 혹은 명분 362
주자학의 부활은 가능한가 369
맺음말 – 더 나은 미래를 위하여 381

참고문헌 383

1장 조선후기의 시발점

한 가지 의문

이 책은 하나의 의문으로부터 시작됐다. 우리는 병자호란(丙子胡亂) 당시 인조(仁祖)와 신하들이 남한산성(南漢山城)에 유폐됐던 사실을 알고 있다. 살을 에는 추위와 식량 부족, 눈앞의 적군은 막강하고, 그나마 희망을 걸었던 지원군 소식은 전무하며, 왕비와 왕족, 관리들의 가족을 대피시킨 강화도마저 점령된 절망적인 상황에서, 화친을 주장한 사람은 최명길(崔鳴吉)을 비롯하여 한 줌도 안 된 반면, 김상헌(金尙憲), 오달제(吳達濟) 등 관료들 대부분이 나라가 깨질지언정 항복은 불가하다며 척화(斥和)를 주장했다.

우선 그렇게 많은 사람들이 척화 편에 섰던 이유가 궁금하다. 당시 척화는 결사항전을 의미하는 게 아니었다. 이미 전세는 기울어 저항할 경우 남은 절차는 청에 의한 도륙과 학살뿐이었다. 조선군은 전투력도 의지도 상실했다. 사기를 잃은 군사들은 여차하면 적군이 아니라 척화를 외치는 양반들을 살해할 기세였다. 척화세력은 무인(武人)도 아니었고 군사지식이 있는 것도 아니었다. 그러므로 그들이 직접 무기를 들고 싸우겠다는 뜻이 아니었다. 그렇다고 달리 궁지에서 벗어날 기발한 묘책이 있지도 않았다.

당시 상황에서 척화는 단지 그냥 "항복하지 않겠다." "죽더라도 머리를 숙이지 않겠다."는 의미에 가까웠다. 김상헌 같은 인물은 임금이 삼전도에 항복하러 나간 동안 자살소동을 벌였으나, 나중에 청으로 끌려가서 죽은 홍익한(洪翼漢), 오달제, 윤집(尹集) 등을 제외하면 명망 있는 유학자, 관료들 중 실제 죽음으로 의지를 표현한 사람은 거의 없었다. 오히려 강화도가 점령당했을 때 부녀자들이 청군의 겁탈을 피해 삶을 초개와 같이 버렸을 뿐이다.

그들에게 과연 척화란 무엇이었을까? 무슨 생각으로 임금이 살고, 신하가 살고, 나라와 강토가 부지될 수 있는 유일한 방법이라 할 수 있었던 항복문서를 찢었던 것일까(김상헌은 남한산성에서 최명길이 작성한 항복문서를 찢고, 최명길은 이를 다시 이어 붙였다). 지금의 눈으로 보면 그들의 생각과 행동이 그다지 현실적이고 실용적이었던 것은 아니다. 그러나 척화론자들은 그것이 가장 현실적이고 실용적인 선택지라고 믿어 의심치 않았을 것이다. 그렇기 때문에 그렇게 당당하고 떳떳했을 것이다. 그러므로 그들을 이해하기 위해서는 가능하면 그들의 정신세계에 들어가려는 노력을 해야 한다. 그들의 사고방식과 행동체계 속에서 그들의 말과 행적을 평가하고 복원해야만 그나마 그들의 내면을 엿볼 수 있을 것이다.

그들은 과연 어떤 세상에 살고 있었을까. 그들은 무엇에 가치를 두고, 무엇을 목표로 살았을까. 무엇에 즐거워하고 무엇에 괴로워했을까. 물론 과거를 완전히 복원해내는 것은 불가능하다. 하지만 중요한 것은 완벽한 복제가 이루어져야만, 과거를 이해하고 해명할 수 있는 게 아니라는 사실이다. 과거는 일정한 시각과 가치관에 따른 구체적 실증적 판단에 의해 평가된다.

역사의 임무

E. H. 카는 역사는 과거와 현재의 대화라고 했다. 이 말은 과거를 통해 현재와 미래를 성찰하고 무의미한 과오를 반복하지 않도록 대비하라는 뜻일 것이다. 어떤 면에서 모든 과거는 현재의 과거다. 현재의 시각으로 재단하고 평가하지 않는 온전한 과거는 그저 지식유희에 지나지 않은 과거일 뿐, 살아있는 인간에게 아무런 도움이 되지 않는다. 역사가 의미 있는 것은 인간의 범위와 한계를 제시하기 때문이다. 인간이 지금 하고 있는 일은 과거 어떤 모양으로든 행해졌던 것이며, 앞으로 일어날 일도 현재를 되풀이하는 데 지나지 않을지 모른다. 구체적으로 놓인 상황과 조건의 외양은 다를지라도 사안의 본질과 이에 반응하고 결정하는 메커니즘에 차이가 없다면 과거의 인간이나 현재의 인간은 매번 같은 행동을 무한정 반복하고 있는 셈이다. 그러므로 역사를 배우고 참고하는 것은 옛날의 인간보다 조금이라도 더 나은 인간, 판단과 행위에 즈음하여 맹목적인 실수를 되풀이하지 않는 인간이 되겠다는 결의에서 비롯된 것이다. 그러므로 나는 과거를 온전한 과거로만 다루는 것은 시간과 노력의 낭비라고 본다.

역사는 과거를 부단히 현재의 잣대와 기준으로 평가하고, 현안해결의 도움을 위해 재(再)측정하는 작업이다. 역사가 발전과 진보라는 소명에 봉사하기 위해서는, 단지 발생사건에 대한 지식축적에 그치는 게 아니라, 현재 우리가 처한 조건과 현실에서 끊임없이 제기되는 도전에 대한 응전, 나아가 조금이라도 진전된 대처방안을 모색하는 데 일조해야 한다.

인조시대를 조감함에 있어 근자에는 전체적으로 비판적 시각이 많아진 것이 사실이다. 인조와 그 신하들이 국제정세를 제대로 파악하지 못하였음은 물론 조선 실상에 대한 올바른 인식을 갖지 못하고 있었다는 점은 비교적 명확하기 때문이다.

그러나 그런 평가에 대한 반론 또한 만만치 않다. 당시의 대처에 대한 맹목적인 비난은 과거를 현대의 잣대로 재단하는 오류의 결과라고 본다. 하지만 그들을 이해하는 것과 역사에서 가르침을 얻으려는 의도는 구별해야 한다. 과거의 행위를 과거의 맥락에서 바라보는 것은 공정한 자세이긴 하지만, 예를 들어 병자호란이 우리에게 유의미한 사건이 되려면 현재의 시각에서 끊임없이 재해석되고 평가되어야 한다는 것이 나의 생각이다. 그것이 역사를 서적 속의 죽은 지식이 아니라 삶의 실제에 적용되고 응용되는 기준과 참고사례로 만드는 길이다. 그러므로 인조시대에 대한 비판적 시각에 관한 비판적 시각은 초점이 잘못 맞춰진 것이다. 오히려 더 치열한 비판과 시시비비의 분변을 통해 과거를 현재로 만드는 것이 미래를 대비하는 계책이 될 것이다.

청태종(淸太宗)-홍타이지

병자호란 당시 우리나라를 직접 친정한 청태종(淸太宗)-홍타이지는 누르하치(努爾哈赤, 1559-1626)의 여덟째 아들로 포용성과 결단력, 추진력을 겸비한 뛰어난 인물이었다. 그는 이민족, 특히 한족에 대한 관용정책으로 우수한 인재를 포섭하고 8기군을 비롯한 효율적인 제도, 기관설치로 제국의 기초를 닦았다. 침입에 앞서 그는 몽골에서 티베트에 이르는 지역을 평정하고 만, 몽, 한의 3족의 추대에 의해 황제-칸의 지위에 올랐고 잔명을 이어가던 명(明)을 제압하겠다는 의사를 공공연히 밝히고 있었다.

그에 반해 명의 마지막 황제 숭정제(崇禎帝)는 의심이 많아 신하들을 믿지 못하고 성격도 너그럽지 못해 많은 충신들을 죽음으로 내몰았다. 특히 1630년 산해관을 지키던 명장(名將) 원숭환(袁崇煥)을 모반혐의로 처형함으로써 결정적으로 나라를 몰락의 길로 빠뜨렸다. 만약 인조와 신하들이 국제정세를 조금이나마 알고 있었다면, 청을 정면으로 대하는 것이 무모하거나 적어도 불필요하다는 점을 충분히 인지할 수 있었을 것이다. 그런데도 조선은 거꾸로 갔다.

청태종은 1636년 3월 심양에서 황제-칸으로 추대되었을 때, 축하사절로 갔던 조선의 나덕헌(羅德憲)과 이확(李廓)은 배례를 거부하다가 옷이 찢어지고 갓이 부서지는 구타를 당했다(1636년 인조실록 인조 14년 4월 26일). 폭행과 회유를 거듭해도 시종 거부하다가, 청나라가 볼모를 요구하는 국서를 주어 돌려보내기로 하자, 내용을 알기 전에는 받을 수 없다고 받지 않았다.

조선에 빌미를 잡히지 않으려는 청태종의 배려에 의해 살해당하지 않고 100여 명의 기병에 의해 통원보[通院堡, 현재의 요녕성(遼寧省, 라오닝성) 단동시(丹東, 단둥)에 있던 역참. 청나라 시대 조선의 사행단이 묵던 역참중의 하나임.]까지 호송되었는데, 기병의 호위가 풀리자, 통원보의 청나라 사람에게 국서를 맡기고 귀국했다. 그러나 이 사실을 안 삼사(三司)와 조복양(趙復陽)을 중심으로 한 관학 유생, 영의정 김류(金瑬)까지 황제를 참칭(僭稱)하는 불의(不義)한 국서를 받았다고 탄핵하는 바람에 죽음 직전까지 갔으나, 극형만은 면하고 백마산성(白馬山城, 평안북도 의주에 있던 산성)에 유배됐다.

이후 무엇이 다가올 것인지는 임금을 비롯한 조야가 모두 알고 있었다. 이성구(李聖求)가 "겨울에 강물이 얼면 청이 침입할 것인데, 이미 병화를 입을 것을 분명하게 알면서도 팔짱을 끼고 편안히 앉아 있으니 민망스럽지 않습니까?"라고 아뢰자, 인조는 "방어할 준비를 하고자 하면 형세가 어렵고, 기미(羈縻)-화친할 방책을 세우고자 하면 명사(名士)의 무리가 모두 불가하다고 한다. 적은 오고야 말 것인데 어떻게 해야 하는가?"라고 자조 섞인 한탄을 한다(1636년 인조실록 인조14년 11월 12일). 이런 명백한 상황에서도 화친을 주장하는 것은 조정의 모두를 적으로 돌리는 엄중한 행위에 해당됐던 것이다.

당시 강화(講和)나 친교의 주장은 오늘날 생각하는 바와 같이, 자유로이 개진된 의견 중 하나로 볼 수 없는 상황이었다. 유화론자는 전체 식자계층에 배신자 혹은 역적으로 몰릴 대단한 각오가 아니면 말도 꺼낼 수 없을 만큼 조선의 분위기는 편향돼 있었다. 이런 사상의 쏠림, 이념의 비대칭 현상은 종교집단이나 동류의식이 강한 그룹에서나 볼 수 있는 폐쇄적 정신세계의 산물이었다. 흔히 광해군(光海君)은 새로 발호하는 청과 몰락하는 명과의 사이에서 균형과 실리주의 외교를 추구한 것으로 평가받고 있으나, 이미 조선의 관료, 학자, 양반 등 여론형성층은 한 목소리로 친명정책의 채택을 요구하고 있었고, 반정(反正)으로 정권을 잡은 인조가 이러한 여론을 무시할 수 없는 것은 오히려 당연했다.

다시 말해 인조는 광해군의 중립외교에 반대하려는 의사가 아니라 잘못된 것을 바로잡는다는 뜻에서 친명배청정책을 택할 수밖에 없었다. 명은 임진왜란 당시 우리나라를 구해준 재조지은(再造之恩)이 있으니, 그에 대한 의리(義理)를 지켜야 한다는 것이 표면적 명분이었으나, 그러한 의리론이 전반적으로 수용되고, 유지, 강화된 과정과 배경에 대한 고찰 없이는 척화론이 지배적인 의론이 된 사정을 알지 못하게 된다.

흔히 이런 현상은 조선의 학자, 관료의 정신을 채운 것은 주자학 세계관이고, 사대와 조공으로 이어지던 사실적 실질적 대외관계가 임진왜란 때 보여준 명의 재조로 인해 숭명(崇明) 의리라는 도덕적 규범적 관계로 변질되고 여기에 명과의 관계를 나라 간의 관계가 아닌 군신, 부자간의 의리로 파악하여 삼강오륜의 명분질서와 가부장적 종법질서를 실현하는 것을 목표로 했기 때문이라고 설명되고 있다. 이런 해석은 이론의 여지없이 적확하고 합리적이지만, 어딘지 피상적 느낌이 드는 것도 사실이다.

사상의 지배

나는 조선이 마르크스 이념에 기반을 두고 성사시킨 러시아의 사회주의 혁명보다 거의 300년 이상 앞서 사상을 현실에 적용한 첫 사례라고 본다. 말하자면 조선은 공산주의가 출현하기 전까지 이데올로기를 가지고 현실을 개조하고, 존재를 사상에 맞추려고 시도한 유일무이한 국가였다.

조선 지식인들에게 주자학은 여러 사상 중의 하나가 아니라 단 하나의 진리, 우주와 역사, 창생을 관통하는 불변의 정의였다. 그러므로 이에 대한 반론이나 의심은 바로 진리에 대한 도전이자, 야만의 징표로 받아들여졌다. 성인군자의 기준은 얼마나 주자학적 가치를 체득하여 현실에 체현해 내느냐에 달려 있었다.

이 점은 주자의 본고장인 중국이나, 이웃인 일본과도 다른 조선의 독특한 문화현상이라 할 수 있다. 중국에서는 원나라 이후 주자의 사서집주(四書集注)가 과거시험 교재가 되었고 모든 유학자들이 공부하지 않으면 안 될 표준이자 관학(官學)이 되었지만, 주자의 이데올로기만으로 사회를 규율하기에는 땅덩이가 거대했고 경제적으로 역동적이었다. 상업과 교역의 발달은 주자학 이데올로기의 장악력을 약화시킬 수밖에 없었다.

한편 일본은 중국, 조선과 달리 과거제도를 통해 관리를 충원하지 않았으므로 주자학 연구가 입신출세에 필수적인 것은 아니었다.

에도 막부가 집권 후 정권 차원에서 통치철학으로 주자학을 채용하였고, 조선 주자학의 영향을 강하게 받은 것으로 알려졌지만, 무(無)비판의 대상은 아니었다. 일본의 지적 전통은 교조적 해석보다 실용적, 실리적 융통성을 선호하여 주자학, 난학(蘭學), 병학(兵學), 고학(古學) 등이 자유롭게 상호 비판과 교류를 했다.

요컨대 주자학이 영향을 미친 동양 3국 중에서도 유독 조선의 그것이 현저하고 철두철미하며 지속적이었다. 원인을 한두 개로 집어내는 것은 무리일 테지만, 나는 근본적으로는 지배세력의 이해관계와 주자학이 제시하는 세계관이 맞아떨어진 결과라고 파악한다. 무엇보다도 조선은 외부세계와 교류가 없는 자급자족형 농업국가로서, 정치세력 내에 여러 정파가 있다 해도 그것은 사대부라는 동일계급 내의 견해 차이일 뿐, 민(民)은 통치대상에 불과했다. 백성의 의견은 애초 고려 대상도 아니었고 따라서 여론 형성에 아무런 힘이 없었다. 유학자들이 당파를 갈라 정치 사안에 대해 치열하게 다투었어도 그것은 같은 계급 내의 헤게모니 싸움에 지나지 않았고, 지배계급 대 피지배계급이라는 더 큰 대결구조에서는 철두철미 이해관계가 일치했다는 말이다. 그것은 양반, 평민, 노비로 이루어진 신분제 사회구성체를 기반으로 하고, 같은 양반 내에서도 적자와 서얼(庶孼)을 철저하게 차별함으로써 일단 소수의 손 안에 들어온 사회경제적 우위를 누구도 넘볼 수 없도록 했으며, 더욱이 이를 위협할 외부-외국 세력의 접근도 완벽하게 차단함으로써, 그들의 지배체제는 강고히 이어질 수 있었던 것이다.

조선이 임진왜란이라는 대(大)변고를 겪고도 명과는 달리 건재했던 이유는 사대부 집권층을 대신할 만한 대체세력이 아예 존재하지 않았기 때문이다.

만약 상업의 발달로 부와 지식을 겸비한 상인계층이 전면에 대두되었거나, 일본처럼 잦은 내란으로 인해 무인계층이 지배권을 갖게 됐다면, 다른 양상이 전개되었을지 모를 일이지만, 어쨌든 조선의 이해는 사대부의 이해와 일치했고, 그런 점에서 지배계층인 관료 유학자의 가치관은 곧 조선의 가치관이었던 것이다.

조선의 특수성

같은 공산주의라 하더라도 소비에트의 그것과 중국의 그것이 완벽하게 동일하지 않은 것은 나라마다 사회경제적 진보 정도가 다르고, 정치, 법률, 문화, 제도, 관습, 역사경험 등이 다르기 때문이다. 사상이 현실로 구체화되는 과정에서 이를 주도한 엘리트들의 세계관과 이들이 추구하는 목표에 따라 강조점과 실현 모습이 달라지는 것은 당연하다.

강력한 이설이 있기는 하지만 통설에 따르면 조선은 중소 지주로서 향촌 출신인 신흥사대부가 부재지주이자 중앙귀족인 지배층에 대항하여 불교를 배척하고 주자학을 이념으로 선택한 이래 점차 공신(功臣), 척신(戚臣) 세력을 제압하고 신유학으로 무장한 사림 중심의 국가를 만들어왔다고 한다. 그들은 인적 물적 자원에 대한 국가적 통제를 무력화시켜 부와 지식을 독점해왔고, 무엇보다 백성들의 일상 언어와는 다른 형태인 한자를 사용함으로써 그들만의 배타적 영역을 구축했다. 조선에서는 한자를 이해하거나 쓰지 못하는 자가 주류세계로 들어갈 수 있는 방법이 없었다.

국초에 정도전은 왕권을 제한하는 방향으로 국가제도를 설계했고, 이에 따라 홍문관, 사간원, 사헌부 등의 언로와 감찰기능을 가진 소위 3사(三司)와 의정부, 비변사와 같은 신료들의 합의기구가 발달함으로써, 압도적 절대왕권을 행사한 명나라와는 달리 제도적 사실적으로 임금이라 하더라도 마음대로 권력을 행사할 수 없게 됐다. 임금에게 경사(經史)를 가르쳐 유교의 이상(理想)정치를 실현하려는 것이 목적이었던 경연(經筵)도 현실세계에 대한 개선이나 개혁 같은 것은 관심이 없고, 군주로 하여금 인격 수양과 절제 절약 근검을 중시하는 내면주의의 성학(聖學)으로 이끌어 실제로는 왕권의 행사를 규제하는 중요한 기능을 수행했다. 이는 주자의 의리론과도 부합하여 학문적으로도 정당한 것으로 간주됐고 후기에 오면 왕은 사대부 중의 으뜸인 자일 뿐 신하와 별개의 존재가 아니었다.

양반 사대부는 한편으로 왕권을 견제하고, 다른 편으로 경국대전에 의해 그들에게 부과되었던 국방, 납세, 근로의 의무 중 어느 것도 실질적 부담을 지지 않는 방향으로 관습법을 형성해냈다. 다시 말해 건국 초기 전 현직 관료들은 과전법(科田法)이라 하여 급료로서 직급의 고저에 따라 일정한 토지를 국가로부터 지급받았다. 이들 토지를 실제로 경작한 사람들은 농민들이었고, 관료들은 토지를 경작하는 농민들로부터 경작대가로 조(租, 임대료)를 거두어 생활했다. 그런데 양반 관료들은 점차 매매, 겸병, 개간, 몰수, 사취 등의 방법으로 토지의 사유화를 진전시켜 대규모 지주로 변신하는 데 성공하였고, 농민들은 전호(佃戶, 소작인)로 전락했다. 또한 애초 노비를 제외한 모든 양반과 양인(良人)이 부담하였던 군역도 갖은 이유로 도피함으로써, 임진왜란 이전에 이미 돈을 받고 병역을 면제해주거나(放軍收布), 남을 대신하여 군대를 가는 대립군(代立軍)과 같은 기이한 제도가 현실화되기도 했다.

이렇게 장기간에 걸쳐 특권을 확보하고, 유지를 위한 제도와 관행을 손에 쥔 그들에게 중요한 것은 주자학 자체보다도 이에 부속한 예론(禮論)이었다. 예는 법률은 아니지만, 사실상 법률과 도덕, 윤리를 통합한 일종의 사회통제도구였다. 유학자들은 의도적으로 종법(宗法), 상례, 장례, 상속, 혼례, 여성의 지위 등 사회 전반에 걸쳐 국제(國制)와는 다른 중국의 예제(禮制), 즉 주례(周禮) 또는 주자가례(朱子家禮)를 효율적으로 이식하는 데 성공함으로써 결과적으로 조선 후기 사회를 전기와는 명백히 다른 전통, 관행, 관습을 가진 사회로 개조했던 것이다.

그들에게 임금이 임금답고, 신하는 신하다우며, 아버지는 아버지답고, 아들은 아들답기(君君臣臣父父子子)를 강조하는 주자학의 세계관은, 양반 상민으로 이루어진 조선의 신분제도와 토지소유관계 등의 정치 경제 사회 문화적 현실의 합리성과 적실성을 뒷받침하고 증명해주는 불변의 진리이자, 존재할 수 있는 최선으로서, 단순히 지적 호기심을 충족시켜주는 학문에 그치는 게 아니었다.

말하자면 유학자들은 성리학을 세계를 설명하고 해석하는 객관적 학문, 중립적 철학으로 받아들인 것이 아니라 무오류의 절대적 진리로 간주했고, 일종의 종교적 신념과 믿음을 가지고 맹목적으로 신봉했던 것이다.

재조지은(再造之恩)

이런 배경 아래라면 그들이 명의 재조지은을 국제적 역학관계에서 충분히 있을 수 있는 역사적 일회적 사건이 아니라 규범적 도덕적 함의를 가진 상징적 사건으로 받아들이게 된 것이 어느 정도 설명이 된다고 볼 수 있다. 명에 대한 의리문제를 학문적 이론적으로 최종 정리한 인물은 후대의 송시열이긴 하지만, 임란 이후 호란 이전의 시기에 벌써 조선 사대부에게 명과의 관계는 이미 순수한 국가관계가 아니었으므로 비록 광해군이 현실적인 균형외교를 추구했다 해도 조야의 광범한 여론은 이를 비난하고 잘못된 것으로 바라보고 있었다. 그렇기 때문에 인조 때에 들어와 1627년 정묘호란을 겪으면서 교훈을 삼을 수 있었음에도 아무런 대비 없이 1636년 병자호란을 자초한 결과를 가져왔던 것이다.

명과의 관계가 종주국 조공국의 군신(君臣)관계가 아니라, 아버지와 아들의 부자(父子)관계로 대체되면 상당한 문제가 발생된다. 주자의 의리론에 따르면 군신관계에 있어서는 군주가 간언을 듣지 않거나 실정(失政)을 하면 언제든지 떠날 수 있는 일종의 계약관계이지만, 부자관계는 천륜(天倫)으로서 부모가 잘못하더라도 자식은 부모를 떠날 수도 없고, 더욱 공경하여 뜻을 어기지 말며, 걱정이 되더라도 원망하지 말아야 하는 특수한 관계이기 때문에(論語 '里仁'편 ; 부모를 섬김에 있어서는 슬며시 잘못을 간해야 하며, 말을 따르지 않을 뜻이 보이더라도, 더욱 공경하며 부모 뜻을 어기지 말 것이며, 걱정이 되더라도 원망하지 말아야 한다. 子曰 事父母幾諫, 見志不從, 又敬不違, 勞而不怨), 명에 대한 모든 관계가 비정상적인 면모를 띠게 되었다.

대표적인 사례가 바로 평안도 철산 앞바다에 있는 가도(椵島)를 점령한 모문룡(毛文龍)이었다. 명의 장수였던 그는 광해군 14년 1622년 명군과 난민 1만 명을 데리고 섬에 정착했는데, 좁은 섬이라 군량이 부족했으므로, 조선에 군량을 강요하여 매년 10만 석에 달하는 식량을 징발했고, 흉년으로 지원이 여의치 않으면, 황해도와 평안도에 상륙하여 무자비한 약탈을 벌였다.

심지어 조선이 명나라 황제에게 바칠 은과 인삼 등 조공물품을 강탈하는가 하면, 평양 인근의 군현을 마음대로 드나들면서 고을수령을 매질하고 모욕하는 등 1629년 명의 요동순무(遼東巡撫) 원숭환(袁崇煥)에게 처형될 때까지 거의 10년 동안 조선에 극심한 피해를 끼쳤다. 모문룡은 간접적으로 정묘호란의 원인을 제공하기도 했지만, 조선에서는 아버지의 나라인 명의 장수라는 이유만으로 제대로 된 항의나 조치도 취하지 못한 채 오롯이 피해를 감내했다.

이렇게 중국은 단순한 대국이 아니라 상국(上國)이자 군부(君父)의 나라가 됐다. 하지만 군부의 나라도 영원히 지속되지 못하고 1636년 조선이 병자호란을 겪은 지 8년 뒤인 1644년 북경 함락을 시발로 해서 결국 역사의 뒤안길로 사라져 버렸다. 문제는 이후 3세기 이상 조선의 지식인들은 명이 지상에서 사라진 사실을 인정하지 못하고 한층 숭모의식을 강화했다는 점이다.

명과 조선이 오랑캐인 청에게 당한 수치를 씻고, 나아가 재조지은에 보답하기 위해 청을 정벌하자는 주장을 하거나, 멸망한 명과 가상적인 사대관계를 유지하여 명의 마지막 황제인 의종(毅宗)의 연호인 숭정(崇

禎)을 계속 사용했고, 1704년(숙종 30년) 서울과 충북 괴산 화양동(華陽洞)에 사당(祠堂)인 대보단(大報壇)과 만동묘(萬東廟)를 세워서 임진왜란 때 조선을 도와준 황제인 만력제(萬曆帝)와 마지막 황제 숭정제의 신위를 모시고 제사를 모셨다.

조선중화론

이런 역사적 사안들의 사상적 배경이 된 것이 소위 조선중화론(朝鮮中華論)이다. 명이 사라진 상황에서 중화문명을 계승, 보전, 발전시킬 유일한 자격을 가진 나라는 조선밖에 없다는 일종의 자존의식이다. 당초 조선의 지식인은 청이 북경을 함락시켰어도, 곧 패퇴할 것이라는 희망을 버리지 않았다.

하지만 1662년에 이르러 청은 저항하던 모든 잔존 세력을 복멸시키고, 강희 옹정 건륭제로 이어지는 융성기를 향해가고 있었다. 청의 발전에 대한 정보는 연행사(燕行使)의 보고 등을 통해 국내에 잘 알려졌다. 특히 1780년 정조 4년 중국에 다녀온 박지원은 『열하일기(熱河日記)』를 통해 청이 상업을 중심으로 특히 경제, 문화, 사회 등 제반 분야에서 눈부신 번영을 이루고 있음을 보고하면서, 조선의 낙후성을 극복하기 위해 청의 선진문물을 수용할 것을 제안했지만, 당시 지배층에 의해 철저히 무시됐다.

그들은 조선은 기자(箕子)의 후손으로 천하에서 유일하게 성인의 문물이 남아 있는 곳이며, 그 증거가 중국의 정삭(正朔, 중국의 책력), 의관(衣冠)을 지키며(1729년 승정원일기 영조 5년 윤7월 6일), 예(禮)라는 유교문화의 핵심이 보존되는 데 있다고 봤다. 여기서 단군의 자손이 아니라 기자의 후예라고 고집한 것도 눈여겨볼 필요가 있다. 은(殷)이 주(周) 무왕에 망하자, 기자(箕子)가 조선에 와서 기자조선(箕子

朝鮮)을 건국하였다는 중국 쪽 사서(史記, 漢書)를 기초로, 은근히 조선이 중국의 제후국임을 강조하려는 숨은 의도가 있기 때문이다.

그리하여 18세기 후반에 오면 명의 정통성을 온전히 이어받은 조선만이 명의 역사를 편찬할 자격이 있다는 데까지 이르러 많은 학자들이 명의 역사서를 저술하는 데까지 이르렀다.

주지하다시피 중국은 새로 세워진 왕조가 앞 왕조의 정사(正史)를 편찬하는 것이 관례였으므로, 조선에서 명의 정사를 편찬한다는 것은 바로 조선이 명을 대체한 유일한 정통후계라는 생각에서 비롯된 것이다. 대체로 국내 학자들은 소(小)중화의식을 문화적 자존감의 발로라고 평가하고 있으나, 어떻게 보면 뿌리는 이미 호란 이전에 자라고 있었던 것으로 보인다. 광해를 몰아낸 세력은 정묘 병자 호란을 겪으면서도 청을 오랑캐로 무시하고 폄하하는 자세를 버리지 않았고, 그런 태도가 두 차례의 불필요한 전쟁과 패배를 불러왔다고 할 수 있기 때문이다.

당시는 왜란이 끝난 지 30여 년 정도밖에 지나지 않은 때인지라, 외침 위협에 대한 국가의 대처방도는 문명의 고저가 아니라 국력의 강약에 있음을 직접 경험한 사람들이 생존해 있었을 것임에도, 당시 사대부들은 국가 차원의 현실적 대책과 수비 방안을 마련하고 무력을 강화하는 대신, 예절을 중시하면서, 청나라를 예를 모르는 금수(禽獸)로 무시하였던 바, 그런 태도를 갖게 된 원인을 규명해야만 그들의 정신세계를 이해할 수 있을 것이다.

조선 유교문화의 완숙기는 후일 송시열을 정점으로 하는 뛰어난 인물들을 배출하고 국가의 모든 법제와 관습, 전통문화까지 개조하여 유교화가 완결된 17세기 후반에서 18세기 초에 걸친 시기라고 보는 것이 맞지만, 나는 조선의 지식인들이 이미 호란 이전에 유교적 문화관, 세계관에 침잠되어 있었다고 판단한다. 사실 임진왜란을 전후한 시기는 문무에 걸쳐 조선을 대표하는 최고 인물들이 많이 배출된 시기로서 유학자만 해도 이황, 이이, 성혼, 조식, 서경덕, 기대승, 김인후 등등 기라성 같은 인재들이 포진한다. 이들이 생동하는 창의성과 열정을 가지고 이룩한 학문적 이론적 성과는 사실상 조선유학의 정점이자 정수라고 할 수 있고, 이후 후배들의 성취가 이들의 업적을 뛰어넘었다고 장담할 수 없을 것이다.

물론 이는 스승의 설(說)을 부정하거나 수정하지 못하고 배운 대로 따르며, 당파적 배경에 따라 자파의 설을 고수하고 타파의 설은 완강하게 부정하며, 주자학의 핵심개념인 '이(理)'의 함의를 탐구하기보다는, 예론에 몰두한 조선유학의 특성 때문에 후기 학문이 교착상태에 빠진 결과 나타난 귀착점이긴 하지만, 어쨌거나 호란 시기의 조선은 이미 사상적 정신적으로 유교관념, 세계관에 완전히 침잠된 상태였다.

중국의 왕도정치와 예악형정(禮樂刑政)을 실천하는 국가만이 국가이며, 이를 모르는 나라는 금수의 집단에 불과하다는 굳은 신념은 피아를 가르고, 문명과 야만을 구분하며, 선악을 정하는 기준으로 작용했다. 그러므로 그들에게 중요한 것은 병장기(兵仗器, 온갖 무기)가 대변하는 힘이 아니라, 공맹의 도(道)와 주자가 제시한 예(禮)였다. 예를 알고 실천하는 나라만이 짐승이 아닌 인간이 거주하는 나라 축에 들었기 때문이다.

위와 같은 상황을 뒷받침하는 사안은 많이 있다. 다음 사실(史實)들은 그 중 일부다. 때는 1637년 1월 인조 15년 조선의 군신이 남한산성에 갇혀 있다.

성에는 얼어 죽은 군졸이 나오고, 눈이 크게 왔으며, 청이 성 안에 대포를 쏴서 사상자가 나왔다. 강화가 함락된 사실은 아직 모르지만 도원수 심기원이 구원병의 대부분이 패했다고 장계(狀啓, 지방관이 자기 관내의 중요한 일을 왕에게 보고하던 일)를 보내온 절박한 상황이다. 이조참판 정온이 차자(箚子, 약식 상소문)를 올린다.

"전후에 걸쳐 국서는 모두 최명길의 손에서 나왔는데, 매우 비루하고 아첨하는 말뿐이었으나, …그래도 신(臣)이라는 한 글자를 쓰지 않아 명분이 아직은 미정인 상태였습니다. 그런데 지금 만약 신이라고 일컫는다면 군신(君臣)의 명분이 이미 정하여진 것입니다. …최명길의 생각으로는, 한 번 신이라고 일컬으면 포위당한 성도 풀 수 있으며 군부도 온전하게 할 수 있다고 여기는 것입니다. 그러나 설령 이와 같이 된다 하더라도 이것은 부녀자들이나 소인의 충성밖에 되지 않는 것인데, …옛날부터 지금까지 천하의 국가가 길이 보존되기만 하고 망하지 않은 경우가 어디에 있습니까. 무릎을 꿇고 망하기보다는 차라리 정도(正道)를 지키며 사직을 위하여 죽는 것이 낫지 않겠습니까. …아, 명나라에 대한 우리나라의 입장은 고려 말엽의 금(金)나라나 원(元)나라의 경우와 같지 않은데, 부자와 같은 은혜를 어찌 잊을 수 있겠으며 군신의 의리를 어떻게 배반할 수 있겠습니까. 하늘에는 두 개의 태양이 없는 법인데 최명길은 두 개의 태양을 만들려고 하며, 백성들에게는 두 임금이 없는데 최명길은 두 임금을 만들려 합니다. 이런 일도 차마 하는데 무엇을 차마 하지 못하겠습니까. 신은 몸이 병들고 힘이 약하여 비록 수판(手板)으로 후려칠 수는 없다 하더라도 같은 좌석 사이에서 서로 용납하고 싶지 않습니다. 삼가 전하께서는 최명길의 말을 통렬히 배척하여 나라를 팔아넘긴 죄를 바로잡으소서." (1637년 인조실록 인조15년 1월 19일)

차자의 논의는 요컨대 청과 군신의 의를 맺으면 이미 나라가 망한 것이고, 최명길의 말대로 항복을 하여 임금과 나라를 온전히 한다 하더라도 이는 부녀자들이나 소인의 충성밖에 되지 않는다. 비굴하게 국가가 보전된다 해도 이는 이미 망한 것과 진배없으니 차라리 사직을 위해 죽는 것이 낫다. 명과의 군신의 의리를 배신할 수 없고, 절대로 두 임금을 섬길 수 없다는 것 등으로 요약된다. 이는 이보다 앞서 옥당(玉堂, 홍문관)이 인조 14년(1636년) 10월 6일 올린 차자에서 "…지금 비록 불행하여 큰 화가 당장 닥친다고 하더라도 오히려 죽음이 있을지언정 두 마음을 가져서는 아니 됩니다. 그렇지 않으면 앞으로 천하 후세에 무슨 할 말이 있겠습니까."라고 한 것과 일맥상통하는 바, 나라가 망하더라도 두 마음을 갖는다면 천하 후세에 떳떳하게 할 말이 없다는 것이다.

척화론자들이 신경을 쓴 것은 나라의 멸망이 아니라 두 임금을 섬겼다는 것, 즉 청에 무릎을 꿇고 항복을 하면 이미 두 임금을 모시지 않는다는 군신의 예를 저버린 것이 되어 차라리 망한 것보다 더한 수치였다. 이들에게 예를 지켰는지 여부와 이에 대한 후세의 평가가 중요했지 국가의 존망은 부차적 사안에 불과했다. 국정 담당자로서 국가를 소멸시킨 과오보다 예를 간수하지 못한 책임이 더 크고 무겁게 다가왔던 것이다. 결국 이러한 의식구조는, 청의 번영과 전성기가 계속되는 동안에 나타난 조선중화론 같은 논의의 기초이자 뿌리로서, 양대 호란 이전에 이미 조선 사대부의 정신세계를 지배하고 있었다는 점을 주목할 필요가 있다.

양반계급

대체로 조선의 양반들은 경제나 상공업, 농업의 실무에 대해 관심이 없었고 생활의 편의성, 효율성에 대한 논의를 천박하게 생각했으며, 주로 관념적 담론이나 도덕실천에 전력을 기울였다. 그들은 인간이 욕망을 가진 존재로서 의식주의 향유에 있어 더 많고 더 좋은 것을 추구하는 경향이 있다는 사실을 애써 부인했다. 국가재정의 기본절목은 수입을 기준으로 지출 경비를 맞추고 어떤 일이 있어도 거둔 것 안에서 지출한다는 양입위출(量入爲出)이었고, 생산과 수확, 생산품목의 확장, 교역과 유통을 통한 상공업품의 이용과 수요를 증대하고 창출하기보다는 절약과 절제를 통해 가진 것, 손안에 있는 것의 범위 내에서 욕구를 해결하는 것을 미덕으로 삼았다. 사치는 해악을 넘어 반도덕 반인륜적 행위에 해당됐다.

이런 태도는 상업을 억제하고, 공업을 장려하지 않았으며, 산지가 많은 지형적 특성이 있다고 해도 전국을 연결하는 도로망의 개설, 개통에 무관심해서 최소한의 육상 교통, 통신망 정도만을 유지한 채, 상인이나 일반인의 통행을 위한 배려는 거의 하지 않는 데까지 이어진다. 비효율이 증명된 국가제도, 기관이라 하여도 조종(祖宗)의 관례, 관습이라면 이를 개정하는 데 주저했다. 조선 최고의 개혁이라는 대동법[大同法, 공물(貢物)을 쌀로 통일하여 바치게 한 납세제도]도 임진왜란 직후 처음 도입된 이래 전면적으로 실시되는 데 무려

150년이 걸렸고, 소위 삼정(三政)의 문란이라고 일컬어지는 전정, 군정, 환정의 폐단은 끝내 개선된 바 없다. 이런 실상은 마치 거울 없이는 자신의 모습을 볼 수 없는 것처럼 조선 사대부 스스로는 파악할 수 없는 사안이었다.

여기에 제3자의 시각, 명의 사신으로 왔던 감군 황손무(黃孫茂)의 진단이 등장한다. 그는 병자호란 직전인 1636년 9월 1일 명의 사신으로 입국한다. 그는 원래 명을 향한 긴장을 늦추기 위해 조선을 설득해서 청과 전쟁을 하도록 부추기려는 목적이 있었으나, 두 달 정도를 머물고 귀국하면서 오히려 "청과의 관계를 끊지 말고 정묘년의 맹약을 지켜 국가를 보전하라."고 권유한다. 그는 조선조야(朝野)의 비현실적인 현실을 목도하고, 조선이 재조지은을 내세워 청과 승산 없는 싸움을 하다가 망할 경우 명이 더 위태로워진다고 봤다. 조선이 망하면, 청은 후방에 대한 걱정 없이 명을 공략할 것이기 때문이다. 그는 다음과 같은 결정적 충고를 한다.

"대체로 경학(經學)을 연구하는 것은 장차 이용(利用)을 제공하기 위한 것인데 정사를 맡겨도 통달하지 못하면 시 3백 편을 외워도 소용이 없는 것이오. 저는 귀국의 학사 대부가 송독(誦讀)하는 것이 무슨 책이며 경제(經濟)하는 것이 무슨 일인지 이해할 수가 없었소. 뜻도 모르고 웅얼거리고 의관(衣冠)이나 갖추고 영화를 누리고 있으니 국도(國都)를 건설하고 군현(郡縣)을 구획하며 군대를 강하게 만들고 세금을 경리하는 것을 왕의 신하 중 누가 처리할 수 있겠소. 임금은 있으나 신하가 없으니 몹시 개탄스럽소. 왕에게 지우(知遇)를 받았으므로 변변치 못한 견해를 대략 진달하오니, 왕은 살피소서."
(황손무 ; 1636년 인조실록 인조 14년 10월 24일)

결국 황손무가 두 달이라는 짧은 시간동안 임금과 조정의 대신들을 면담하고, 상대한 결과 양반들이 시문을 작성하고 철학의 고담준론을 논하는 데는 능숙할지 몰라도, 조선이 처한 절박한 상황에 대한 인식이나, 닥쳐올 침공에 대한 대비책 마련에는 무지한 실정을 파악한 것이다. 결국 의관을 갖추고 점잖게 앉아 시 삼백과 경학서를 줄줄이 송독하더라도 활과 창, 조총과 대포, 축성, 군량조달, 병사의 조련 등 실무에 이르면 백면서생에 다름없다는 지적이다.

명분론, 절의론

사정이 이렇다면 남한산성이라는 비정상적 공간에서 척화론자들이 나라의 멸망보다는 군신지도(君臣之道)를 저버리면 안 된다고 강조한 사실이 조금 이해가 가기도 한다. 나라가 망하는 것은 작은 것이요, 예를 지키지 못하는 것은 큰 것이라는 주장은 지금의 관점에서 보면 명백히 표리, 전후, 경중이 뒤바뀐 것이지만, 당시에는 이런 생각이 무엇보다 합리적이고 타당한 것으로 받아들여졌을 것이다. 삶의 실무는 천하고, 사상은 고귀하다는 입장에서 보면, 목숨은 가볍고, 의는 중한 것이 당연하고, 이는 또한 그들의 사상적 기반인 주자학의 명분론과 일치하였다. 명분이란 사람, 사물, 행위 등의 명(名)과 본분(分)이 일치하는 상태를, 사회질서와 행위규범이 바로잡힌 도덕적 상태로 간주하는 윤리적 개념이다.

공자가 '임금은 임금답고 신하는 신하답고…(君君臣臣父父子子)'라고 한 것은 인간의 사회적 위치와 그에 따른 본분을 일치시킬 것을 제시한 것으로 명분론의 대표적 명제다. 소위 춘추대의(春秋大義)에 따르면 국가 존망의 위기에 처했을 때 생명을 바쳐 이를 막는 것은 명분에 합당한 순절(殉節)의 의리이다. 만약 위기를 막지 못하면 마땅히 침략자에게 저항하며 타협을 거부하는 것이 절의를 지키는 길이다. 따라서 척화론자들이 침략자를 거부하고, 굴복하지 않은 것은 어떤 면에서 보면 배우고 익힌 대로 행동한 것이므로 특별히 의미를 부여할 사안이 아닐지도 모른다. 그러므로 문제는 그들이 척화론자가 되었다는 사실보다 그들이 그렇게 할 수밖에 없도록 가르치고 키워낸 조선의 교육, 정치, 사상의 시스템과 현실이었다.

조광조(趙光祖)는 사림파의 상징과 같은 인물이다. 반정으로 왕위에 오른 중종의 지지에 힘입어 연산군으로 대변되는 기성정치를 혁파하는 유신정치를 추진했다. 임금의 철저한 수신을 비롯해 조정 내 언로의 확충을 강조하고, 경전 지식으로 관료를 선발하던 과거제도를 덕(德)이 있는지의 여부를 기준으로 임명하는 제도로 바꿀 것을 주장했다. 동시에 주례와 주자가례에 따라 조선의 전통관례와 풍습을 일신하기 위해 소학(小學, 주자가 아동들을 가르치기 위해 엮은 수신서. 조선에서는 도덕적 삶의 실천을 위한 지침으로 절대적으로 중시됐음)과 향약의 보급을 추진했다.

말하자면 조선을 성리학 이데올로기에 맞춰 탈바꿈시키려고 기도한 것이다. 앞서 지적한 대로 러시아혁명보다 무려 300여 년이나 앞선 기념비적인 시도였다. 그러나 조광조를 비롯한 당대 사림세력은 대부분 젊은이로서 현실에 무지했고 이상에만 과감했다. 사용한 수단이 과격하고 급진적이었으며, 자기들과 뜻이 맞지 않으면 무조건 소인배로 지목하고 배척하여, 그들과 알력이 생겨났다. 1519년 조광조 등은 마침내 중종반정 공신 중 작호가 부당하게 수여된 자에 대해 공훈을 박탈할 것을 요구했는데, 이는 당시 권력 핵심에 있던 공신세력들을 직접 공격한 것이었다. 권신(權臣) 입장에서는 가만히 당하고 있을 수 없는 사안이었다. 그들의 반격이 바로 기묘사화다. 이로 인해 조광조를 비롯한 70여 명이 사사됐다.

조광조의 실패는 흔히 못다 핀 개혁의 열망, 시대를 앞서간 비운으로 표현되지만, 나는 그렇게 보지 않는다. 조광조의 꿈은 당대에는 이루어지지 않았더라도 조선후기에 이르러 완전히 개화됐기 때문이다. 조선은 윤리, 사상과 정치 이데올로기, 문화, 관습 등 모든 면에 있어 주자의 모국인 중국보다 더 완벽한 주자학 국가로 개조됐다. 외국 문물이 수입되어 기존의 풍습과 관례에 영향을 주고 이에 따라 일정 부분 바뀌고 변용이 이루어지는 것은 충분히 있을 수 있는 일이다.

그러나 주도층의 의식적 노력과 추진에 따라 자연적 순리적 변이를 뛰어넘는 강제적 사회변동이 촉진되고, 조장됐다면 이는 명백히 의도적으로 추진된 개혁의 성공이자 완결이라 할 수 있다.

어째서 당대에 실패한 혁명이 후대에 되살려지고, 꽃피게 되었을까. 이는 조광조 현상이 단순히 조광조 개인의 천재성 혹은 특이한 일탈에 기인한 것이 아니기 때문이다. 조광조는 시대조류를 상징하는 표장(標章) 혹은 상표일 뿐, 조선사회 저변에는 주자학과 주자학적 세계관을 향한 거대한 흐름이 있었다. 왕조 성립 초기 새 이념과 제도를 결정한 지배층에게 주자가 제시한 사회문제 해결 처방은 조선의 현실에 적합성을 지닌 것으로 받아들여졌다. 군주는 체제유지에, 양반층은 자신들의 정치적 위상과 경제적 이익을 공고히 하는 데 더없이 안성맞춤인 이데올로기였고, 주자학적 예교질서(禮敎秩序)는 피지배계급인 민(民)을 통제하고 수탈하는 데 효과적인 사상적 수단이었다. 그들은 조선의 유교화를 위해 열광적으로 주자학을 수용하고, 소학과 주례, 주자가례를 보급하고 장려했다. 이런 노력은 생각보다 빨리 결실을 맺어, 조광조의 사후 불과 30년도 지나지 않아 퇴계와 율곡 같은 유학의 거목들이 출현했다.

나는 조선 초기 주자학이 제시한 처방책이 사회문제 해결에 적정했더라도, 점차 양반의 독점권력 강화, 경제의 항구적 침체 등의 정치 경제 사회 세력관계 변화에 따라 현실 정합성을 상실하게 됐다고 본다. 그럼에도 조광조 시대에 이르면, 예교질서는 이미 조광조가 상징하고 대변하는 모습으로 상당 부분 착근돼 있었다. 조선의 사대부는 벼슬하지 못한 시골의 유학(幼學)이라도 주자학 세계관에 함몰돼 있던 까닭에 재조지은은 남다른 의미로 다가왔던 것이다.

조선의 성리학이 폐쇄적 교조적 성격을 갖게 된 이유에 대해서는 조선의 정치적 특수성과 관련하여 별도의 논의가 필요하다. 그러나 현종 때 2차에 걸친 예송논쟁[禮訟論爭, 현종 때 인조의 계비인 자의대비(慈懿大妃)가 아들과 며느리인 효종과 효종비의 상을 당하여, 입어야 할 상복(喪服)의 격식과 기간을 둘러싸고 남인과 서인이 대립한 사건]에서 보듯이 예론이 특히 발전하고 이에 집착하게 된 것은 성리학의 자유로운 토론이 금지되고 정통으로 인정된 견해 이외에는 사문난적(斯文亂賊)으로 처단 받아온 지적전통, 분위기와 무관하지 않다.

말하자면 주자 해석을 추종하는 이외에 다른 학설에 대해서 언급을 금지하는 등 본류에 대한 억압이 예론과 같은 곁가지에 대한 관심을 불러일으킨 면이 있다.

예론의 입장에서 볼 때, 군신관계와 부자관계는 명백히 다른 예에 속하여, 지켜야 할 의리가 다르고, 행동해야 할 규범원리가 달랐다. 따라서 명과의 관계가 단순한 군신관계가 아니라, 부자관계로 재해석되기에 이르자, 다소 과장되게 말하자면 척화론은 청이 등장하기도 전에 이미 조선 사대부의 공론(公論)-일반여론이 될 소지를 가지고 있었던 바, 청의 등장은 이를 실현시킨 것일 뿐이다. 따라서 광해군 때는 물론이고 인조대에 이르면 방금 정묘호란을 겪고도, 일개 태학생인 윤명은(尹鳴殷)조차 실질적인 대비책을 제시하기보다는, "차호(청의 사신)와 박난영(朴蘭英, 청과 화친을 주장한 무장) 등의 머리를 베어 함(函)에 넣어 명나라로 보내고 의병을 일으켜 척화(斥和)한 다음 성을 등지고 일전을 벌이소서."라고 공허한 내용의 상소를 낼 정도로 척화론은 사대부 계층의 광범위한 여론이었다(1627년 인조실록 인조5년 2월 7일).

김상헌 가문의 영광

이런 배경에서라면 남한산성에서 최명길이 작성한 항복문서를 김상헌이 찢어버린 행동이 이해된다. 그는 다수 척화파의 생각을 몸으로 표현했던 것일 뿐 특별히 모나거나 괴팍했기 때문이라고 할 수 없다. 그에 대한 사류의 판단은 후하기 짝이 없다.

김상헌은 인조가 성을 나가 청태종에게 항복을 한 직후 스스로 목을 매었는데, 자손들이 구조하여 죽지 않았다. 이때 인조실록 작성자는 다음과 같이 적었다.

"사신(史臣, 사초(史草)를 쓰던 신하. 곧 예문관 검열을 이름)은 논한다. 강상(綱常)과 절의(節義)가 이…사람 덕분에 일으켜 세워졌다."(1637년 인조실록 인조 13년 1월 28일)

그러나 따질 것은 따져봐야 한다. 당시 김상헌이 항복문서를 찢기는 했지만, 달리 대안이 있었던 것일까. 성을 포위하고 있던 청태종이 문서가 찢긴 소식을 듣고 조선 선비의 대단한 의기와 결의에 간담이 서늘해져서 군대를 돌려 만주로 돌아갔을까. 역사에는 가정이 없다. 일어난 일은 일어난 일일 뿐 되돌릴 수 없다. 다만 사건의 의미에 대한 재해석은 늘 열려 있다. 지난 300년 이상 역사의 승자는 김상헌이었다. 그는 송시열 등의 체계적 존숭작업을 거쳐 충성과 의리의 상징과 같은 인물로 추앙을 받았고, 조선중화론이 지배적인 의론이 되는 정치적 환경 속에서 최고의 인물로 꼽혀왔지만,

최명길은 절의를 배반한 인물로 쓸쓸하게 기억되었을 뿐이다.

대표적 명문으로 부상한 김상헌의 후손에서 부자(父子) 영의정, 형제 영의정, 부자 대제학 등 12명의 정승과 3명의 왕비, 수십 명의 판서가 나왔고, 특히 김조순(金祖淳)의 딸이 순조비가 되면서 그 자손이 정승, 판서를 독차지하게 되는 소위 안동김씨의 60년 세도정치가 출현했다. 세도정치의 시기에 국운은 기울고, 민생은 도탄에 빠져, 결국 국가가 패망의 길을 간 것은 강상[綱常, 삼강(三綱)과 오상(五常). 곧 사람이 지켜야 할 도리]과 절의의 가문이 빚어낸 아이러니가 아닐 수 없다. 그러나 어떤 면에서는 승자의 영광은 의연히 계속되고 있다. 김상헌은 여전히 긍정되고 있기 때문이다.

삼전도의 굴욕 3년 뒤인 1640년(인조18) 11월 김상헌은 관직도 거부하고 청의 연호도 쓰지 않는다는 이유로 청으로 압송되어 심양의 감옥에 투옥됐다. 최명길은, 김상헌이 나라에서 주는 관작을 사절하고 초야에 묻혀 있는 동안, 사신을 자처하여 청의 과도한 세폐(歲幣, 매년 공물로서 바치는 폐물)를 경감하고, 명나라를 치기 위한 조병 요구를 막았다. 한편 최명길의 주도로 명과의 비공식적 관계를 유지해오던 사실이 발각되자, 모든 책임을 영의정인 자신이 지고 1642년 심양의 감옥에 투옥됐다. 신화는 여기서도 이어진다. 김상헌과 최명길은 심양의 감옥에서 서로 시를 주고받으며, 서로의 심경과 내면을 이해하고 우정을 회복하기에 이른다는 것이다. 이에 대한 표준 해설은 다음과 같다.

"이렇게 볼 때, 병자호란에 대한 김상헌과 최명길의 입장은 척화론과 주화론으로 상반된 것이었지만, 그들의 입장은 모두 나라를 위하는 우국충정에서 비롯된 것임을 알 수 있다." (『17세기 초 金尙憲과 崔鳴吉의 양면적 역사인식』, 정성식, 동양고전연구 45집)

그러나 나는 이런 표준해석에 동의하지 않는다. 이렇게 억지로 두 사람을 화해시키는 작업은 역사에 부여된 과제를 게을리 하는 일이라고 본다. 두 인물의 행동이 어떤 점에서 우국충정이었는지 낱낱이 해부하고 분석하는 일이 필요하다. 우리는 여전히 병자호란과 같은 상황에 놓여 있기 때문이다.

주변 강대국의 위상이나 우리의 지정학적 위치를 감안하면 오히려 그러한 조건은 영원히 계속될 업보일 수 있다. 민족의 존립과 나라의 보전, 그리고 기왕에 살아남는다면 보다 더 잘, 부유하고 힘있게—그것이 우리에게 주어진 사명이다.

시대가 바뀌어 실용주의, 현실주의에 역점이 주어져, 소인배로 치부됐던 최명길에 대한 호의적인 평판이 늘어나고 있지만, 그래봐야 김상헌과 같은 위치에 놓는 것이 전부이다. 그러나 이런 도식적 해설보다는 어떤 길이 유연하고 생존에 유리한 방법인지 연구하고 배울 수 있는 분석이 필요하다. 제대로 비평된 역사만이 현재의 발전과 번영을 위한 방편에 도움이 되기 때문이다. 역사해석과 평가는 시대마다 사람마다 다르게 돼 있다. 모든 역사는 현재의 역사이고 그 점에서 결론이 개방돼 있다. 우리의 임무는 자유로운 시각에서 역사의 인물을 현재로 불러내 현재의 시각으로 재단하고 판단하지 않으면, 단순하고 죽어버린 지식의 축적에 지나지 않는다는 자각과 함께 개시된다.

이제 재조지은, 숭명의리, 절의론, 명분론, 조선중화론, 송시열 같은 몇 개의 키워드와 함께 인조반정, 병자호란과 같은 역사적 사건을 살펴보며, 인조시대와 조선후기는 우리에게 어떤 의미가 있으며, 어떤 유산을 남겼는지 알아보도록 하자.

2장 17세기 초, 조선과 세계

역사의 분기(分岐)

병자호란은 1636년에 일어났고 이보다 40여 년 전인 1592년에는 임진왜란으로 국토가 유린됐다. 이렇게 16세기 말과 17세기 초에 걸쳐 조선은 2번의 외침(外侵)을 받고 전후의 사회상이 크게 달라질 정도로 국가 전 분야에 걸쳐 격변을 맞았다. 조선이 고초를 겪는 동안 다른 나라와 세계는 어떻게 돌아가고 있었을까.

우선 중국은 명의 쇠퇴와 청의 대두라는 전환기를 맞이하고 있었고, 일본은 무로마치 막부 말기의 혼란기인 소위 전국시대(戰國時代)를 거쳐 도쿠가와 이에야스(德川家康)의 막부 수립을 향해 가고 있었다. 그리고 조선과는 아무런 관계가 없는 것으로 여겨졌던 서양에서는 세계지배를 향한 기지개를 켜고 있었다.

흔히 지리상의 발견이라는 말로 불리기도 하는 대항해시대는 대체로 15세기에 시작되어 17세기 중엽까지 계속됐다. 애초 신항로 개척은 동서양을 잇는 무역항로가 이슬람세력에 의해 봉쇄되자, 이를 우회하는 수단으로 바닷길을 찾기 위해 개시됐다. 대항해시대의 개막은 포르투갈의 엔리케 왕자가 포르투갈에서 남하하여 아프리카로 가는 항로를 개척하면서부터 시작됐다고 본다.

15세기 오스만 투르크 제국이 성장하면서, 아시아로 가는 육로가 봉쇄되자, 육류를 즐기는 유럽 음식문화에서 필수 불가결한 향료였던 후추 수입이 현격히 줄었다. 인도나 중국으로부터 넘어오는 후추, 정향 등 향신료에 대한 줄기찬 수요는 결국 이를 들여올 수 있는 새 방법 모색으로 이어졌다. 중동에 가까운 지리적 이점을 이용해 중개무역으로 독점적 이익을 누리던 이탈리아 상인과 달리, 지리적으로 대서양에 면해 있던 포르투갈에서 이런 움직임이 먼저 일어났고 스페인이 뒤를 이었다. 그들은 순차적으로 아프리카 서해안과 남단 희망봉에 이르는 항로를 개척하고, 곧 아프리카 동해안을 따라 인도에 기착했으며, 다른 한편 남북 아메리카 대륙을 발견하고, 세계일주 항해에 성공하여 지구 전반 각 지역의 인종 및 문명, 문화에 관한 지리적, 인류학적, 인문적 지식을 완성했다. 그 과정에서 서양은 근대국가로의 변모를 완성하고 세계 곳곳을 식민지화함으로써, 현재까지 이어지는 서구 우위의 원형을 완성했다.

하지만 세계적 규모 항해의 포문을 연 나라는 중국이었다. 명의 3대 황제 영락제의 지시를 받은 정화(鄭和)는 1404년부터 1433년까지 7차에 걸쳐 동남아시아, 인도, 아라비아반도, 아프리카 동부 연안에 이르는 광범위한 지역을 탐사하고, 관계를 맺었다. 정화의 원정은 서구세력이 경제적 욕구를 충족시키기 위해 탐사와 약탈을 행했던 것과 달랐다. 중국 함대는 남중국해와 인도양에 아우르는 지역의 해상 패권을 수립하고, 각국의 조공을 통하여 사치품을 수입하는 루트를 개발했지만, 원정에는 막대한 비용이 들어가는 데 비해, 특정한 목적을 집어낼 수 없을 정도로 항해 의도가 불분명했던 만큼, 영락제 사후 원정은 중단되었다. 이후 황제들은 명의 자원이 풍부하고 자급자족할 수 있으니, 외부와 물자를 주고받을 필요가 없고, 굳이 다른 세력에 문호를 개방하여 이민족의 침입을 유도할 이유가 없다고 생각하여, 외부세계와 왕래를 금지했다.

세계사적 불균형

따라서 정화의 항해가 세계적 규모의 항해인 것은 사실이지만, 대항해 시대의 개막으로 보는 것은 무리다. 중국이 자폐적 침잠을 추구한 것은, 세계사적 불균형의 출발점으로, 장기적으로 유럽 우위시대가 열리는 계기가 됐다. 당시 중국 인구는 대략 8천만 명에서 9천만 명으로 유럽전역을 합친 것보다 많았고, 경제력은 최대 세계의 40% 정도를 차지하고 있었다고 하는 바, 일개 국가를 두고 말하자면 절대적 의미의 강국이었던 셈이다. 이 시점의 유럽은 아직 가난한 지역에 불과했으며, 교역을 추구한 것도 힘을 행사하려는 게 아니라, 부족한 것을 메우려는 현실에서 비롯된 것이다.

대항해 시대가 개시된 15세기 이후 해상을 통해 전 세계가 연결됨으로써, 그동안 각 지역별로 고립되어 따로따로 진행되던 역사는 이제 불가피하게 서로 간에 영향을 주고받는 관계로 바뀌게 됐다. 조선 입장에서 보면, 그때까지 전혀 관계가 없었던 지역-예를 들어 서구에서의 작은 물결이 커다란 파동으로 다가오게 된 셈이다. 상호교류가 호혜평등을 바탕으로 이루어진 것은 아니다. 유럽은 교역과정에서 무력을 앞세우고, 지배와 종속, 착취와 약탈을 통해, 식민지를 경영하는 제국주의 국가로 성장해 갔다.

19세기에서 20세기에 걸쳐 확고해진 서구의 압도적 우위는, 우리의 역사에 대한 시각을 왜곡하여, 서구가 중세 이전부터 중국이나 오스만 투르크 제국을 앞서는 국력과 경제력을 가진 것으로 오해하게 만들었다. 그러나 주경철에 의하면, 유럽은 19세기에 이르면, 아시아에 비해 경제력에서 크게 앞선 것은 분명하지만, 18세기 중엽까지는 여전히 인도와 중국의 생활수준이 영국과 유사했고, 경제적으로 아시아를 뛰어넘은 결정적인 시점은 18세기 후반으로 추론된다고 한다(『대항해시대』 주경철, 서울대학교 출판문화원).

이설(異說)이 있기는 하지만 전반적으로 15~18세기에 세계의 무게중심은 인구로 보나 총생산으로 보나 아시아에 있었다고 보는 것이 통설이다. 그런데 주지하는 바와 같이 이후 무게중심은 서구로 기울었고, 그 가운데서도 영국 등 몇몇 나라가 패권을 쥐게 됐다. 이와 같은 현상은 수세기에 걸쳐 아시아가 정체하는 동안 유럽은 가속적인 발전을 했기 때문으로 해석되고 있다.

같은 서구국가 가운데서도 대항해 시대를 연 포르투갈과 스페인이 쇠퇴하고 네덜란드와 영국이 부상한 사실 등과 관련하여 제국주의론을 비롯한 세계 체제에 관한 많은 이론(異論)들이 있지만, 그것들은 여기서의 관심사가 아니다.

각국의 사정

조선이 두 번의 침략을 겪은 16세기 말과 17세기 초 중국은 명, 청 교체기에 있었고, 일본은 도쿠가와 막부가 수립되고 있었다는 점은 전술한 바와 같다. 같은 시기 서양 주요 제국의 사정을 간략히 살펴보면 다음과 같다.

영국은 엘리자베스 1세의 통치기(재위 1558~1603)를 맞아 신구 종교의 갈등을 해결하고, 대양 진출을 통해 아메리카 식민지를 확보하였으며, 스페인과의 해양 대결에서 승리함으로써, 나중에 제국으로 발전할 기반을 다졌다. 그러나 그녀의 후임으로 등극한 제임스 1세(재위 1603~1625)는 영국과 스코틀랜드의 첫 통합 군주로 즉위하면서 스튜어트 왕가의 문을 열었지만 재임기간 동안 국정운영 미숙, 의회 및 종교 세력과의 갈등이라는 산적한 문제를 남겼다. 제임스 1세 사후 스튜어트 왕가 두 번째 왕으로 등극한 찰스 1세(재위 1625~1649)는 왕권신수설을 고수한 전제적 통치방식 때문에 의회와 마찰을 빚었고, 왕과 의회 사이의 정치적 갈등은 내전 상황까지 초래했다. 그는 1649년 단두대에서 처형됐다. 1660년 그의 장남이 찰스 2세로 즉위하여 왕정이 복고될 때까지 10여 년간 영국은 크롬웰 주도의 공화정 상태에 있었다.

프랑스에서는 신구교간 갈등으로 전개된 소위 위그노 전쟁(1562~1598)이 36년간에 걸쳐 전개됐다. 위그노 세력의 지도자인 브르봉 왕조의 앙리 4세(재위 1589~1610)가 즉위하여 종교간 대립을 중재하고자 개신교에서 로마 가톨릭으로 개종하고, 1598년 낭트 칙령을 발표함으로써 종교전쟁을 종결시킨다. 이후 앙리 4세는 국내 산업을 진흥시키고 해외진출에 힘을 써 프랑스의 왕권강화, 즉 절대왕정의 기초를 마련했다. 뒤를 이은 왕이 루이 13세(재위 1610~1643), 루이 14세(재위 1643~1715)이다.

독일은 13세기 이래 국가에 왕이 없는 대공위시대(大空位時代)를 보내기도 했고, 그 후 국가권력은 수없이 분열된 제후국 영주들의 수중으로 들어갔다. 1517년 마틴 루터가 성직자 면죄부 판매를 반대하면서 종교개혁의 불을 지폈고, 1618년에는 신구교의 대립으로 30년 전쟁이 발발했다. 이 전쟁에서 독일은 전체 인구의 3분의 1을 잃었으며, 1648년 베스트팔렌 조약으로 전쟁이 끝나지만 이로 인해 정치적 경제적으로 큰 손실을 입었다. 독일이 통일을 완성하고 근대국가로 출발한 것은 200년여가 지난 19세기 후반 비스마르크에 의해서이다.

이베리아 반도에서는 아라곤 왕국과 카스티야 왕국이 연합하여 1492년 이슬람교도를 완전히 몰아내고 스페인왕국으로 통합한 뒤 콜럼버스의 아메리카 발견(1492) 이후 여기서 나온 막대한 금과 은을 이용하여 16세기에서 17세기 중반까지 150년간 유럽에서 가장 강력한 국가이자 가장 넓은 해외 영토를 가진 세계제국이 되었다. 그러나 잦은 정복전쟁과 종교탄압 등으로 헤게모니를 영국 등에 빼기게 된다.

영국은 여러 차례 시도 끝에 신대륙에 항구적인 식민지를 건설했다. 1606년 국왕의 면허장을 받아 설립된 회사(버지니아 회사)가 1607년에 제임스 강 연안에 주민들을 정착시켰고, 1620년에는 종교박해를 피하여 청교도들이 신앙의 자유를 찾아 메이플라워호를 타고 지금의 매사추세츠에 상륙했다. 이때부터 1733년까지 영국은 북아메리카의 대서양 연안에 13개의 식민지를 만들었다.

간략하게나마 서양 각국의 사정을 살펴본 것은, 역사를 평면 비교하는 것은 큰 의미가 없지만, 16세기 말과 17세기 초반에는 그들도 여러 방면에서 아직 근대국가의 면모를 갖추지 못했다는 사실을 강조하고 조선이 그에 비해 크게 뒤진 것이 아니었다는 점을 밝히기 위해서다.

조선의 제도와 역사적 갈림

그 시기 조선은 경제적, 문화적으로 상대적인 안정 상황에 있었다. 건국 초부터 토지 개간을 장려하고 양전사업(量田事業, 토지조사사업; 조세의 기초가 됨)을 실시한 결과 고려 말에 50여만 결이었던 경지 면적이 임란 전에 이르면 160여만 결로 증가했고, 수리시설도 확충됐다. 여러 가지 농업서가 간행됐고, 작물의 2년 3작, 모내기도 보급됐다. 거름을 주는 시비법이 발달하여 휴경지가 사라지고, 목화 재배로 의생활이 개선되었으며, 약초와 과수 재배도 확대됐다. 한편 같은 시기 한글 창제로 대변되는 문화는 법전, 의례집, 역사서의 편찬과 물시계 등 과학발명, 천문역법, 제지 인쇄술의 발전 등 전반적으로 순조로운 길을 걷고 있었다.

다만 여기에 엇박자의 정치가 있다. 연산군 때부터 명종 즉위까지 약 50년에 걸쳐 4번의 사화가 발생하는데 1498년(연산군 4년) 무오사화(戊午士禍), 1504년(연산군 10년) 갑자사화(甲子士禍), 1519년(중종 14년) 기묘사화(己卯士禍), 1545년(명종 즉위년) 을사사화(乙巳士禍)가 그것이다. 흔히 사화는 성종 때부터 성장한 사림세력이 훈구세력의 부패와 비리를 비판하다가 피해를 입은 것으로서, 그 자체가 상당히 퇴행적 행태의 산물인 것처럼 해석되고 있다.

그러나 내 생각은 조금 다르다. 신예학자 혹은 신진관료들이 기득권층과의 권력투쟁 과정에서 희생된 것은 안타까운 일이지만, 어떤 면에서 보면 정치에 있어서 있을 수 있는 현상이고 서양의 종교전쟁이나 영국의 국왕과 의회의 싸움 등에 비추어 볼 때 더 잔인하거나 더 후진적이라고 볼 근거가 없다는 것이다. 비슷한 시기 명의 가정제(嘉靖帝, 재위 1521~1567)는 생부의 황제 추존에 반대한 중신들을 무참히 처형하였고, 만력제(萬曆帝, 재위 1572~1620) 때 환관 위충현은 비밀경찰인 동창(東廠)의 수장으로서, 개혁파 학자들의 모임인 동림당(東林黨)을 탄압하여 많은 학자 관료들을 처형했다. 또한 일본은 소위 전국시대(戰國時代, 1467~1498)라고 불리는 내전 상태에 있어 상호간 살육(殺戮)이 일상화돼 있었다.

여기에 비해 사림과 훈구세력의 권력싸움은 크게 보아 기득권 내부의 주도권 다툼이므로 강도나 파급범위에 있어 종교전쟁이나 내전에 버금갈 수가 없었다. 대표적인 경우가 독일의 30년 전쟁이다. 그 여파로 독일은 인구가 3분의 1이나 줄어들 정도로 타격을 입었다. 따라서 국가의 흥망에는 복합적 요인이 간여할 것이지만 근대에 이르러 조선이 식민 상태에 빠졌다는 사실만으로 당시 이미 근본적 총체적 후진상태였다고 보는 것은 명백한 속단으로 보인다.

그렇다면 무엇이 조선과 저들의 운명을 갈라놓은 것일까. 달리 표현하면 어떤 점에서 조선이 저들에 비해 미래지향적이지 못했고, 발전가능성이 부족했던 것인가. 조선보다 특별히 나은 처지에 있었다고 볼 수 없었던 저들은 면모를 일신하며 근대국가로의 변신에 성공한 데 비하여, 조선이 침체의 늪에 빠져 퇴보의 길을 걸었던 데는 아무런 이유도 원인도 없었다고 할 수는 없을 것이다.

여기에 국가경쟁력이라는 개념이 도움이 될 수 있다. 논란이 있지만, 국가경쟁력은 주어진 국제 경제 환경 속에서 그 나라의 경제주체인 기업, 정부, 개인이 다른 나라의 경제주체와 경쟁하여 이길 수 있는 총체적인 능력을 의미한다. 하위개념인 정부경쟁력은 정부가 공정한 경쟁 환경과 규칙을 마련하고, 도로 항만 등의 사회간접자본을 제공하며, 진취적이고 창조적인 인재개발 및 확보를 통하여 경제주체 활동에 도움을 주는 정도를 말한다. 국가경쟁력은 현대에 제시된 개념이지만, 이를 참조하여 과거 조선이 세계와의 경쟁에서 승리하려면 반드시 갖추었어야 할 요소를 갖추고 있었는지, 즉 민간의 창의를 북돋우고 자발성을 이끌어낼 제도적, 실천적 장치를 마련하고 있었는지의 여부를 살펴봐야 할 것이다.

우선 조선이 처한 현실 중 외적 요소와 내적 요소가 있다. 하필이면 그 시기에 명이 쇠퇴하고 청이 흥기하였다는 점, 일본이 내전을 마치고 통합정권을 수립하였다는 점, 중국이나 일본과 달리 흥기하는 서양과의 접촉이 곤란했던 지리적 약점 등은 외적 조건에 해당될 것이다. 이것은 조선이 제어할 수 없는 조건으로 여기에 책임을 전가할 수는 없다.

조선이 가지고 있던 내적 요소로는 정치, 경제, 법률 체제와 같은 제도 부분과 그것이 구체화되고 운용되는 실천 부분을 들 수 있다. 제도는 말하자면 하드웨어이고 실천은 소프트웨어이다. 먼저 하드웨어 부분을 보자. 틈틈이 적시하겠지만, 조선의 설계자들은 애초 지배계급인 양반에 유리한 체제와 시스템을 구축하였고, 시간이 지나면서 법적 근거도 없이 이를 확대하여, 유형무형의 특권을 독점하였다. 먼저 인재 충원의 풀을 극히 제한적으로 운용했다. 먼저 아무리 적게 잡아도 인구의 30% 이상이 해당됐던 노비제도는 같은 시기 중국이나 일본과 비교해 볼 때 범위나 가혹성에 있어 현저히 차이가 나는 퇴행적 제도였다.

노비 신분의 구속은 본인만이 아니라 자손에게도 이어졌다. 노비

종모법(奴婢從母法)은 어미가 노비이면, 아비가 양인(良人)이어도 그 자식은 무조건 노비가 되는 법으로서, 노비의 숫자를 늘리려는 목적으로 시행되었다. 거기에 국법인 대전회통에 의하면 역모죄, 강도죄를 범한 자, 심지어 채무불이행자도 노비로 삼았다. 폐위된 단종(端宗)의 누나인 경혜공주(敬惠公主)가 순천부의 공노비가 됐던 것은 유명한 사실이다.

중국에도 노비가 있었지만 모두 범죄 때문에 노비가 되거나 스스로 몸을 팔아 고용된 것일 뿐이다. 노비의 신분도 세습되지 않았다. 일본도 엄격한 신분제가 있었고 거기에 부락민(部落民)이라는 천민(賤民) 집단이 있었지만 조선처럼 대규모는 아니었다.

여기에 같은 양반의 자손이라 하더라도 첩의 자식인 서자(庶子)도 신분상으로는 양인(良人)에 해당되어 양반과는 달리 취급됐다. 현달할 수 있는 유일한 수단인 과거는 양반만 응시할 수 있었는데, 존 B. 던컨에 의하면 고려 때만 해도 향리, 기술관, 서자는 관직에 나갈 수 있었지만, 조선에 이르러서는 국가 설계자들에 의해 배제됐다고 한다(『조선왕조의 기원』, 너머북스). 이것은 명 청대의 중국이 극히 예외인 경우를 제외하고는 사농공상의 출신을 따지지 않았던 것에 비해서도 퇴행한 경우라 할 수 있다. 지역 차별도 있었다. 조선의 관료 충원은 암묵적으로 영남과 기호 지방에 국한됐고, 평안도와 함경도 등 서북 출신이 고위관직에 나아갈 수 있는 방법은 이론적으로만 열려 있었다. 여기에 여성의 진출이 원천적으로 배제된 점은 그 시대의 일반적 현상이니 특별하다고 할 수 없는 사족(蛇足)에 해당될 것이다.

이렇게 양반은 사회, 경제, 정치적 질서의 정점에 홀로 서게 되었지만, 그마저도 이런저런 이유로 극히 제한적으로 운용하여 실제 과거 급제자를 배출한 가문은 몇몇에 지나지 않고, 나머지는 허울뿐인 양반에 불과했다. 말할 것도 없이 특출한 능력이 있더라도 정해진 신분을 벗어날 수 없고, 노력의 과실을 소유할 수 없는 사회가 활력이 떨어지는 것은 당연하다. 한 줌도 안 되는 소수에게만 허용된 입신출세의 길이 거기에 해당되지 않는 사람들의 좌절과 자포자기를 불러오기 때문이다. 그렇다고 다른 통로가 개방되어 있는 것도 아니었다. 양반은 관직에 올라야만 경제적 사회적 특권을 누릴 수 있었고, 역관, 의관, 서리, 아전 등의 중인(中人)과 농업, 상업, 수공업을 주업으로 하는 양인(良人)과 노비, 광대, 무당, 기생, 백정 등의 천민은 각기 정해진 신분과 직업에서 벗어나는 것이 불가능했다. 따라서 양반이 농업이나 상공업에 종사하는 것은 사회적 자살이나 마찬가지였다.

유수원(柳壽垣, 1694~1755)이 그의 저서 『우서(迂書)』에서 "지금 양반이 명분상으로 상공업에 종사하는 것을 부끄러워하지만 그들의 비루한 행동은 상공업자보다 심한 자가 많다. …상공업을 말업(末業)이라 하지만 본래 부정하거나 비루한 것이 아니다. 그것은 스스로 재간 없고 덕망 없음을 안 사람이 관직에 나가지 않고, 스스로의 노력으로 물품 교역에 종사하며 남에게 얻지 않고 자기의 힘으로 먹고 사는데, 그것이 어찌 천하거나 더러운 일이겠는가?"라고 일갈한 것은 저간의 사정을 밝혀준다고 하겠다.

구한말 조선을 방문한 제임스 게일은 그가 만난 양반에 대해 "생활 속 아무리 간단한 일이라도 직접 하는 것이 없다 보니, 손은 비단 같았고 손톱은 길게 자라 있었다. 또 항상 앉아만 있어서 그 뼈는 완전히 무너져 내린 듯했고, 중년이 되기도 전에 연체동물 같은 상태가 됐다."라고 묘사한 바 있다(『조선, 그 마지막 10년의 기록』, 책비

208쪽).

조선사회는 경쟁에서 누락되거나 배제된 유휴인력을 포용하고 활용할 시스템을 전혀 마련해 두지 않았다. 조선시대 당상관의 관직은 100개도 채 안 됐고, 무관과 지방관을 제외하고 영의정부터 종9품 능참봉까지 천여 개에 불과했다고 한다(한국학중앙연구원, 조선시대 관직과 품계). 관직을 제외한 모든 직업은 천한 것으로 간주되었으며 사회적 가치를 인정받지 못했다.

이런 사정을 강화하고 확대한 것은 국정 전반에 걸친 독점과 제도의 미비였다. 조선은 국가행정에 필요한 모든 물자와 시설을 자체 생산했고, 민간으로부터 매입하거나 외국 수입품을 활용하지 않았다. 국가는 말(馬)이 필요하면 국가 소유의 마장(馬場)에서 말을 키웠고, 소금이 필요하면 관가에서 염장(鹽場)을 설치하여 소금을 구웠으며, 도자기 같은 생활용기가 소요되면 관요에서 그만큼만 도자기를 직접 만들었다.

중국 도자기가 상업적으로 거래되어 오랜 세월 유럽의 사치품이었던 사실이나, 임진왜란 후 일본이 조선도공을 통해 만든 자기를 유럽에 수출하여 일본열풍을 일으킨 것과 비교되는 대목이다.

대표적인 예가 인쇄출판이다. 조선은 이를 통치수단으로 생각했고, 따라서 국립인쇄소와 지방관청이 사실상 독점했다(『조선은 왜 무너졌는가』, 정병식, 시공사 169쪽). 조선시대 출판에 관한 모든 것은 국가에 의해 엄격하게 관리됐다. 금속활자는 국가 소유였고, 책을 만드는 장인(丈人) 노예는 국가기관에 예속됐다. 출판부터 유통까지 민간이 끼어들 여지는 전혀 없었다. 조선은 통치에 필요한 만큼만 책을 찍어냈기 때문에 책값이 비쌌고 책이 늘 부족했다. 책은 양반 중에서도 부유한 계층에서만 소유할 수 있었다.

성종실록 9년 1월 23일조에 의하면, 시강관(侍講官) 최숙정(崔淑精)은 "우리나라에서는 비록 조관(朝官)의 집이라도 사서(四書) 오경(五經)을 가지고 있는 사람이 적습니다. 경서가 저러하니 여러 사책(史冊)은 더욱 적습니다. 지금 어전(魚箭)을 이미 전교서(典校署)에 주었으나, 신은 어전을 더 주어서 책값을 감하기를 청합니다."라고 하면서 책을 찍는 전교서에 경제적 지원을 더 해주어 책값을 낮출 것을 건의하고 있다. 조선 사대부에게 가장 필수적 책인 사서오경마저도 갖춘 사람이 드물었다는 것이다.

강명관에 의하면 대학이나 중용 1권의 가격은 논 2~3마지기의 소출에 해당하는 고가였다고 한다(『조선시대 책과 지식의 역사』, 천년의 상상). 조선조정은 서점의 필요성을 자각하고 수차례 설치에 관한 논의를 했지만 끝내 서점은 설치되지 않았다. 서점이 생겨도 책이 원활하게 유통되지 않을 것으로 속단하였고, 책을 거래 가능한 물건으로 인식하지 않았다. 또 서점을 유지할 만큼 책의 양도 많지 않았다. 역설적이게도 일본은 임진왜란을 통해 습득한 조선의 책과 활자를 바탕으로 출판문화를 활성화하여 18세기 초 전국적으로 서점이 300곳이 넘었고, 청나라에서는 대규모 서점상가(書店商街) 유리창(琉璃窓)이 번성했다.

동북아시아에서 유독 조선만 서점이 없었다. 서점의 부재는 결국 지식시장의 부재이고, 결과적으로 지식의 부재이다. 조선은 극히 일부를 제외하고 대다수 국민은 문자 해독은 물론 기록을 남길 수 없었던 문맹 세계에 방치되어 있었던 셈이었다. 더군다나 식자층에게 보급된 서책이라는 것도 국가가 통치에 도움이 된다고 생각하는 서책(예를 들어 삼강행실도, 소학 등)에 한정되어 있어 조선 지식인은 다른 학문이나 다른 학설을 접하려고 해도 현실적으로 책을 손에 넣을 수 없는 사실상의 사상통제 상태에 놓여 있었다.

이렇게 생활의 전반에 걸쳐 국가독점의 그림자가 드리운 가운데 민간의 창의성은 발아할 틈이 없었다. 사농공상의 엄격한 신분질서 아래 상공업은 천시되고, 농업의 안정을 위해 백성의 이동을 엄격히 규제했으며, 소비는 억제됐다. 도로와 교통수단의 개선에도 전혀 관심을 두지 않았다.

가뜩이나 근본적으로 부족한 자원과 빈곤한 산물로 인해 대부분 자급자족에 의존하고 구매력이 거의 없었기 때문에 시장 규모가 작은 상황에서, 소수의 사족(士族)과 왕족을 상대하는 상업이나 무역업이 명맥을 이어갔지만, 이마저 엄격히 통제됐다.

유교, 그 가운데서도 성리학이 상업을 적대시한 이유에 대해서는 설이 분분하나, 대체적으로 노동생산성이 극히 낮은 상태에서 대규모 인구를 토지에 강제로 정착시키고 농민의 이동성을 억제하기 위한 방편이었다는 것이 중론이다. 유통과 거래, 이동과 접촉을 필요로 하는 상업이 발전되면 고착된 신분질서에 균열이 생기고 붕괴될 우려가 있었기 때문이다. 상업을 억누르니 외부세계와 교역을 닫게 되고, 외부세계와 교통을 하지 않으니 새로운 정보와 기술유입이 억제되어, 결국 고립적 폐쇄적 자폐주의가 자리를 잡게 됐다.

고려가 중국(송)은 물론 거란, 여진, 일본 및 심지어 아라비아(대식국)와도 거래를 하여 지금의 Corea라는 이름이 서구에까지 알려지도록 한 것에 비하면, 조선은 전혀 딴판이었다. 중국과는 조공을 통한 공(公)무역 외에 사(私)무역을 엄격히 금하였고, 일본과는 왜관을 통한 소규모의 무역만 허락하여, 전반적으로 특권층을 제외한 일반 백성이 외국문물을 접할 일은 거의 없었다. 비교할 어떤 기준도 없고, 구체적으로 다른 나라에 어떤 문화, 문명과 제도가 있는지도 모르는 상황에서 개혁과 개선에 대한 욕구가 자라나기는 힘들었고, 모든 것을 당연한 것으로 받아들이는 숙명적인 분위기가 팽배할 수밖에 없었다.

장기적으로 조선의 경쟁력을 잠식한 요소는 이뿐만 아니었다. 정병식에 따르면, 조선은 제도의 대강만 정해 놓고 세부규정은 미비하여 결과적으로 지방수령과 향리들에게 과도한 재량권이 부여됐고, 시행과정에서 자신들과 사족에 유리한 대로 운용하여 부정비리의 소지가 많았으며, 사후 감독조차 부실하여 비호해줄 세력이 없는 백성들을 착취하는 부패가 만연하게 됐다고 한다(『조선은 왜 무너졌는가』). 조선이 아전에게 월급을 지급하지 않았다는 사실은 누구나 알고 있다. 아전은 급료를 받지 못했을 뿐더러 소속관청의 경비가 모자라면 오히려 사비에서 보태는 경우까지 있었다. 그러므로 그들이 살 길은 결국 세금을 횡령하거나 백성으로부터 부정하게 돈을 뜯어내는 방법밖에 없었다. 말하자면 비리를 저지르는 이외에 달리 선택의 여지가 없었다는 얘기다.

실록에는 어느 임금을 막론하고, 탐욕스런 지방관을 성토하거나, 처벌한 기사가 넘쳐나지만, 조선은 이를 제도의 문제로 인식하지 않고, 개인의 일탈로 받아들여, 좋은 인재를 가려 쓰지 못한 데에 원인이 있다고 진단하였을 뿐이다. 진단이 잘못되니, 처방도 어긋날 수밖에 없었다. 관리의 녹봉도 충분치 않고, 아전은 아예 월급도 없는 상황에서, 청렴하고 정직하며 유능하기까지 한 행정관을 찾는 것은 사실상 불가능한 일이었다.

대체로 성리학은 부유한 국가보다 도덕적인 국가가 더 나은 국가라는 관념을 가지고 있었으므로, 조선 유학자들은 도덕에 합당하기만 하다면 기꺼이 가난과 불편을 감내할 각오가 돼 있었고, 잘못된 현실에 대하여도 제도가 원인이 아니라 관직을 담당한 인물에 도덕적 흠결이 있기 때문이라고 생각하였다. 국왕에게 유학 경서(經書)와 사서(史書)를 진강(進講)하고 논의하는 경연(經筵)은 그야말로 국왕 개인의 내면 수양을 통한 성학(聖學)의 완성을 목적으로 한 제도이므로 국가현실에 관한 토론은 드물었다.

인조반정 직후 민심을 수습하기 위해 재야 산림으로 명망이 높던 김장생을 불러 구문(求聞)한다(1623년 인조실록 인조 1년 5월 20일). 이 자리에서 인조가 "나는 재주도 없고 덕망도 없어 눈앞에 닥친 일도 빠뜨리고 있는데, 시행해야 될 일들을 대부분 여유가 없어 못 하고 있다."라고 하자, 김장생은 "듣건대 현재 (경연에서) 『논어』를 강하고 있다 하는데, 제 생각에는 『대학』만은 못하다고 여겨집니다. 원컨대 『논어』가 끝나면 바로 『대학』을 강하소서."라는 다소 동떨어진 답을 한다. 다시 『소학』, 『근사록』 등 강독할 책에 관한 몇 마디에 이어 "선비의 습속은 그렇다 하더라도 조정의 풍토는 어떻게 바로잡아야 하는가?"라는 구문에는 "임금이 먼저 마음을 바르게 하면 조정이 바르게 되고, 조정이 바르게 되면 선비들의 습속은 저절로 바로잡힐 것입니다."라는 대답이 돌아온다.

임금 한 사람이 바르면 온 나라가 바르게 된다는 신념과 믿음은 조선을 관통한 금과옥조였다. 가뭄과 홍수, 천재지변도, 백성들의 신산과 고통도 제도의 문제가 아니라 임금이 수양을 게을리 했기 때문이라고 생각하는 한, 불편하고 부당한 현실을 개선하여 백성들에게 더 나은 생활, 더 풍족하고 행복한 삶을 부여하려는 자각과 노력은 공염불이 될 수밖에 없었다.

조선 전기 관학파들이 설계하였던 국가체제는 시대변동과 사회변화에 적응하지 못하고 제도적 약점과 실천적 왜곡으로 임진왜란 시기에 이르면 자체 중력에 따라 균열과 붕괴의 조짐을 보이게 된다. 연산군 대부터 선조 대까지 약 100여 년에 걸쳐 정치적으로 기묘사화 등 4차례의 사화를 거치며 사대부 사이에는 상호 불신의 싹이 자라났고, 결국에는 동인과 서인이라는 붕당의 출현을 보게 되었다. 애초 이조전랑(吏曹銓郎)이라는 사소한 벼슬자리를 놓고 대립되었던 상호간의 앙금은 기축옥사(己丑獄事) 등을 거치면서, 1590년 통신사로 일본에 파견되었던 서인 황윤길과 동인 김성일은 일본의 침략에 대해 서로 상반된 보고를 올리는 지경에까지 이르렀다. 당파의 이해가 국가의 이해에 앞서게 된 것이다.

이러한 분열은 한정된 자원을 놓고 벌이는 권력투쟁의 자연스런 귀결이었다. 관직이 바로 부와 명예를 의미하는 체제 아래서는 싸움에서 밀리는 것이 바로 몰락을 뜻하는 것이었기 때문이다.

애초 경작농민으로부터 수확의 일정액, 즉 임료를 받을 수 있는 권리를 의미했던 수조권(收租權)은 점차 토지소유권으로 변모되어 양반은 갖은 수단을 동원하여 대규모 농장을 소유하고, 이를 경작할 농민을 관의 착취와 피해로부터 보호한다는 명목을 내세워 노비로 예속시켜 나갔다.

이러한 제도적 왜곡을 막아야 할 임금조차 토지 소유의 행태에서 보면 가장 큰 양반에 지나지 않았다. 왕의 금고를 관리하는 내수사(內需司)는 사실상 개인의 영지 관리기관과 다를 바가 없었고, 왕실 세력을 배경으로 백성들의 토지와 노비를 불법 침탈하여 백성의 원망이 그치지 않았지만, 고종 때에 이르러서야 폐지되었을 뿐이다. 좁은 영토 빈약한 자원을 가진 국가에서 권력을 놓치지 않기 위해 양반은 양반과 싸움을 하고, 종내에는 임금과 시비를 하였다.

그들이 손에 쥔 무기는 사상이었다. 이념이 선명할수록, 이상에 가까울수록 명분에서 앞서 나갔다. 사림파는 권좌에 있던 훈신-관학파를 공격하기 위해 엄격한 도학정치를 들고 나왔고, 권력을 쥔 뒤에는 임금에게 성학(聖學)을 강조하면서 사사건건 왕권에 도전하였다. 자파(自派)만이 도덕의 기준이자 원칙이었고, 타파(他派)는 소인 심지어 난신적자(亂臣賊子, 나라를 어지럽히는 불충한 무리)에 해당되었다. 권력에서 소외된 자에 대한 배려와 양해는 없었다. 공존과 상생의 상대가 아니라, 위치가 뒤바뀌면 언제든지 자신들을 해코지할 잠재적 적이었기 때문이다.

어떤 체제, 어떤 정권이든 집권한 자는 자신을 합리화하고 정당성을 부여할 필요가 있다. 구성원들을 설득하여 불만을 잠재우고, 현실의 적합성과 필연성을 강조하기 위해 이론적 사상적 기반이 요구된다. 철학이 사회를 선도하는 것이 아니라, 현실이 영속성을 강화하기 위해 철학을 불러들이는 것이다. 미네르바의 부엉이가 황혼에 나는 이유이기도 하다.

조선은 불교를 배척하고 성리학을 통치철학으로 삼았지만, 초기의 그것은 교조적이지 않고 충분히 유연하고 실용적이었다. 타락하고 부패한 불교를 대신해 새로운 가치를 제시하고 신선한 규범과 윤리를 내세웠다. 그러나 시대변동에 따라 도덕도 진화하지 않으면 완고와 질곡의 굴레를 벗어나기 어렵다. 상호간 이해다툼에 골몰한 조선 사대부의 대응, 투쟁방법은 더더욱 근본주의적 성리학을 들고 나오는 것, 더욱 더 명(明)을 모범으로 삼고 명을 숭배하는 것으로 나타났다. 형식과 명목에 그쳤던 친명사대(親明事大), 조공책봉의 질서는 점차 실질적 실체적 관계로 변해갔다. 임진왜란으로 재조지은(再造之恩)의 관념이 생겨나고 이것이 숭명주의의 원인이 됐다는 것이 일반적 평가다. 그렇지만 그 배경에는 성리학 원리주의로 무장한 사림파가 있다고 할 수밖에 없다.

조광조의 후예인 이들이 선조 대에 조정을 장악하면서 조선을 소중화(小中華)로 만드는 것을 국가이상으로 세워 숭명주의의 사상적 기반을 마련하였다. 그런데 실제로 절체절명의 위기에서 중국이 원군을 보내 멸망해가는 나라를 구원해준 사건은 이미 타오르는 불길에 기름을 부은 격이었다. 현실의 명군이 조선에서 저지른 일탈과 횡포의 사례가 빈번하였음에도 이들은 엄연히 천조(天朝)의 군사였다. 조선은 황제의 은덕으로 왜구의 야욕에서 벗어날 수 있었던 것이다. 이제 조선의 지배층에게 명은 나라가 아니라 하나의 이상이요, 현실의 국가가 아니라 사서삼경 속의 이상향이었다.

만력제(萬曆帝)-고려 천자

명(明)이라는 이상, 신성불가침의 고귀한 관념을 표상하는 인물은 당연히 황제였다. 그가 어려운 시기에 병력을 보내 조선을 도왔으니, 자연히 조선 사대부들에게 신과 같은 존경과 숭모를 받았다.

조선후기에 들어오면 위패가 만동묘에 모셔져 봄, 가을 두 차례 정성을 다한 제사를 받았다. 그가 바로 만력제(萬曆帝, 재위 1573~1620)다. 명나라 13대 황제로서 이름은 주익균(朱翊鈞), 묘호(廟號)는 신종(神宗)이다.

그런데 그에 대한 평가는 조선과는 달리 중국에서는 부정적인 것이 일반이다. 그는 1563년 융경제(隆慶帝, 재위 1567~1572)의 셋째 아들로 태어났다. 1572년 7월 융경제가 재위 5년만에 죽자 10살의 나이로 즉위하여, 1620년 8월 18일 죽을 때까지 명조(明朝)에서 가장 오랜 기간인 48년 동안 황위(皇位)에 있었다. 그는 즉위 초기 10여 년 동안은 선제(先帝) 당시의 내각대학사(內閣大學士) 장거정(張居正, 1525~1582)에게 정무를 맡겨 내정개혁을 추진하였다. 장거정은 만력 원년(1573)부터 고성법(考成法)을 실시하였다.

이는 관료가 품의하여 황제의 재가를 얻은 사안은 반드시 해결하도록 하여 일의 완급, 거리의 원근에 따라 기한을 정하여 그 집행 여부를 책으로 만들어 매달 보고하고, 매년 결과를 내도록 하되, 지연되거나 보고하지 않은 경우에는 조사하여 책임을 추궁할 뿐만 아니라 근무평가에 반영하도록 한 제도다.

장거정은 또 전국의 농지를 새로 측량하고, 이에 근거하여 각종 조세와 요역을 통합하여 은(銀)으로 납부하도록 하는 일조편법(一條鞭法)을 실시하였다. 또한 몽골 타타르(韃靼)에 대해 화평정책을 추진하고, 척계광(戚繼光, 1528~1587)과 이성량(李成梁, 1526~1615)을 중용하여 왜구나 몽골, 여진(女眞)의 위협에 대한 방위체계를 정비하였다. 이러한 개혁정책은 정치적 안정에 크게 기여하여 이른바 '만력중흥(萬曆中興)'이라고 불리는 발전기를 가져왔다. 이 시기에 명은 소위 '남왜북로(南倭北虜)'의 외환을 극복하고, 국가재정을 크게 확충하여, 강남 지방을 중심으로 상공업이 크게 발달했고, 해외무역도 확대하여 은(銀)의 유입이 크게 늘면서 경제, 문화가 상승했다. 하지만 1582년 장거정이 죽고 만력제의 친정이 시작되면서 장거정은 탄핵됐으며 고성법은 폐지됐다. 장거정을 대신해 내각대학사가 된 신시행(申時行, 1535~1614)은 무난하기만 할 뿐 능력 없는 사람이었다.

만력제는 특히 1586년(만력 14년) 이후 황태자 책봉 문제로 내각과 대립하여 정사를 돌보지 않는 소위 '태정(怠政)'을 지속하면서, 명(明)은 심각한 정치적 혼란에 빠졌다. 이때부터 그는 소위 아무 것도 하지 않은 황제, 죽은 것이나 다름없는 황제(『1587년 동양; 아무 일도 없었던 해』, 레이 황, 가지 않은 길 刊)가 돼버린 것이다. 그는 효정황태후(孝靖皇太后) 소생인 장자 주상락[朱常洛, 1582~1620, 명 14대 황제, 태창제(泰昌帝), 재위 29일 만에 급사함. 당시는 조선 광해군 즉위 12년, 후금 누르하치 즉위 5년, 일본 에도막부 도쿠가와 히데타다 재임 15년이었음] 대신에 귀비 정씨(鄭氏)를 총애해서, 그녀가 낳은 셋째 아들 주상순(朱常洵, 1586~1641)을 황태자(皇太子)로 삼으려 했다.

내각대신들이 종법(宗法)을 내세워 반대하자 만력제는 1589년 이후 30여 년을 조정에 나오지 않고 정무를 돌보지 않는 업무 사보타지를 했다. 대신이라 해도 몇 년 동안 황제의 얼굴을 보지 못하는 경우도 있었으며, 신하들의 상주문은 회답이 없이 궁중에 방치됐다. 고위 관직이 비어도 후임자를 임명하지 않았다.

그리하여 내각이나 지방관이 제대로 충원되지 못해 업무가 마비되는 사태가 벌어졌다.

만력제가 관심을 둔 것은 오직 개인의 축재로 1596년(만력 24년)부터 환관들을 광세사(鑛稅使)로 파견하여 원성을 샀다. 환관들은 지하에 광맥이 있다는 것을 알면 채굴을 위해 그곳에 거주하는 백성들을 모두 몰아냈다. 채굴이 제대로 이루어지지 않으면 인근의 상인들에게 도광(盜鑛)의 책임을 물어 배상을 강요했다. 광세사들은 상인과 백성들을 마구잡이로 약탈했고, 환관의 발호가 나타나면서 환관과 내각 사이의 당쟁도 격화했다. 광세사 파견은 명대에 나타난 대표적인 악정으로 꼽힐 만큼 백성들의 반감을 샀지만, 만력제는 재위기간 동안 광세사의 파견을 중단하지 않았다. 오히려 그렇게 모아들인 돈을 왕실 재정인 내탕금(內帑金)에 두고 개인적인 사치로 낭비했다. 국가의 재정은 말라가는데도 황실 곳간은 금은보화가 넘쳐나는 현상이 계속된 것이다.

심지어 1618년 누르하치가 이끄는 후금(後金)의 군대가 무순을 점령하자, 병부상서 설삼재(薛三才)를 비롯한 대신들이 요동 방어를 위한 군비가 모자라 내탕금에서 지원해 줄 것을 요청했지만, 이 요청조차도 거절했다.

명은 숭정제(崇禎帝) 재위 당시인 1644년에 멸망했으나, 근본적인 쇠락 원인을 제공한 장본인은 만력제로 지목되고 있다.

만력제가 고려천자, 조선황제라는 별명을 갖게 된 것은 그의 재위 당시 임진왜란(1592)과 정유재란(1598)이 일어났을 때, 마치 귀신에 홀린 듯 모든 역량을 동원하여 조선을 도왔기 때문이다. 임진왜란 때 만력제는 4만의 군사를 이여송에게 내주어 조선에 파병했을 뿐만 아니라 백성이 굶주리고 있다는 얘기를 듣고 산동성의 쌀 100만 석을 보내기도 했으며, 정유재란 때도 20만의 군사를 파견한 것은 물론 내탕금에서 은화 500만 냥을, 조선의 전후복구를 위해 은화 200만 냥을 추가지원하기도 했다.

자신의 능묘건설을 위해 800만 냥, 아끼는 셋째아들 주상순의 결혼식에 2,400만 냥을 썼으면서도 국가재정을 위해서는 한 푼도 내놓지 않았던 만력제가 대신들의 반대에도 불구하고 적이 명의 영토에 들어온 것도 아닌 상태에서 조선까지 병력을 보내 도움을 준 것은 기묘하다고 할 수밖에 없다. 이로 인해 중국에서는 폄하를 받아도, 조선에서는 수백 년간 숭모를 받으며 제삿밥을 먹게 된다.

1689년 사약을 받은 송시열은 제자들에게 “내가 살던 화양동에 명 황제를 모실 만동묘(萬東廟)를 만들라.”고 유언하고, 1704년(숙종 30년) 제자 권상하(權尙夏)는 화양동서원 내에 만력제와 숭정제를 위해 사당을 짓는다. 만동묘라는 명칭은 본래 충신의 절개는 꺾을 수 없다는 뜻의 만절필동(萬折必東, 황하는 만 번을 꺾여도 반드시 동쪽으로 흘러간다. 荀子의 말)에서 딴 것인데, 여기서는 명의 재조지은을 영원히 잊지 않겠다는 다짐이다.

만력제 외에 숭정제를 모신 것은 병자호란 때 그가 조선에 원군을 보내려 했다는 사실이 나중에 알려졌기 때문이다. 조정은 면세전(免稅田)과 노비를 하사하고, 1844년(헌종 10년)부터는 관찰사가 직접 봄과 가을에 한 번씩 제사를 지냈다.

만동묘는 노론의 정치 중심으로 성장하여 치외법권(治外法權)과 같은 존재로 여겨졌다. 이 때문에 각종 비리의 온상이 되었는데, 양민에게 요역[徭役, 국가가 백성의 노동력을 무상으로 징발하는 수취제도. 전통적 수취체제인 조(租)·용(庸)·조(調) 가운데 백성의 노동력을 강제 징발하는 용에 해당됨]을 빼주겠다고 회유하여 돈을 받아내고 토색질을 하거나, 화양동 서원에 물자를 보조하라는 '화양묵패(墨牌)'를 각지의 수령에게 보내고 거부하면 축출하는 등 다양한 횡포를 저질렀다. 만동묘를 관리하는 자들은 대부분 노론 권력자의 자제였기 때문에 지방수령이라도 함부로 건드릴 수 없었다. 이로 인해 '삼정승 위에 만동묘지기'라는 말이 생겨나기도 했다.

심지어 흥선대원군 이하응이 집권하기 전 만동묘를 방문하여 계단을 오르면서 하인에게 부축을 받다가, 만동묘의 묘지기에게 돌려차기를 맞고 나가 떨어졌는데, 당시 묘지기는 황제폐하를 모신 이곳에서는 감히 주상 전하도 부축을 받을 수 없는데 건방지다며 흥선군을 꾸짖었다 한다. 대원군이 나중에 서원 철폐를 단행한 것도 이때의 수모에 영향을 받았을 것이라는 일화가 있다.

조선이 스스로 번국을 자처하고 명을 종주국으로 사대(事大)한 것까지는 이해할 수 있어도, 명을 중국에 명멸했던 여러 나라 중 하나가 아니라, 사상적 이념적 정화, 이데아의 결정체로 이상화한 것은 이해하기 힘든 면이 있다. 명은 객관적 기준으로 보아도 한족이 설립했다는 것 이외에 그다지 성공한 국가가 아니었기 때문이다.

1367년 명 태조 주원장(洪武帝, 재위1368~1398. 주원장은 조선조를 개창한 이성계보다 일곱 살 많지만, 창업은 24년 빨랐다)은 몽골족이 세운 원나라에 적대적인 민심을 등에 업고 폭넓은 지지를 받아 명을 세웠다. 그는 재상 제도와 환관의 정치 관여를 폐지하고 강력한 황제권을 바탕으로 중앙집권제를 실시하여 황제가 직접 각부를 다스리는 전제정치 제도를 만들었다. 그와 그의 아들 제3대 황제 영락제(永樂帝, 太宗. 재위 1402~1424) 때 정치는 안정되고 농업이 활성화되면서 잉여생산물에 의해 상공업도 활성화되어 도시가 번창하고 문화와 예술이 발달하였다.

그러나 영락제 이후 황제들은 대체로 무능하거나 사치와 향락에 빠져 정사를 돌보지 않아 퇴조의 기미를 보이기 시작했으며, 토지의 과도한 집중, 부의 불균등한 분배, 관리의 부패 등으로 토지를 잃은 유민이 속출하여 전국 각지에서 민란이 빈발하였다. 1449년 몽골 오이라트부(部)의 남침으로 제6대 황제 정통제(正統帝, 英宗. 재위 1435~1449, 포로상태에서 돌아와 다시 황위에 올랐던 1457~1464)가 친정에 나섰으나 포로가 되고, 수도가 포위되는 위기를 겪었고(土木의 變), 제10대 황제 정덕제[正德帝, 武宗. 재위 1505~1521. 정덕제의 재위 기간은 대략 조선 중종(재위 1506~1544) 전반기와 겹친다.]는 즉위한 뒤 음탕한 생활을 거듭하고, 라마교를 광신하였으며, 유희를 좋아하여 국비를 낭비하였고, 환관 유근(劉瑾)에게 정치를 맡겨 부패가 만연하고 각종 내란으로 일관하였다.

제11대 황제 가정제(嘉靖帝, 世宗. 재위 1521~1566)는 전형적인 암군(暗君)으로 부친의 추숭문제로 신하들과 반목하고, 도교를 광신하여 국고를 탕진함으로써 재정궁핍 속에 몽골족에게 수도 근교까지 침탈되고, 남해안에는 왜구가 횡행하여 북로남왜(北虜南倭)의 외환에 시달렸다. 결국 명은 무려 30여 년 동안 정사를 돌보지 않는 제13대 황제 만력제가 재임하는 동안에 회복할 길이 없이 쇠퇴하여 멸망의 길로 들어선 것은 이미 기술한 바와 같다.[만력제의 재위기간(1572~1620)은 대부분 조선 선조의 재위기간(1567~1608)과 겹친다.](『中國全史』 전백찬, 이진복 역, 학민글발)

명은 황제에게 과도하게 권한을 집중시킨 제도에, 황제의 무능이 겹치면서, 능력이 없는 황제가 집권할 경우 이를 수정하고 보완할 수 있는 대비책이 전혀 없다는 근본적인 문제를 노정(露呈, 겉으로 드러내어 보임)했다. 또한 중화의식에서 비롯된 폐쇄적이고 방어적인 대외정책으로 바다를 봉쇄하는 해금(海禁)정책을 실시하고 제한된 조공무역만을 허용함으로써 무역상의 이익을 포기하여 경제적 손실을 보면서 장기적으로 뒤처지게 됐다.

다만 15세기 후반 이후 포르투갈이 마카오에 무역 근거지를 잡고, 스페인도 마닐라 시(市)를 건설하면서 극동무역을 시작하게 되어, 명의 생사(生絲), 견직물, 면포, 자기, 철기 등이 수출되고, 수출대금으로 이들 국가가 남미로부터 채굴한 다량의 은이 유입되었다. 이로 인하여 명은 어떤 의미에서는 화폐경제 시대에 들어가, 국가가 백성의 노동력을 무상으로 징발하고 수취하던 요역(徭役)도 금전으로 납부하는 일조편법(一條鞭法, 銀納制)으로 바뀌기도 했다.

이렇게 서양 상인의 출입과 마테오리치(만력제 재위 시기인 1601년 북경에 들어가 1610년 사망할 때까지 서광계, 이지조 등 중국 고위관료들과 접촉하면서 천문, 역법, 지리, 기하 등 많은 근대학문을 전파했음), 아담 샬[1622년부터 1666년까지 명말(明末)에서 청초(淸初)에 걸쳐 천문, 역법, 무기제조, 건축 등 여러 분야에 종사했으며, 1644년 볼모로 잡혀 있던 소현세자와 사귀면서 과학지식을 전해주기도 했음.] 등 선교사들이 전한 근대서양 과학기술을 접했으므로 이를 기반으로 근대세계로 발전해 나갈 기회가 없었던 것도 아니었으나, 세계의 변화를 감지하지 못한 채 무위에 그치고 멸망의 길을 가게 됐던 것이다.

물론 명대에 마음의 수양을 중시하는 양명학이 나왔고, 고급 귀족문화보다는 서민문화가 발달하여 삼국지, 서유기, 수호전 등 대

중소설이나 비파기, 모란정환혼기 등 희곡 등이 유행했으며, 자기는 중요한 수출품으로 세계적 상품으로 등장하는 등 긍정적 일면이 있기도 했지만, 명을 정치, 사상, 사회경제, 문화의 모든 면에서 모범적인 유교국가로 평가하기는 어렵다. 주자학, 즉 성리학은 공식적인 관학이긴 했지만, 조선처럼 사회의 구석구석을 규율하고 조정하며, 사상 일원화에 성공하는 데까지 이른 것이 아니기 때문이다.

그러므로 조선이 명을 이상화한 배후는 오히려 이와 같은 현실의 국가를 잘 몰랐기 때문이라는 역설이 성립한다. 말하자면 조선은 상대방에 대한 정보에 너무 무지하고 무관심했다. 조선은 서책 속의 중국, 상상 속의 중국을 현실의 중국과 혼동하여 이를 이상화하고 있었고, 여기에 국가 위기에서 실제로 명의 도움이 다다르자 맹목적으로 명을 숭배하게 되었던 것이다.

친명배청(親明排淸)

흔히 인조의 실책을 광해군의 중립정책을 폐기하고 노골적으로 친명을 표방한 데 있다고 보고 있으나, 당시의 분위기에서는 이런 선택이 당연했고 이를 선택한 자들은 그 정당성을 조금도 의심하지 않았다. 우선 당시 조선 사대부들에게 청은 현실로 존재하는 힘이 아니었다. 어쩌면 그들의 경험이나 세계관만으로는 국제정세의 변화, 실세계의 힘을 인정하고 측정할 능력이 부족했거나 없었을 수도 있었다.

청을 건국한 여진족(女眞族)은 오랜 옛날부터 백두산과 흑룡강 사이 만주지역에 터전을 잡고 살아왔는데, 숙신(肅愼), 말갈(靺鞨), 여진 등의 이름으로 불리다가, 16세기 이후부터는 스스로를 만주(滿洲)라 불렀던 퉁구스족이다. 이들은 송(宋)나라 때 거란(遼)에 이어 금(金)을 세워 중국 북방을 압박했었다.

명은 그들의 기반이었던 만주지역을 직접 통치하지 않고 그들의 수령이나 족장을 통해 간접통치하는 기미책(羈縻策)을 사용했다. 기미는 문자 그대로 말이나 소의 굴레와 고삐라는 뜻으로 만주지역의 여진족이 명의 통제와 단속을 벗어나지 못하도록 하는 것을 말한다. 영락제는 만주의 여진족을 효과적으로 다스리기 위해 거주지의 규모에 따라 위(衛) 혹은 소(所)를 두었고, 그 관할 하에 있는 부족장들에게 세력 정도에 따라 직함을 주고 정해진 기간에 조공하는 권한을 주고 인장과 칙서를 수여했다. 조공은 곧 교역할 수 있는 권리를 뜻하였으므로 칙서는 권력과 부를 보장하는 증명서와 다름없었다(『淸史』 임계순, 신서원).

오랫동안 명의 지배하에 복속하던 여진은 만력제 때 누르하치가 등장하면서 격랑에 휩싸이게 된다. 누르하치는 일찍이 명의 요동 총병 이성량(李成梁)의 공격으로 조부와 부친을 잃은 자인데, 25세가 되던 1583년(만력 11년) 지금의 요녕성(遼寧省, 라오닝성) 무순(撫順, 푸순)시[요하(遼河)의 지류인 혼하(渾河)의 중류 남안에 있으며 심양(瀋陽) 동쪽 약 30km 지점에 위치함]를 거점으로 요동지역을 정복하기 시작했다. 1592년 일본이 조선을 침입함에 따라 요동 주둔 명의 군대가 조선에 출병하자 누르하치도 출병을 타진했으나 조선의 거센 반발 때문에 거절당했지만, 명군이 자리를 비워 간섭이 소홀해진 왜란 기간 동안 정복전쟁을 계속하여 세력 확장을 함으로써 변환기 국제정세의 덕을 톡톡히 누렸다.

1577년에 총인구 10만을 넘지 못하던 만주족은 인근 부족을 점령하면서 북으로는 흑룡강, 동으로는 조선의 육진(六鎭)에 이를 정도로 세력을 확장하였다. 이에 놀란 명은 1619년 강홍립이 이끄는 조선원군 1만여 명까지 포함한 20만 대군을 보냈으나, 무순 부근의 사르허 전투에서 대패함으로써 향후 양국의 운명은 갈리게 됐다. 당시 강홍립은 광해군의 밀명에 따라 조선군의 출병이 부득이하게 이루어진 사실을 적진에 통고한 후 군사를 이끌고 후금에 항복했다. 누르하치의 성공은 강력한 군사조직인 팔기제도(八旗制度)에 힘입은 것이라는 평가가 일반적이다. 팔기제도는 1601년 누르하치가 창설한 것으로 호구통계, 징집, 징세, 병력동원을 위한 행정제도인 동시에 국민개병제적 군사제도로서 중국 정복과정에시 결정적 역할을 했다. 누르하치가 진취적이고 유능한 인물로서 정복지의 여진족, 몽고족, 한족을 아우르는 포용성과 국제정세를 예리하게 검토하여 활용하는 역량을 과시했던 데 비하여 명의 대응은 지지부진하기 짝이 없었다.

사르허 전투 이후 요동경략으로 부임했던 웅정필(熊廷弼)은 중국조정 내의 동림당과 엄당의 알력 때문에 물러났고, 다른 장수들의 사정도 비슷했다. 누르하치의 세력이 날로 커지는데도 명의 장수들은 조정의 전폭적인 지원을 받기는커녕 당파의 이해에 따라 모함과 비난을 감수하여야 하는 처지에 있었다. 웅정필의 후임인 원응태(袁應泰)는 1621년[명 15대 천계제(天啓帝) 재위 1621~1627] 누르하치에게 크게 패하여 심양(瀋陽)과 요양(遼陽)을 빼앗기고 자살하였다. 천계제는 파직되었던 웅정필을 요동경략으로 재차 기용하는 한편, 왕화정(王化貞)을 요동순무로 임명하였다.

하지만 엄당의 지원을 받던 왕화정은 웅정필의 전략에 반대했다. 엄당의 총수 환관 위충현은 자신이 비호하는 왕화정에게 수만 명의 병사를 지원하면서도 웅정필에게는 몇 천 명만 배분하는 식으로 편파행위를 했고, 왕화정은 1622년 무리하게 군사작전을 펼치다가 팔기군에게 궤멸되고 말았다. 웅정필과 왕화정 모두 체포되어 사형 선고를 받았으나, 1625년 실제로는 웅정필만 처형되었다. 위충현의 작용 탓이었다. 이후 부임하여 국경을 굳건히 지켜내던 원숭환도 엄당의 모함을 받고 1630년 명 16대 숭정제에게 반역죄로 처형당하여, 명의 명운은 다하게 되었다.

1626년 2월 누르하치는 요하(遼河)를 건너 중국 본토로 들어가는 길목인 산해관 앞의 영원성(寧遠城)을 공격했으나, 이 성을 지키던 원숭환에게 패배하여 부상을 입었다. 1618년 누르하치가 명나라와 전투를 시작한 이후 최초의 패배였다. 누르하치는 이 영원성 전투에서 입은 부상으로 1626년 9월에 사망했다. 국가존망의 위기에서 원숭환 같은 명장을 희생시키는 일을 마다하지 않는 게 한계와 절제를 모르는 계파 싸움, 정쟁의 민낯이었다.

어떤 면에서 보면 누르하치의 성공은 명이 스스로 무너져 내린 데 힘입었다고 할 수 있다. 누르하치가 전면에 등장한 1583년부터 사망한 1626년까지의 약 40여 년은 조선 선조(재위 1567~1608), 광해군(재위 1608~1623), 인조(재위 1623~1649) 시대에 걸치는데, 그가 여진족 통일과업을 완수하고 스스로 칸(汗, Khan)의 지위에 올라 후금을 건설한 것이 1616년, 명에게 대승한 사르허 전투가 1619년, 인조반정으로 조선의 왕이 바뀐 것이 1623년이고 그로부터 3년 뒤인 1626년 사망했던 바, 세력 확장의 주요 시기가 광해군 집권기와 겹치는 것을 알 수 있다.

이 기간 동안 떠오르는 청과 몰락하는 명과의 사이에서, 조선이 국제정세 변화에 어떻게 대처했는가 하는 문제가 우리의 관심사가 될 것은 당연하다. 인조가 반정 명분으로 광해군의 중립외교 정책을 패륜으로 비판하면서 친명배청(親明排淸)으로 돌아선 것이, 정묘호란과 병자호란을 불러와 임진왜란 이후 겨우 수습되어 가던 국가 기반과 경제를 다시금 파탄상태로 몰아넣은 것은 이미 알려진 사실이다. 무엇이 호란을 초래했을까. 무엇보다 중요한 것은 청의 의도가 과연 어디에 있었으며, 조선은 이를 파악하고 있었는가 하는 점이라 하겠다.

누르하치는 1616년 후금을 건립하고 천명(天命)이라는 독자연호를 채택해 독립국가 지향을 드러내고, 1618년에는 조부와 부친 살해의 원한 등을 들어 공개적으로 명나라에 선전포고를 했다. 마침내 첫

번째 공격을 감행하여 무순을 함락시키고, 1619년에 사르허 전투에서 압승을 거두었으며, 1621년에는 요동을 공략하여 요하(遼河) 동쪽을 복속시키고 요양에 천도했다가, 1625년에 다시 심양으로 도읍을 옮겼다. 그리고 1626년에는 산해관(山海關) 근처까지 정벌하기에 이르렀던 것이다. 이와 같이 줄곧 누르하치의 중국 본토 공략이라는 목표는 명백히 드러나 있었다.

여기서 조선이 취할 행동은 명과 청 각각의 대응 방식과 내부사정, 전투의지, 전투력과 같은 실력을 가늠하고, 조선의 국력으로 어떤 선택이 가능한지를 고려하는 것이었다. 이런 면에서 누르하치의 활동기간에 15년간 재위한 광해군의 대처는 가장 현실성 있는 방안이었다는 것이 작금의 평가다. 당시 후금의 입장에서 볼 때 명과 전쟁으로 인하여 명과의 교역이 중단된 것이 문제였다. 영토와 인구가 몇 배 늘어난 상황에서 곡물, 소금, 면포 등 생활필수품의 공급이 가능한 나라는 조선밖에 없었으므로 누르하치는 조선과 화평정책을 유지하고자 했다. 이 부분은 조선으로서는 아주 중요한 대목으로 광해군도 이 점을 잘 알았다. 왜란으로 피폐해진 국력을 회복하기 위해서는 중원을 차지하기 위한 전쟁에 끼어들지 않아야 한다는 것이 그의 판단이었다.

1619년 명의 요청으로 이루어진 사르허 전투에 파병하면서 도원수 강홍립에게 항복을 포함하여 상황에 따라 조치하라고 밀명한 것이 실례이다. 강홍립은 투항하기 전에 조선의 참전이 부득이한 사정에 의한 것이었음을 통보함으로써 1620년 조선 포로들이 귀국할 수 있도록 했다. 그는 계속 적진에 억류되었지만 밀지를 보내 후금에 관한 정보를 광해군에게 보고하는 등 정세 판단에 도움을 주었다. 그러나 조선의 사대부들은 광해군의 정책을 지지하지 않았다.

1618년 누르하치의 선전포고와 무순 함락에 놀란 명(明)은 당시 모든 역량을 동원해 1619년의 사르허 전투를 준비했던 것은 전술한 바 있다. 명은 1618년 광해군 10년 5월 조선에 국서를 보내 후금 징벌에 조선의 참여를 요구하며 원병을 요구해왔다. 이때 광해군은 전쟁의 피폐함을 벗어나지 못했음을 들어 출병을 거부하려고 노력했다. 실록에 의하면 "명의 감군(監軍, 군사감독관)은 날마다 독촉하였지만, 왕은 한 명의 군사라도 내면 병화(兵禍)가 바로 이른다고 생각했고, 우상은 특별히 칙사를 보내어 병력을 징발하게 하였으니 약간의 병력을 보태어 도와주지 않을 수 없다고 했다. 이 때문에 상하가 서로 버티며 오래도록 결정을 내리지 못했다."(1622년 광해군일기 중초본 광해군 14년 5월 25일)고 한다.

그러나 신하들의 중론은 "중국 조정이 만약 저 적에게 병화(兵禍)를 입어 아래나라에 구원을 요청해 왔다면 나라의 존망이나 일의 이해 따위는 돌아보아선 안 될 것입니다."(광해군일기 중초본 광해군 10년 5월 5일)라는 것이었다. 요컨대 정세, 국력, 이해관계, 국가존망, 승패예상과는 전혀 상관없이 무조건 명의 요구에 응해야 한다는 것이었다. 그것이 도덕이고, 명분에 합당한 선택이었다. 무엇보다도 명이 임란 때 원군을 보내준 것이 그와 같은 주장이 절대적으로 타당하다는 철학적 근거였다. 명의 쇠락과 후금의 강성함은 눈에 들어오지 않았다. 조선조정은 임금과 대립했고, 여기에는 네 편 내 편이 따로 없었다. "전하에게 득죄할지언정 천조(天朝)에 득죄할 수 없다."면서 당시 야당이었던 서인이나 남인은 물론 최측근이었던 북인의 이이첨 같은 이도 광해군을 비판했다(『조선시대 한중관계와 해외파병』 계승범, 푸른 역사, 2009년). 광해군이 결국 강홍립에게 1만여 명의 병력을 주어 파병하지만 조명 연합군이 후금에게 대패하고 강홍립이 포로가 된 사실은 이미 진술한 바 있다. 이런 상황에서 인조 정권이 친명정책을 채택한 것은 당연한 수순이었다.

인조반정 직후 광해군의 폐위와 관련하여, 선조의 계비인 왕대비 인목대비가 반포한 교서의 내용은 다음과 같다.

"우리나라가 중국 조정을 섬겨온 것이 2백여 년이라, 의리로는 곧 군신이며 은혜로는 부자와 같다. 그리고 임진년에 재조(再造)해 준 그 은혜는 만세토록 잊을 수 없는 것이다. 선왕(선조)께서 40년 동안 재위하시면서 지성으로 섬기어 평생에 서쪽을 등지고 앉지도 않았다. 광해는 배은망덕하여 천명을 두려워하지 않고 속으로 다른 뜻을 품고 오랑캐에게 성의를 베풀었으며, 기미년 오랑캐를 정벌할 때에는 은밀히 수신(帥臣)을 시켜 동태를 보아 행동하게 하여 끝내 전군이 오랑캐에게 투항함으로써 추한 소문이 사해에 펼쳐지게 했다. 중국 사신이 본국에 왔을 때 그를 구속하여 옥에 가두듯이 했을 뿐 아니라 황제가 자주 칙서를 내려도 구원병을 파견할 생각을 하지 않아 예의의 나라인 삼한(三韓)으로 하여금 오랑캐와 금수가 됨을 면치 못하게 했으니, 그 통분함을 어찌 이루 다 말할 수 있겠는가. 천리를 거역하고 인륜을 무너뜨려 위로는 종묘사직에 득죄하고 아래로는 만백성에게 원한을 맺었다. 죄악이 이에 이르렀으니 그 어떻게 나라를 통치하고 백성에게 군림하면서 조종조의 천위(天位)를 누리고 종묘사직의 신령을 받들겠는가. 그러므로 이에 폐위하고 적당한 데 살게 한다."(1623년 인조실록 인조 1년 3월14일)

광해군의 중립외교를 오랑캐를 두둔하는 행위로서 천리를 거역하고 인륜을 무너뜨리는 행동으로 본 이상, 명(明)에 사대(事大)하는 것이 천리와 인륜에 합당한 행위가 되는 것은 당연했다. 외교정책이 A에서 B로 주안점이 바뀐 게 아니라, 오(誤)에서 정(正)으로 도덕성을 되찾은 것이므로 정당성 문제는 제기될 여지가 없었다. 중요한 것은 이런 시각이 사대부 중 몇몇이나 수개 정파 가운데 일개 파에 국한된 얘기가 아니라, 사실상 국가 구성원 전체에 해당된 얘기라는 데 있었다.

조선에서 지금의 여론에 해당하는 사상적 정치적 사회적 의견을 표명할 수 있는 계층은 관료를 포함한 사대부, 양반층에 국한됐다. 조선을 성리학의 나라로 만들겠다는 건국자들의 꿈, 특히 16세기 전반 더욱 심화된 성리학 근본주의로 무장했던 조광조의 열망은 한 세기가 지난 17세기 초에 이르면 후배 사림들의 정신세계에 뿌리를 든든히 내렸던 것이다. 그들은 사실과 현실의 사건을 통해 세계를 바라보는 것이 아니라, 사상을 통해 세계를 재단하고 판단하는 지경에 이르렀다. 성리학의 눈으로 볼 때 명은 부모의 나라요, 청은 만이(蠻夷)에 불과했다. 설사 부모에게 잘못이 있다 하더라도 천륜을 어길 수 없는 반면, 오랑캐의 힘은 힘이 아니라 단지 폭력이자 패륜에 지나지 않았다. 물리적 강제력에 굴복하는 것은 어떤 변명으로도 합리화될 수 없었다.

칼 만하임에 의하면, 우리가 종종 우리의 견해를 증명하기 위해 소위 사실(facts)에 호소하지만, 그 사실이라는 것 자체가 본질적으로 상당한 문제점이 있다고 한다. 흔히 팩트체크(fact check) 운운하는 데서 알 수 있는 것처럼 '사실'을 객관적 진실과 동일시하는 경향이 있지만, '사실'은 이미 그것이 수용될 수 있는 개념적 구도, 장치(conceptual apparatus) 하에서 이해되고 형성되는 것으로, 객관적 진실과는 거리가 있다는 것이다. 마치 여산(廬山) 산중에 들어가 있으면 여산의 진면목(眞面目)을 알 수 없는 것같이, 만약 어떤 그룹이 구성원 전체가 동일한 구도, 장치 내에 속해 있다면, '사실' 파악을 위한 전제들(presuppositions), 즉 그룹의 사회적, 지적 가치체계는 전혀 감지될 수 없다고 한다. 다시 말해 당해 그룹에서 왜 그 '사실'을 '사실'로 인정하고 수용하는지에 관한 배경과 이유는 알 수 없다는 것이다(Ideology & Utopia 91쪽. Routuledge). 즉, "네가 이것을 '사실'이라고 주장하는 것은, 네가 속해 있는 세계가 이러이러한 것에 가치와 점수를 주고, 저것을 배척하기 때문이야."라면서, 당해 장치나 구도 밖에서, 객관적인 제3자의 시각에서, 당해 그룹의 세계관의 편향성을 지적해줄 수 있는 계기가 없는 한, 사실에 관한 주장은 동일한 가치 체계 내에서의 견해 차이에 불과할 뿐, 실은 그 '사실'이라는 것이 동종 가치관의 산물이라는 것을 스스로 깨달을 수 없다는 것이다.

조선 중기에 이르면, 주자학은 압도적인 우월적 지위를 차지했고, 사실상 사상적 일원화를 이뤘다. 그들에게 다양성과 다른 학문, 다른 세계관, 소수파의 견해는 단지 허용될 수 없는 사안이 아니었다. 성리학 가치에 어긋나는 주장과 소견은 근본적으로 기만이요 술책에 불과했다. 천조의 나라를 곤경에 빠트릴 정도로 오랑캐의 실력이 성장한 상황에서, 섣부른 군사개입은 오히려 병화를 불러올 수 있다는 광해군의 견해는 가능한 하나의 의견이 아니라, 그저 타기해야 할 잡생각에 지나지 않았다. 존주대의(尊周大義)에 어긋나는 주장은 주장이 아니었기 때문이다. 강홍립은 1627년(인조 5년) 정묘호란 때 후금(後金) 군과 함께 입국하여 후금과 조선 간의 화의(和議)를 주선한 뒤 후금의 양해 하에 국내에 머물 수 있게 됐다. 삼사(三司)의 관료들은 그를 후금에 투항한 역신으로 몰았고 모든 관직을 삭탈했다. 그해 7월 강홍립은 병을 얻어 사망했다. 그가 적절한 때 항복한 덕에 이국땅에서 개죽음당하거나 사로잡혀서 노예로 고초를 겪었을 병사들 상당수가 돌아올 수 있었고, 또한 적진에 구금되어 있는 동안 끊임없이 정보를 전해주어 적정 파악에 도움을 준 사실은 철저히 무시됐다.

조선 엘리트 중의 엘리트라는 삼사의 젊은 관료들까지 숭명(崇明) 의리를 최고의 가치로 삼아 세상을 재단하고 평가하는 이상, 국가가 취할 정책 방향은 정해져 있는 것과 다름없었다.

병자호란(1636)은 정묘호란(1627)으로부터 9년 뒤에 발생했다. 그러므로 다음 장에서는 그동안 조선의 사대부라면 누구나 닥쳐올 것을 알고 있던 전쟁에 어떠한 대비를 했고, 전쟁에 임해서는 어떻게 행동했는가를 살펴보지 않을 수 없다. 과연 임진왜란과 정묘호란이 가져온 참혹한 결과는 그들에게 조금이라도 참고자료 역할을 했던 것일까. 먼저 인정반정부터 살펴보자.

3장 인조반정

군사쿠데타

1623년 4월 11일 이귀(李貴), 김류(金瑬) 등이 정변을 일으켜, 광해군을 몰아내고 능양군(綾陽君) 이종(李倧)을 왕으로 옹립했다. 1453년 계유정란(세조)을 제하면, 1506년 중종반정에 이어 조선역사상 2번째로 신하들에 의해 왕이 교체되는 순간이었다. 이들은 광해군의 폐모살제[廢母殺弟, 선조의 계비이자 자신의 의붓어머니인 인목대비(仁穆大妃)를 폐하고, 그의 적자 영창대군(永昌大君)을 죽인 것을 말함] 및 대명 중립외교의 실정(失政)을 바로잡겠다는 명분을 내걸었다. 이들에 의하여 광해군은 연산군 못지않은 폭군으로 자리매김하였고, 조선이 역사의 뒤안길로 사라지는 순간까지도 복권되지 못했다.

그러나 오늘날 광해군은 성군은 아닐지라도 탁월한 감각으로 강대국 사이의 균형외교를 펴나간 국왕으로 재평가(再評價)받고 있다. 사약을 받고 죽은 신하들도 시간이 지나면 신원(伸寃), 복권되고, 폐위된 뒤 노산군으로 불리던 단종은 사후 250여 년이 지난 숙종시대에 묘호(廟號)를 갖게 되었지만, 광해군은 이후 어느 시기에도 묘호에 대한 논의조차 없었다. 흔히 조(祖)나 종(宗)이 붙게 마련인 묘호는 국상을 마친 뒤 신위(神位)를 종묘에 안치할 때 붙여지는 이름이다. 그러나 광해군은 15년간 재위했음에도 오늘날에도 적장자가 아닌 후궁 소생의 왕자에게 붙여지는 군(君)이라는 이름으로 불리고 있다. 광해군이 범했다는 실정이 묘호도 갖지 못할 정도의 폭정에 해당되는지,

그리고 이를 반란의 명분으로 삼은 자들은 어떤 배경과 사상을 가진 자들이었으며, 그들이 만들어낸 세상은 과연 조금이라도 더 좋아졌는지 궁금한 것은 당연한 일이다.

반란의 성격을 규명하기 위해서는 시야를 조금 넓혀서 선조 때부터 살펴보는 것이 좋겠다. 임진왜란 직전이자 선조(재위 1567~1608) 치세기인 16세기 후반 정치의 주도권은 사림(士林)에게 넘어왔다. 훈구(勳舊)와 인척(姻戚)을 그토록 비판하며 입지를 다져가던 사림은 정국의 주도권을 쥐자마자 곧 사소한 문제로 갈라섰다. 그리고는 출신향리에 기반을 둔 서원을 중심으로 결속을 강화하면서 붕당(朋黨)을 형성했다. 공동의 적이 없어지자, 이내 권력을 두고 분열한 것이다. 서원은 중종 말 풍기군수 주세붕이 백운동서원을 세운 것이 효시인데, 명종 초 군수로 부임한 이황이 왕으로부터 소수서원(紹修書院)이라는 어필(御筆) 현판과 서적, 토지, 노비를 하사받아 일종의 사립대학으로 자리매김했다. 서원은 학문과 교육이라는 구실 아래 유교적 향촌 질서를 확립하고 지역 내의 사림세력을 결집하는 기능을 확보해갔다.

선조 대에 사림(士林)이 정국을 주도하자, 지방에서도 사림을 중심으로 한 사족 지배체제가 확립됐는데, 붕당정치가 사림의 공론에 바탕을 두고 전개되면서 붕당과 서원, 학파 간의 연결고리가 완결됐다. 1575년 동인(東人)과 서인(西人)으로 나뉜 사림은, 선조 후기에 동인이 이황(李滉) 계열의 남인(南人), 조식(曺植) 계열의 북인(北人)으로 갈리면서, 서인과 남인, 북인이 상호 비판, 견제하는 정국이 형성됐다.

임진왜란을 거치면서 북인인 정인홍(鄭仁弘), 곽재우(郭再祐) 등 조식의 문인들이 의병활동에서 공을 세우면서 정치적 주도권을 잡았으나, 곧이어 대북(大北)과 소북(小北)으로 분열됐다. 선조는 임란 이후 유영경(柳永慶)을 중심으로 한 소북 계열의 척신(戚臣)들을 중용했고, 이들은 세자인 광해군(光海君)이 빈(嬪)의 소생이자 둘째아들이라는 이유로 인목대비(仁穆大妃)의 소생인 영창대군(永昌大君)을 새로 세자로 옹립하려고 했다. 하지만 선조가 갑자기 죽으면서 그러한 시도는 실현되지 못했고, 광해군이 대북파의 지원을 받아 어렵게 왕위에 올랐다.

선조는 조선국왕 중 최초로 서자 출신의 왕이었다. 이전까지의 군주가 전부 정비 소생이었던 반면, 그는 후궁의 아들의 아들이었다. 조선왕조 500년 간 왕위에 오른 사람은 모두 27명인데 왕의 적장자 혹은 적장손 출신으로 정통성에 아무런 문제가 없었던 사람은 겨우 10명에 불과하다. 나머지 17명은 세자의 책봉 과정이나 왕위계승에 있어서 원칙에 맞지 않는 비정상적인 계승자였으니, 직계가 아닌 방계에서 처음 왕위를 계승한 사람이 바로 조선 제14대 임금 선조였다. 선조는 중종(中宗)의 후궁 창빈 안씨(昌嬪安氏) 소생인 덕흥군(德興君)의 둘째 아들인데, 덕흥군이 선조의 일곱째 아들이었기 때문에, 적장자로 이어지는 종법 질서 아래서는, 서자(庶子)이면서도 일곱째 아들인 덕흥군의 둘째 아들이었으므로, 왕이 될 수 없는 사람이었다.

이런 출신 배경은 트라우마로 남아 1608년 57세로 사망하는 날까지 후계구도를 둘러싼 잡음을 만들었다.

선조의 정비인 의인왕후(懿仁王后)는 자녀가 없이 1600년 사망하였고, 1602년 인목대비가 계비(繼妃)가 됐다. 그녀가 1606년 선조의 14명의 아들 중 13번째이자 유일한 적장자인 영창대군(永昌大君)을 출산하자, 소북파 유영경 등이 광해군이 후궁의 아들인 것을 문제삼아 세자 교체를 시도했던 것이다.

광해군

그러나 광해군은 임진왜란 중에 이미 세자로 책봉되어 분조(分朝)를 이끌면서 능력을 인정받았고, 1608년 선조 사망 당시 광해군은 33세(1575년생), 영창대군은 2세(1606년생)로, 두 인물의 나이차로 보나 경험으로 보나 이러한 시도 자체가 불가능한 일이었다. 유영경이 광해군의 지위를 흔든 것은 선조가 그동안 보인 행태 때문이었다. 선조는 백성들의 신망이 광해군에게 쏠리는 것을 보고, 수차례에 걸친 양위 소동을 벌였고, 광해군을 박대하여 문안을 하면 "중국의 책봉도 받지 못했는데 왜 세자라 칭하는가? 앞으로 문안하러 오지 말라."고 꾸짖었다. 이 말을 들은 광해군은 땅에 엎드려 피를 토하였다고 한다(『당의통략』 이건창, 이덕일 해역, 자유문고). 선조는 영창대군이 태어난 지 2년 뒤인 재위 41년(1608년)에 죽었다. 만일 그가 몇 년 더 살아 영창대군이 성장했다면 광해군은 세자 자리에서 물러났을 가능성이 크다.

이것은 전쟁 중 피난과정에서 보인 실책 때문에 권위가 떨어진 선조가 광해군을 정적으로 생각했다는 이유 외에 적장자를 우대하는 종법 관념에 물든 정신세계가 원인이었다.

종법 질서는 주나라에서 큰아들(적장자)을 우대하고 이후 왕조가 이를 모범으로 삼은 데서 기원한 것이지만, 이 관념이 더욱 강화된 것은 신(新)유학자들 그 중에서도 특히 주자(周子)가 종법을 사회구성요소의 핵심으로 삼은 데서 연유한다.

주자는 『근사록(近思錄)』에서 "천하의 인심을 잘 챙기려면 종족을 수합하고 풍속을 돈독하게 하며 사람들이 근본을 잊지 않도록 해야 한다. 반드시 가계혈통을 분명히 하고, 세족(世族)을 규합하여 종자의 법을 확립해야 한다."라고 하면서 종법을 세우는 것이 인심과 사회의 근본을 세우는 일임을 강조했다(『한국의 유교화 과정』 마르티나 도이힐러, 181쪽). 여기의 가계혈통이라 함은 남계(男系) 중심의 혈연집단을 말하고, 그 중에서도 본처 소생의 적장자로 이어진 대종(大宗)을 사회적, 정치적 안정을 지탱하는 절대적 버팀목으로 삼았다.

주자가 종법을 강조하자, 적장자 상속의 무게와 중요성이 종전과는 달라졌다. 조선 유학자들은 주자의 『사서집주(四書集註)』나 『근사록』에 앞서서, 먼저 심신수양을 논한 『소학(小學)』과 『예기』와 『주자가례』에 주목했고, 공부 내용보다 공부 방법과 예의규범을 중시했다. 군왕과 신하가 공히 성리학 세계관을 유일의 가치로 알고 있는 질서 아래서, 조선 최초의 서자 출신 왕이라는 콤플렉스는 치명적인 약점으로 작용했다. 이와 같은 정신적 약점이 있는 선조는 역시 후궁 소생인 광해군이 자신의 후계자라는 사실이 못마땅할 수밖에 없었고, 광해군을 온전하게 대하지 않았다. 이로 인하여 광해군은 세자로 책봉된 이래 등극하는 날까지 오랜 기간 편안한 마음을 가질 수 없었다. 혹자는 광해군이 의심이 많고 권위에 비정상적으로 집착하는 면모를 보인 것은 장기간에 걸친 선조의 불명확한 태도로 생긴 부정적인 유산이라고 말하기도 한다(『선조의 광해군 양위과정』 이근호, 한국불교사연구).

광해군도 아버지인 선조와 같이 서자인 데다 장남이 아니었으므로, 종법에 따르면 왕이 될 수 없는 인물이었지만, 그를 왕으로 만든 것은 1592년 발발한 임진왜란이었다. 준비가 전혀 안 된 상태에서 전란과 맞닥뜨린 선조는 의주로 피난하여 언제든지 국경을 넘어 명나라로 도망갈 채비를 차렸고, 전쟁 지휘 책임은 광해군에게 넘어왔다. 그는 엉겁결에 세자가 되었고, 분조(分朝)-임시정부를 이끌고 영변, 운산, 덕천, 맹산, 곡산, 은산, 안주, 용강, 강서 등 평안도와 함경도, 강원도, 황해도를 옮겨 다니며 의병 모집, 군량 수집 운반 등을 독려했다. 광해군의 활동은 왜란 초 어이없이 무너졌던 정부의 대응이 비로소 개시됐다는 신호가 됐다.

이로 인하여 조정이 아직 건재하다는 믿음이 생겨났고, 산발적인 저항으로 끝나고 말았을 관군이나 의병의 활동이 구심점을 찾았다. 이후 명군의 본격적인 참전으로 왜군이 남쪽으로 철수한 1593년에도 광해군은 두 번째로 분조를 맡아 전주, 홍성, 청양 등 전라도와 충청도를 돌며 병력모집과 군량 수집을 통해 명군의 작전을 도와 상당 부분 신료들의 신망을 얻었다.

이로 인하여 광해군은 선조와의 갈등 속에 살얼음판 관계를 유지할 밖에 없었는데, 더욱이 전쟁이 끝난 뒤 명(明)나라에서 돌연히 광해군이 서자에 둘째 아들이라는 것을 트집 잡아 왕세자 책봉의 승인을 거부하여 어려움을 배가시켰다. 사실 명이 세자 책봉을 거부한 것은 중국 자체의 문제 때문이었다.

전장(前章)에 기술한 바와 같이 만력제는 장남 주상락을 제치고 셋째 아들 주상순을 후계자로 삼으려 했고, 명 조정에서는 대부분의 신하가 이를 반대하고 있는 상황이었다. 만력제는 나중에 할 수 없이 장남 주상락을 후계로 삼으니, 이 사람이 바로 명나라 제14대 황제 태창제였다. 명은 자신들이 장남 승계 여부로 내홍을 겪고 있는 상황에서, 책봉 승인을 담당하는 명 예부(禮部)에서 먼저 조선의 후궁 소생 둘째 아들의 승계를 인정하기 어려웠던 것이다.

이와 같이 여러 가지 요인이 겹쳐 광해군은 1608년 즉위할 때까지 무려 10년 이상 불안한 세자 지위를 유지해야 했고, 이것이 나중에 집권기에 보인 부정적 행태들의 원인이라고 보는 시각도 있다. 그러나 즉위 과정이 아무리 힘들고 험난했더라도 결국 광해군은 왕으로 등극했던 바, 왕위를 지켜내고 왕권을 공고히 하는 것은 본인의 소관이지 누구에게 책임을 돌릴 문제가 아니다. 광해군을 폭군으로 매도하는 것도 치우친 생각이지만 오늘의 의견처럼 후한 평가로 일관하는 것도 잘못이라고 본다. 역사가 역사에만 머물지 않도록 하려면 그가 반란세력에 의해 폐위당한 이유를 냉정하게 짚어봐야만 할 것이다.

광해군은 명청(明淸) 교체기의 국제현실에서 균형 있는 중립외교를 펼쳐 국가안보를 유지하려 했으며, 대동법을 시행하고[당시 명칭은 은혜를 베푼다는 의미의 선혜지법(宣惠之法)이고 경기도에 한해 실시됨], 군적(軍籍) 정비를 위해 호패법을 실시했으며, 전란 중 소실된 서적들의 수습과 재구입, 재발간에 각별한 노력을 기울였다. 이를 통해 고려사, 국조보감과 동의보감, 동국신속삼강행실도(東國新續三綱行實圖) 등 수많은 서적이 간행되었고 문화적 재건에 힘을 보탰다. 하지만 부정적 행태도 있다. 광해군의 재위기간은 15년(1608~1623)이었다. 대강 전기 10년간은 왕권 수호와 역모에 대한 의심 때문에 역모(逆謀) 사건이 연이어 터지면서 수많은 사람이 사사, 유배되거나 향리로 돌아가 버려 인재손실이 상당했고, 집권 10년째인 1618년에는 인목대비가 제거되고 이를 반대하여 유배 간 이항복마저 사망하자 왕권을 위협하는 세력을 모두 처리했다고 판단했는지 궁궐 재건에 매진하여 많은 문제를 불러일으켰다. 광해군은 공사비용 조달을 위해 관직을 팔거나, 철, 목재, 석재를 바친 자에게 직급을 높여주고, 무뢰배에게 직함을 주면서 세금 수취권을 부여하여, 이들이 수령과 백성들에게 많은 폐해를 끼치게 했다.

한 군왕의 업적과 실정을 무게와 수량을 측정하듯 저울에 담아 비교할 수 없지만, 광해군을 평가함에 있어 결과적으로 반란에 의해 권좌에서 쫓겨났다는 사실을 중시하지 않으면 안 될 것이다. 왜란 이후 붕당의 대립, 그것도 극한적 대립이라는 조건이 조선의 정치에 있어 불변(不變)의 상수(常數)가 됨으로써, 왕권은 늘 취약하기 마련이었다. 임금은 권력을 유지하기 위해 특정정파를 우대하거나, 하나의 정파와 다른 정파 사이의 견제와 균형을 통해 통제하고, 또는 정파 간 경쟁을 통해 충성을 확보하는 방법을 쓸 수밖에 없었다.

국왕이 정통성이 있거나, 명민하거나, 최소한의 정치적 감각이라도 가진 경우에는 권력을 유지할 수 있었지만, 그렇지 않은 때는 언제든지 도전에 직면해야 했다. 가령 훗날의 경종(재위 1720~1724)은 32세의 한창 때에 임금이 되었음에도 노론의 압박에 의해 자식이 없고 병약하다는 이유로 이복동생인 연잉군(延礽君, 영조)을 세제로 책봉, 대리청정을 맡기고 물러날 위기에 몰리기도 했다. 병약(病弱)은 핑계일 뿐 사실은 경종이 남인 계통인 장희빈의 소생이었기 때문에 벌어진 일이었다.

선조 재위 시 시작된 분당을 계기로 동인이 우위를 점했으나, 정여립(鄭汝立)의 난에서 촉발된 1589년 기축옥사 때 서인이 잠시 정권을 잡았다. 그러나 1591년 왕세자 책봉문제와 관련하여 정철(鄭澈)을 필두로 한 서인은 광해군을 추천함으로써, 신성군을 염두에 두고 있던 선조의 심기를 거슬러 몰락하고, 동인이 재등장한다. 이때 동인은 서인에 대한 처벌을 놓고 온건파인 남인과 강경파인 북인으로 나누어진다.

선조 후반기는 대체로 북인이 정권을 담당하던 시기였던 바, 미미한 관직 다툼을 계기로 기자헌(奇自獻), 정인홍(鄭仁弘), 이이첨(李爾瞻), 허균(許筠) 등의 대북(大北)과 남이공(南以恭), 김신국(金藎國), 유영경(柳永慶), 유희분(柳希奮) 등의 소북(小北)으로 갈라섰다. 대체적으로 대북은 광해군을 지지하고, 소북은 영창대군을 밀면서 광해군의 계승을 반대했다. 광해군은 즉위와 함께 당연한 수순으로 그의 등극을 방해한 자를 제거하고 그를 옹호하다 피해를 입은 자를 복권시켰다. 소북 유영경은 선조 말년에 영창대군을 왕세자로 옹립하기 위해 많은 무리수를 두었다. 그가 영의정으로 있던 7년 동안 세자 책봉을 요청하는 사신을 한 번도 중국에 보내지 않았고, 심지어 선조가 광해군을 왕으로 삼으라는 교지를 내리고 승하했음에도, 자신의 집에 교지를 감춘 채 시간을 지연시키는 농간을 부린 사실이 드러나 사사된 반면, 그를 적극 옹호하다 귀양을 갔던 대북 정인홍과 이이첨은 유배에서 풀려남과 동시에 승승장구하였다.

이들은 광해군을 지켜냈지만, 한편 몰락 원인을 제공함으로써 정치세계의 아이러니를 보여준다. 이이첨은 연산군 대의 임사홍(任士洪), 유자광(柳子光), 인조 대의 김자점과 함께 간신의 대명사로 거론되는 인물이다. 그는 정인홍의 제자를 자처함으로써 그와 정치적 이력을 같이 했다. 정인홍은 남명 조식의 제자라는 배경에 의병장으로 왜군과 직접 싸웠다는 경력을 더해 국가의 대로(大老)로서 엄청난 명망과 권위를 가지고 있었지만 고향에 은거하여 출사를 꺼렸다. 다만 그는 강직하여 타협하지 않았고, 이것이 지나쳐서 자기의 뜻과 어긋나는 사람이나 정파를 탄핵하고 비난하는 데 거침이 없었던 바, 이것이 많은 부정적 유산을 남겼다. 이이첨은 임진왜란 때 세조의 능인 광릉(光陵)의 능참봉으로 있었는데 목숨을 걸고 세조의 영정을 지켜내 선조의 관심을 끌었다는 일화가 말하듯이 정치 감각이 민감한 자였다. 그는 정인홍에 동조하거나, 그를 이용하여 야망을 여과 없이 드러냈다.

우선 광해군 재위 15년간 끊임없이 역모사건이 이어져 많은 사람이 죽거나 유배를 가는 등 피해를 입었는데, 이들 대부분이 이이첨의 머리에서 나온 무고한 옥사였다는 것이 작금의 결론이다.

우선 광해군이 즉위한 해인 1609년(광해1) 광해군의 형인 임해군을 죽였고, 1612년(광해군 4년) 김직재(金直裁)의 무옥(誣獄 : 거짓으로 죄를 꾸며내 다스림)으로 소북파 100여 명과 이들이 왕으로 추대하려 했다는 이유로 진릉군 이태경(晋陵君 李泰慶)까지 처단했으며, 1613년(광해 5년)에는 소위 칠서(七庶)의 옥(獄) 혹은 계축옥사(癸丑獄事)를 계기로 인목대비의 아버지 김제남을 사사하고, 영창대군을 평민으로 만들었다가 이듬해 살해했다. 그리고 1615년(광해 7년)에는 신경희(申景禧)의 옥사-소위 해주옥사(海州獄事)를 핑계로 잠재적 왕권도전자 능창군 이전(綾昌君 李佺)을 죽였으니, 그가 바로 인조의 친동생이다. 인조가 반란을 결심한 데는 이 사건이 영향을 미쳤다고 본다. 그리고 1618년(광해 10년)에는 인목대비를 폐하고 서궁(西宮)에 유폐시킴으로써, 반대세력에 대한 가차 없는 칼날을 휘두른다.

그러나 영원한 권력은 없는 법, 이이첨은 1623년(광해 15) 인조반정이 일어나자 가족과 함께 영남지방으로 도주하다 광주에서 붙잡혀 아들 3형제와 함께 처형된다. 정적이 타도될수록 정권이 공고해져야 하는 것이 순리이겠으나, 현실은 이와 반대로 간다는 것이 일종의 역설이겠다.

선조 때는 국난의 시대였지만 한편으로 인재의 시대이기도 해서

기라성 같은 인물들이 포진했다. 북인이 다소 우세했어도 서인, 남인을 망라한 일종의 연립정부를 구성했지만, 계축옥사를 계기로 선조로부터 인목대비와 영창대군을 잘 보살펴 달라는 유명을 받은 소위 유교칠신(遺敎七臣)인 유영경, 한응인(韓應寅), 신흠(申欽), 서성(徐渻), 박동량(朴東亮), 한준겸(韓浚謙), 허성(許筬)이 숙청되고, 이정구(李廷龜), 김상용(金尙容), 황신(黃愼) 등 수십 명이 수감됐으며, 영의정 이덕형(李德馨)과 좌의정 이항복(李恒福)을 비롯한 많은 관료가 유배가거나 자발적 비자발적인 계기로 관직에서 쫓겨났다. 결국 대북파는 타파(他派)를 제거하고 권력의 정상에 섰지만, 이로 인하여 밀려난 타파의 결집을 초래하고 자신들은 물론 주군도 지켜내지 못하는 과오를 범한 것이다.

결국 광해군의 실책은 지나치게 일개 정파 그리고 특정 개인에만 의존하여 정치를 폄으로써 고립을 자초했다는 것이다. 이이첨이라는 인물의 당부(當否)를 가리지 못한 낮은 안목은 영조(英祖)를 제외하고 국왕이 직접 죄인을 문초하는 것을 뜻하는 친국(親鞫)을 가장 많이 행한 왕이었다는 사실에서 나타나듯, 신하에 대해 의심과 불신을 기본으로 하고, 설득과 회유 대신 강압과 실력행사를 통치수단으로 삼았다는 말이 된다.

물론 이와 같은 기술은 자칫 광해군에게 폭군 이미지를 씌울 수 있고, 광해군을 제외한 다른 왕들은 반란에 의해 쫓겨나지 않았으므로 정치력이나 치적에 있어 광해군보다 나았다는 인상을 심어줄 우려가 있다. 그러나 이는 광해군을 폄하하자는 의도가 아니라, 준비도 엉성한 한 줌의 서인들에 의해 왕권이 찬탈된 것은 역설적으로 대다수의 묵인(默認)이나 용인(容認)이 아니면 불가능한 일이었다는 점을 강조하기 위한 것이다.

광해군의 국제정세를 보는 눈이나 이를 위해 조선시대 전반을 통하여 거의 무관심했던 주변국에 대한 정보취득과 분석 그리고 이에 대처한 자세는 오늘날에도 일정한 시사점을 주는 것이 사실이며, 또한 바로 그 때문에 재평가되면서 연구되고 있는 것이다. 그러나 광해군은 역사의 패자로 인조 이후 의도적으로 폄하되고 곡해되어 폭군으로 남았다. 폐모살제(廢母殺弟)의 실정(失政)이 인조가 아들 소현세자를 독살하고, 며느리 강빈을 사사하며, 손자들까지 귀양을 보내 죽음으로 몰아넣은 것에 비해 더 심한 과오인지는 모르겠다. 왕권을 위협할 수 있는 잠재적 위해요소를 제거하는 것이 전제국가에서 일상화된 일이라는 사실을 감안하면 결국 이는 일종의 프레임 씌우기에 지나지 않는 것으로 보인다.

문제는 반정 세력이 광해군의 대표적 실정으로 나열한 '폐모살제'와 '균형외교'라는 항목이 향후의 국정방향을 규정하고 조선의 운명을 좌우하였다는 점이다. 일단 부모의 나라를 공경하고 숭명(崇明)의리를 지켜야 한다는 유교적 가치를 들고 나옴으로써, 반란 세력들은 스스로 족쇄를 채운 셈이 됐으며, 이를 벗어나는 어떤 시도도 하지 못했다. 소수의견이나 다양한 시각을 담은 견해의 표출 통로가 제한되어 있는 상황에서, 특정시각만 강조하는 것은 다른 각도에서 사물과 사안을 바라볼 수 있는 가능성을 차단했고, 유교가치 수호가 국가 존망보다 중요하다는 궤변을 넘어서서 결국에는 자기들과 다른 모든 논의를 사문난적(斯文亂賊)으로 몰아가는 극단으로 치닫게 만들었다.

인조-능양군(綾陽君)

인조의 가문은 광해군 당시 정권유지에 장애가 될 수 있는 세력으로 박해를 받았다. 앞서 기재한 바와 같이, 1615년(광해 7년) 황해도 수안군수 신경희(申景禧)가 정원군의 셋째 아들 능창군을 왕으로 추대하려 했다는 혐의로 옥사가 일어났다(해주옥사). 이로 인해 능창군은 강화도로 유배당한 후 죽었고, 아들의 비명횡사에 상심한 정원군은 40세를 일기로 세상을 떠났다.

정원군은 선조와 그의 총애를 받은 인빈 김씨에게서 태어난 선조의 다섯째 아들이다. 인조의 친부로서 나중에 추존(追尊) 왕이 되지만 그에 대한 실록의 평가는 좋지 않다. 남의 농토와 노비를 빼앗는 일이 다반사요, 궁노들과 난동을 일으켜 종친 부인을 가두기도 했으며, 왜란 중 적에게 군사기밀을 누설한 자를 풀어 달라고 소를 내서 사헌부가 파직을 건의할 만큼 못된 인물이었지만(1597년 선조실록 선조 30년 9월 22일), 선조로부터는 임진왜란 때 수행한 공로로 공신에 책봉되는 등의 사랑을 받았다.

광해군의 모친 공빈 김씨와 정원군의 모친 인빈 김씨가 라이벌 관계에 있었으므로, 광해군 즉위 뒤 조용히 살았으나, 정원군이 살던 집터에 왕기(王氣, 임금이 태어날 조짐)가 서렸고 그의 셋째 아들 능창군의 기상이 비범하다는 소문 때문에 주목의 대상이 됐다가 결국 피해를 보았던 것이다.

광해군은 1616년 정원군의 집터를 빼앗아 궁궐을 지었다. 광해군 정권의 박해로 멸문의 위기에 처한 인조가 원한에 가득 차 목숨 걸고 쿠데타를 주도한 대목이 이해될 수 있는 부분이다.

애초 반란 모의는 신경진(申景禛)과 구굉(具宏)에서 비롯됐다. 신경진은 죽은 능창군의 외삼촌에다 신경희의 사촌이고, 구굉은 정원군의 부인의 동생이다. 반정 세력이 일단 인조를 중심으로 한 그 친인척 집단임을 알 수 있다. 신경진은 왜란 때 충주 탄금대에서 죽은 신립의 아들로 반정 후 1등 공신에 임명되어 승승장구했고, 구굉 역시 1등 공신으로 기복 없는 관직생활을 했다. 이들은 우선 반란 성공의 열쇠를 쥔 무신의 포섭에 나서, 이서(李曙)를 끌어들였다. 이서는 폐모 논의가 일어났을 때 무신으로는 유일하게 벼슬을 버리고 낙향하였던 사람으로, 당시에는 장단부사 겸 경기방어사를 역임하고 있었는데, 서울에서 가까운 곳에 군사를 숨길 수 있어 큰 역할을 했다. 역시 1등 공신으로 책봉되었으며 병조판서를 역임했다.

다음 이들이 주목한 인물은 장만(張晩)이었다. 장만은 문신이었지만 탁월한 무재로 상당한 업적을 쌓은 사람이다. 세종 때 개척된 4군(四郡) 6진(六鎭)은 당시에 이르면 버려지다시피 했다. 4군은 백두산 근방 서쪽에 있는데, 압록강을 경계로 중국의 길림성과 마주했고, 6진은 두만강 하류의 러시아 접경지역이다.

4군은 서울에서 멀고 벽지에 위치했다는 이유로 세조 때 철폐하고, 주민을 강제로 옮기는 바람에 공백을 틈타 여진족이 들어와 살고 있었다. 평안병사로 재직하던 장만은 이곳의 전략적 가치를 인식하고 1611년(광해 3년)독자적인 작전으로 회복한다.

이때 일로 누르하치는 장만의 요구에 따라 4군 고지(故地)의 오랑캐를 철수시킨 일을 자못 덕을 끼쳤다고 생각하면서, 우리(조선)가 사례하지 않은 것을 매우 이상하게 생각했다고 한다(1612년 광해군일기 중초본 광해 4년 2월 8일). 5년 후인 1616년(광해 8년) 누르하치는 후금을 세운다. 만약 4군 회복이 조금만 늦어졌으면 이 땅에 대한 영유권을 주장할 수 없었을 것이다(『장만 평전』 백상태·장석규 공저, 주류성). 장만은 접경지역에 근무하면서 조정의 대명, 대후금 외교정책을 수립하는 데 결정적인 역할을 한다.

반란 세력은 장만과 휘하의 장수들이 거사에 결정적인 도움이 되거나 장애가 된다는 것을 인식하고 그를 설득하는 데 노력을 기울였지만, 장만은 주군을 배반하는 일에 나설 수 없다며 꺼린다. 다만 그들은 장만의 사위 최명길을 통해 반란 모의를 고변하지 않고 묵인하겠다는 점을 확인하고 작전에 나선다.

이들은 문신으로 김류(金瑬), 이귀(李貴)를 끌어들이고 그들과 친분관계에 있는 인사들을 포섭함으로써 거사계획을 완성한다. 결국 반란을 주도한 인사들은 인조-능양군의 외척, 인척이거나 이이, 성혼에서 이항복으로 이어진 서인계 학맥, 인맥으로 연결되어 있었으며, 광해군 정권 하에서는 대북파에 밀려 출세에 한계가 있는 인물들이었다. 기록에 의하면 이들에 대해 거사 직전 역모 혐의가 있다는 상소가 이어졌으나, 광해군이 오히려 대수롭지 않게 여겼다고 한다. 그 이유에 대해 광해군일기는 "대체로 역적을 치죄한 지 10년에 죄수들이 옥에 꽉 찼고 심지어 일시에 발생한 옥사가 6, 7건이 있기까지 했다. 상(上)도 말년에는 옥사가 대부분 사실이 아닌 것을 알고, 단지 국청을 설치하여 과실로 중한 죄를 방면시키는 것을 방지하려고 했기 때문에 역적의 옥사에 대해서 오히려 예사롭게 여겼고, 이귀의 일(모반 계획)을 듣고도 그다지 믿지 않았다. 그리고 김자점이 궁중에 계책을 써서 미리 벗어날 수 있는 터전을 마련했기 때문에 끝내 무사할 수 있었던 것이다. 어느 것인들 천운이 아니겠는가."(1623년 광해군일기 중초본 광해15년 1월 5일)라고 평하고 있다.

인조는 즉위 9개월 뒤인 1623년 윤10월 8일(인조 1년)에 정사공신(靖社功臣)으로 53명을 책봉했는데, 신경진은 부자와 형제가, 구굉, 김류, 이귀, 김자점 등은 부자가, 최명길, 심기원, 장유 등은 형제가, 그 밖에 숙질 사이와, 사촌 간에 공신으로 임명된 경우가 다수인 바, 이로 보면 보안유지 때문인지 주로 혈연, 인척 집단의 성격이 강했던 것을 알 수 있고(『인조 대 정치세력의 동향』 오수창, 한국사론 : 『인조 효종 대 정치사 연구』 이기순, 국학자료원), 한편으론 그들이 내건 반정 사유는 표면적 장식일 뿐 실질적으로 소수 불만세력의 정치적 반란에 해당된다는 것을 알 수 있다.

반정으로 죽임을 당한 자가 이이첨, 정인홍, 박승종 등 100여 명, 위리안치, 중도부처, 관직삭탈 400여 명 등 전체 500여 명이 피해를 입어 정여립의 난 때의 기축옥사를 제외하면 어떤 사화(士禍)나 정변보다 보복당한 자가 많았다(『장만평전』).

정변 세력은 한 달 내에 이귀를 이조참판으로, 김류를 병조참판으로 삼고 고향에 돌아가 있던 원로 이원익을 영의정으로, 신흠을 이조판서로, 이정구를 예조판서로 삼는 등 조정의 틀을 구성한다. 선조 때부터 명재상에 청렴결백하기로 유명했던 이원익은 폐모 논의에 극력 반대하여 향리에 돌아가 있었는데, 그 명망 때문에 영의정에 기용됐던 것이고, 신흠, 이정구 역시 마찬가지였다. 그러나 이조참판에는 이귀, 병조참판에는 김류가 임명되어 반정 세력이 문관과 무관의 인사권을 장악했다는 점을 주목하지 않을 수 없다.

인조는 공신 중심으로 정치를 운용했는데 이귀, 김류와 같이 서인인 송익필, 이이, 성혼의 직접 제자이거나 간접 제자들로서 향후 서인 절대 우위의 기반을 세웠다. 특히 이들의 추앙으로 이이의 노제자 김장생(金長生)은 당시의 정계와 학계에 커다란 영향력을 행사하게 됐는데, 문인(門人)으로 송시열(宋時烈), 송준길(宋浚吉), 이유태(李惟泰), 강석기(姜碩期), 장유(張維), 정홍명(鄭弘溟), 최명룡(崔命龍), 김경여(金慶餘), 이후원(李厚源), 조익(趙翼), 윤순거(尹舜擧), 윤원거(尹元擧) 등 유명인물이 즐비하고, 이들 제자들이 다음 세대 정치에 중추적 역할을 했다는 점을 기억할 필요가 있다. 인조는 재위기간 내내 공신그룹을 둘러싸고, 정국을 이끌어갔으므로, 이들의 면면을 이해하는 것은 인조시대를 해석하는 데 필수요소가 된다.

반정공신

그 중 김류, 이귀, 심기원, 김자점을 살펴본다. 최명길은 별도로 김상헌과 함께 다루겠다. 김류(1571~1648, 반정 시 52세, 사망 인조 26년)는 반정 후 가장 전면에서 출세가도를 달린 인물이다. 김류의 아버지 김여물(金汝岉)은 임진왜란 당시 신립(申砬) 휘하에서 종군하다가 탄금대 싸움에서 죽은 바로 그 김여물이다.

반정 주역 신경진은 신립의 아들인 바, 그러한 인연으로 신경진과 엮여 참여하게 됐다. 1623년 인조반정 때 문관 중 가장 직책이 높았다는 이유로 대장으로 추대됐고, 거사의 성공으로 정사(靖社) 1등 공신에 책록되어 전성기를 맞았다. 이후 인조의 절대적 신임 속에 이조판서, 좌의정, 도체찰사(都體察使), 영의정 등을 역임하면서 인조 중반기까지 정국을 주도했다.

그러나 병자호란 때 주화와 척화를 오락가락한 데다, 방어의 총괄 책임자인 도체찰사로서 직무를 소홀히 했으며, 휘하의 군관을 주로 자신의 가족과 재물을 보호하는 데 동원하여 비판을 받았다. 또 아들 김경징(金慶徵) 때문에 비난이 가중됐다. 김경징은 아버지와 함께 반정에 참가했다는 이유로 정사공신 2등에 책봉된 인물로 대사간, 한성부판윤 등 고위직을 지냈다. 실록에는 "경징이 세력을 믿고 교만 방자하니, 사람들이 모두 미워했다."(1635년 인조실록 인조13년 12월 2일) "경징은 경박하고 교만하여 대사간에 적합하지 않은데, 내관들도 감히 탄핵하지 못하고 조용히 사양하여 체직될 수 있게 했다. 명기(名器)를 더럽히고 욕되게 하는 것이 한결같이 이 지경에 이르렀으니, 탄식을 금할 수 없다."(1636년 인조실록 인조 14년 5월 8일) 등등 부정적인 평가가 다수다.

그는 병자호란 당시 강화도의 방어를 책임진 강도검찰사의 중책을 맡았음에도, 섬이 험하고 견고한 곳이라 적이 날아서 건널 수 없다면서, 아침저녁으로 잔치를 벌이고 날마다 술 마시는 것으로 일삼다가, 창졸간에 강화도가 함락되자, 자신의 어머니마저 버리고 도망갔다[『남한산성 항전일기(丙子錄)』 나만갑 원저, 서동인 역주, 주류성]. 당시 섬에는 빈궁과 원손 및 봉림대군(鳳林大君), 인평대군(麟坪大君)을 비롯해 수많은 전, 현직 고관들이 피난해 있었는데 이로 인해 많은 사람이 죽거나 고스란히 포로로 잡혀 남한산성의 사기를 떨어뜨리게 만들었다.

인조는 호란 이후 원로공신의 외아들이라고 어떻게 하든 살리려고 했지만, 결국 대간의 탄핵을 받아 경징은 처형됐고, 김류도 사임했다. 이후 정국이 불안하자, 김류는 다시 기용됐고, 1644년 다시 영의정이 됐다. 심기원(沈器遠)의 역모사건을 처리한 공로로 공신에 책봉됐고, 봉림대군을 왕세자로 책봉할 것을 주장했다. 김류는 기회주의적 인물로 반정 당일에도 대장으로 지명됐음에도 집에 있다가 성공 기미가 있는 것을 보고 뒤늦게 참여했고, 이괄의 난 때 이귀 등의 반대에도 불구하고 재판도 없이 감옥에 갇혀 있던 전 영의정 기자헌 등 37인을 참했고, 역적의 아내를 처단한다는 법 규정이 없음에도 불구하고 이괄의 처를 효시하는 데 앞장서는 등 법을 무시한 행동을 자주 했다.

호란 시 도체찰사로서 정국의 중심을 잡아야 했음에도 주화와 척화를 오갔으며, 남한산성에서 무리한 작전을 펴 병사를 희생시켰고, 또한 재물에 욕심이 많아 부패로 비난을 받았다. 노년에 소현세자의 사망 뒤 온 조정이 세손을 후사로 미는 가운데, 인조의 의중에 영합하여 김자점과 함께 봉림대군(효종)을 세자로 밀었다. 다만 세자빈(강빈)의 사사에 끝까지 반대해 미움을 샀지만, 김자점을 정승에 올려놓음으로써 인조 말기의 혼란에 일조했다. 말하자면 정승에 합당한 재목인지 의문이 있음에도 인조가 그에게 끝까지 의지한 배경에, 인조의 공신세력에 대한 부채의식과 함께, 자생적 정치능력의 부족이 한몫했다는 점을 기억할 필요가 있다.

다음 이귀를 본다. 이귀(1557~1633, 반정 시 67세, 사망 인조 11년)는 이이, 성혼의 적전 제자(嫡傳弟子, 적통을 이어받은 제자)로서 서인의 방계라 할 수 있는 김류와는 달리 서인 내에서 입지가 탄탄했다.

그의 특징은 우선 굉장한 다혈질이었다는 점이다. 마음에 들지 않으면 때와 장소, 상대를 가리지 않고 폭언을 해서 주위에서 "마음의 병이 있는 것 같다."고 평할 정도였다. 반면에 대단히 현실적인 감각을 가지고 있어, 정묘호란 당시 최명길과 함께 강화를 주장한 소수였고(반정 세력 중 최고령으로 병자호란 때는 이미 사망했다), 화친이 결정됐을 때 후금 사신 유해(劉海)가 소와 말을 잡아 제사를 지내는 의맹(義盟)의식을 요구하자, 영의정 오윤겸 등 대부분이 반대했지만 "춘추에도 의맹 의식이 적혀 있는데 안 될 게 없다."(1627년 인조실록 인조 5년 2월 30일)면서 형식에 얽매이지 않고 실리를 추구하여, 조선시대 사람답지 않은 유연성을 보이기도 했다.

그러나 이런 장점도 그가 궁극적으로 목표했던 바가 왕권 수호라는 목적 이상은 아니었다는 점에 주목하면 빛이 바랜다. 그는 왕권을 위협하는 일은 무조건 반대했고, 강화하는 사안은 무조건 찬성했다. 인조 초반 인조의 숙부인 인성군(仁城君) 역모 사건이 일어났을 때도, 이귀는 왕권 안정을 위하여 인성군의 처벌을 적극 주장했고, 인조의 부친 정원군에 대해 대부분의 반대에도 불구하고 원종(元宗)으로 추존하는 것을 관철했으며, 정묘호란 당시 그 전에 발생한 이괄의 난 때문에 조선의 정예군이 무너진 상황에서 자신의 아들 이시백의 정예군 3천을 북방으로 보내 수비하게 하자는 계책을 반대해 왕과 함께 강화로 들어가게 했다. 국가보다 왕을 보호하는 것이 중요했던 것이다(『장만평전』). 한편 남한산성 수축, 호패법 등 현실적 문제에도 관심을 가졌는데, 이는 왕권의 강화와 관계있는 사안으로 결과적으로 이귀는 자신이 옹립한 인조의 정통성 확립과 왕권 안정이 반정의 정당성과 연결된다고 믿은 외골수적인 인물이라 할 수 있다. 병조호란 때 남한산성 수비에 공을 세운 이시백(李時白)과 이시방(李時昉)이 그의 아들이다.

다음 심기원(1587~1644, 반정 시 37세, 사망 인조 22년). 그는 유생 신분으로 반정에 참여했는데, 정사공신 1등에 녹훈되고 고속 승진했다. 이괄의 난 때 한남도원수(漢南都元帥)로 공을 세웠으나, 이괄이 왕으로 세운 인조의 삼촌 흥안군 이제(興安君 李瑅)를 멋대로 죽인 일로 인조의 눈 밖에 나게 됐다. 다시 서용되어 정묘호란 때는 세자를 모시고 피난하였고 병자호란 때는 유도대장(留都大將), 제도도원수(諸道都元帥)가 되어 한양과 남한산성의 방어를 책임졌다. 그러나 패전의 책임으로 한동안 쓰이지 않다가 1640년 다시 호위대장으로 기용된 뒤 좌의정, 우의정에 이르렀고, 청원부원군(青原府院君)에 봉해졌다. 그러나 1644년 회은군(懷恩君) 이덕인(李德仁)을 왕으로 추대하려 한다는 역모의 고변을 받아 능지처참됐다. 다만 이 사건은 당시 심기원의 가장 강력한 라이벌이었던 김자점이 조작한 것이라는 의견도 있다. 그러나 김류의 아들 김경징의 예에서 보듯 마음에 든 사람은 허물이 있어도 감싸준 반면, 아무리 반정공신이라도 한 번 눈 밖에 난 사람은 어떤 핑계로든 제거하고 마는 것이 인조 성격의 일면이라는 사실을 부각시키기 위해 적시했다.

김자점(1588~1651, 반정 시 36세, 사망 효종 3년). 그는 반정공신이지만, 무능한 관료에다 임사홍이나 유자광 못지않은 간신으로 유명하다. 반정 후 승진을 거듭하여 1633년 도원수(都元帥)가 되고, 1636년 청의 침공에 대비할 목적으로 평안도에 파견됐다. 병자호란이 일어났을 때, 의주 건너편 용골산 봉화대에서 적의 침입을 알리는 봉화를 두 번이나 올렸으나, 평안도 황주 정방산성에 주둔하고 있던 도원수 김자점은 이 사실이 알려지면 서울이 혼란스러워질 것을 우려하여 보고하지 않았을 뿐 더러, 오히려 적의 침입을 알리는 군관을 망령된 말로 군정을 어지럽힌다며 목을 베려 했다. 청군이 안주를 지난 뒤에야 장계를 올리는 바람에, 인조가 강화도로 피난하지 못했다. 이후 패전 책임을 지고 유배됐으나, 인조의 후원으로 관직에 복귀하여 1642년 병조판서, 1643년 판의금부사를 거쳐, 같은 해 우의정과 어영청 도제조에 올랐다. 1644년에는 경쟁 세력인 심기원을 역모 혐의로 도태시켰다. 김자점의 활약은 이때부터 시작되는데, 이때는 대부분의 공신들이 죽거나 은퇴한 상황에서, 1646년 좌의정을 거쳐 영의정에 올라 권력을 장악했다.

1645년 인조의 총애를 받던 숙원 조씨(淑媛 趙氏)와 결탁해서, 소현세자(昭顯世子)를 죽이는 데 가담했고, 이듬해에는 세자빈 강씨(姜氏)에게 인조 시해 혐의를 씌워 사사하게 만든 뒤, 소현세자의 아들들을 축출하고 강빈의 형제들을 제거하는 등 인조의 복심으로 행동했다. 또 인조와 조씨의 소생인 효명옹주(孝明翁主)와 자신의 손자인 김세룡(金世龍)을 혼인시켜 권력의 정점에 섰고, 청나라 사신이나 역관 정명수(鄭命壽) 등과 결탁해 청나라를 배경으로 기반을 강화했다. 1646년 청이 반청(反淸)운동을 하다가 사로잡힌 임경업(林慶業)을 보내오자 고문으로 죽게 했다. 그러나 1649년 인조가 죽고, 새로 즉위한 효종에 의해 홍천에 유배당하자, 역관인 심복 이형장(李馨長)을 시켜 새 왕이 북벌하려 한다고 고발하여, 청이 군대와 사신을 파견해 샅샅이 조사함으로써, 조정으로 하여금 곤욕을 치르게 만들었다. 1651년 손부인 효명옹주의 저주 사건이 문제되고, 아들 김익(金釴)이 수어청 군사와 수원 군대를 동원해 자기를 반대한 자들을 제거하고 숭선군 이징(崇善君 李澂)을 추대하려는 역모가 폭로되어 아들과 함께 복주(伏誅)당했다.

이상 몇몇 인물의 평가에서 알 수 있듯이 인조는 그의 정치 생애 전반에 걸쳐서 잘못이 현저하거나 능력이 의심스러움에도 불구하고 반정공신이라는 이유만으로 지근(至近)거리에 두고 그들에게 의지하는 모습을 보였다. 이는 선조가 그나마 인재를 알아보는 눈이 있어서 이순신을 비롯한 많은 인물을 발굴했던 것과는 눈에 띄게 대비되는 측면이다. 반드시 선조의 능력 때문만은 아니겠지만, 선조 때는 조선을 대표하는 뛰어난 사람들이 즐비했던 데 비해, 인조 시대에는 역사적으로 비중이 있는 인사들이 적었다는 점은 시대적 상황 외에 왕이었던 그에게 재능 있는 인물을 선별하고 키워내는 주도적 안목이 부족했다는 사실을 대변하고 있다.

인조의 가족

인조의 비(妃), 후궁, 가족을 살펴본다. 당시는 왕가의 일이 곧 국가의 일이었으므로, 인친척의 중요성을 간과할 수 없다. 인조의 부친이 선조의 서자인 정원군인 것은 전술한 대로다.

인헌왕후(仁獻王后) 구(具)씨. 정원군의 부인, 즉 인조의 모친이다. 본관은 능성(綾城). 좌찬성 능안부원군(綾安府院君) 구사맹(具思孟)의 딸이다. 1590년(선조 23년) 정원군(定遠君)과 혼인해서 연주군부인(連珠郡夫人)에 봉해졌다가, 인조반정으로 인조가 즉위하자 부부인(府夫人)으로 진봉(進封)되고 궁호(宮號)를 계운궁(啓運宮)이라 했지만, 1626년 인조 4년에 사망하여 장례의 격식을 두고, 격을 높이려는 인조와 사대부 부인의 장례절차를 고수하려는 신하들 사이에 논쟁이 벌어진다. 반정공신 구굉이 그의 동생이다. 1632년(인조 10년) 정원군이 원종으로 추존됨에 따라 인헌왕후로 추존됐다. 인조를 비롯하여 능원대군(綾原大君), 능창대군(綾昌大君)을 낳았다. 능호는 장릉(章陵)으로 김포에 있다.

인렬왕후 한씨(仁烈王后 韓氏 1594~1635). 인조의 정비(正妃)로, 본관은 청주(淸州). 호조판서 한준겸의 딸이다. 소현세자와 제17대 왕 효종의 모후(母后)이다. 능호는 장릉(長陵)으로 파주에 있다.

장렬왕후(莊烈王后) 조(趙)씨. 본관은 양주(楊州). 여산군수 조창원(趙昌遠)의 딸이다. 1638년 15세 때 인조의 계비(繼妃)가 되었다. 인조에게는 버림받다시피 하여 둘 사이에 자식도 없고, 심지어 후궁 조씨의 모함을 받아 20대부터 경덕궁에 유폐되기도 했다(『화살 맞은 새, 인조대왕』 김인숙, 서경문화사). 인조가 죽고 효종이 즉위하자, 대비(大妃)가 되었다. 자의대비(慈懿大妃). 1659년 그녀보다 나이가 많은 아들 효종이 죽자, 효종에 대한 복상(服喪) 문제로 서인, 남인 간 제1차 예송논쟁(禮訟論爭)이, 1674년(현종 15) 며느리인 효종비 인선대비(仁宣大妃)가 죽자 제2차 예송논쟁이 벌어졌다. 능호는 휘릉(徽陵)으로 구리시에 있다.

다음으로 문제적 인물 소용 조씨(昭容 趙氏).

인조(仁祖)의 후궁으로, 1630년 종4품 숙원(淑媛)으로 책봉되어 입궁했다. 이후 1638년(인조 16년) 정4품 소원(昭媛), 1640년(인조 18년)에는 정3품 소용(昭容)이 됐다. 소용 조씨(趙氏)는 인조의 총애를 독차지했던 후궁으로, 모략을 일삼으며 권세를 장악했다. 1635년(인조 13년) 정비(正妃) 인렬왕후(仁烈王后)가 죽은 뒤, 1638년(인조 16년) 계비(繼妃)로 책봉됐던 장렬왕후(莊烈王后)를 인조와 별거시킬 정도로 투기가 심하고 모사와 이간질에 능했다. 조씨(趙氏)는 특히 소현세자빈(昭顯世子嬪) 강씨(姜氏)와의 불화가 심했는데, 이로 인해 인조가 소현세자(昭顯世子, 1612~1645)를 감시하게 됐다고 전해진다. 심양에 볼모로 간 세자가 청나라와 친밀한 관계를 유지하는 것을 두고, 세자가 왕위를 차지하려고 한다며 인조의 의심을 부추겼다. 결국 1645년(인조 23년) 세자와 세자빈 강씨가 환국했으나, 세자는 두 달 만에 돌연한 죽음을 맞았다. 당시 세자의 주치의로 침술을 행했던 의관 이형익(李馨益)은 조씨(趙氏)의 어머니인 한옥(漢玉)의 집에 드나들던 자로 인조의 신임을 받고 있었다. 그러나 시신의 상태가 독살의 흔적이 뚜렷했음에도 불구하고, 인조는 세자의 장례를 서둘러 마쳤고, 의관 이형익에 대한 처벌도 이뤄지지 않았다. 또한 인조는 적자계승의 원칙을 버리고 원손(元孫)이 아닌 차자(次子) 봉림대군(鳳林大君)을 왕세자로 책봉했다. 세자 책봉 직후인 1645년(인조 23년) 10월, 소용 조씨(趙氏)는 정2품 소의(昭儀)에 올랐다. 조씨는 이에 그치지 않고 세자빈 강씨가 자신을 저주했다고 무고(誣告)했고 결국 1646년(인조 24년)에는 강씨가 인조의 밥상에 독을 넣었다는 혐의를 받게 했다. 이로써 별당에 유치됐던 강씨는 끝내 폐서인(廢庶人)으로 사약을 받았고, 왕손 3형제가 모두 제주도로 유배됐다. 같은 해 12월 인조는 조씨(趙氏)의 소생인 왕자 이징(李澂)을 숭선군(崇善君)으로 삼았다. 이듬해 1647년(인조 25년)에는 소의 조씨(趙氏)의 장녀가 효명옹주(孝明翁主)에 봉해져, 영의정 김자점(金自點)의 손자인 낙성위(洛城尉) 김세룡(金世龍)과 혼인했다. 또 1648년(인조 26년) 조씨(趙氏)의 소생인 왕자 이숙(李潚)을 낙선군(樂善君)으로 삼아, 조씨(趙氏) 슬하의 세 자녀가 모두 작호(爵號)를 받았다. 조씨(趙氏)는 1649년(인조 27년) 인조가 승하하기 전에 종1품 귀인(貴人)으로 진봉됐다.

한편 1649년 5월 봉림대군이 제17대 임금 효종(孝宗, 1619~1659)으로 즉위하자, 자리가 위태로워졌던 김자점은 북벌정책을 펼쳤던 효종을 청나라에 밀고했다가 유배되자, 아들 김련(金鍊), 김식(金鉽), 손자 김세룡, 김세창(金世昌) 등과 역모를 꾀하였다. 이들은 귀인 조씨(趙氏)의 장자인 숭선군을 임금으로 추대하려고 했다, 그러나 1651년(효종 2년) 11월 조씨(趙氏)가 딸 효명옹주와 함께 궁으로 무녀(巫女)를 불러들여 임금이 거처하는 대전과 자의대비(慈懿大妃, 장렬왕후), 인평대군(麟坪大君, 인조의 3남) 등의 처소에 뼛가루 및 절단된 시체 등을 파묻어 두고 저주를 행하였으며, 승려들과 불상을 세워서 효종을 무고(巫蠱)했다는 죄목이 밝혀졌다.

마침내 1651년(효종 2년) 12월 조씨(趙氏)는 자결하라는 명을 받아 사사(賜死)됐으나, 인조가 귀인 조씨를 총애했던 것을 생각해 작호는 폐하지 않고, 장례도 종1품 귀인에 맞게 예장했다. 그리고 김세룡의 아내인 효명옹주와 숭선군 이징은 관작(官爵)을 삭탈하여 각각 중도와 근도에 안치시켰다. 역당 김자점 일가를 비롯해 저주 사건에 동참했던 궁인, 무당, 승려 등 관련자들은 모두 처형됐다. 이후 1652년(효종 3년)에 낙선군 이숙도 작호를 삭제하여 이징과 함께 이름만 기록되도록 했다.

인조의 장남인 소현세자의 아들들은 인조의 적손들이었다. 이들이 소현세자의 사망과 어머니 강빈의 사사(賜死) 후 제주로 유배될 당시 큰아들 석철(石鐵)이 열두 살, 둘째 아들 석린(石麟)이 여덟 살, 셋째 아들 이회[李檜, 초명은 석견(石堅)]는 네 살이었다. 그 중 첫째, 둘째는 곧 사망하고 1656년 귀양에서 풀려난 막내 이회는 1659년에 경안군에 책봉됐으나, 현종 9년인 1668년에 생을 마감했다.

인조시대 조감

일반적으로 인조시대는 사림과 붕당중심의 정치질서가 구축됐던 시기로서, 이후 정치 지형의 기본 틀을 갖추는 과정이었다고 평가되고 있다. 인조는 즉위 직후 정권의 정당성을 확보하기 위해, 학문과 학행(學行, 배움과 실천을 아울러 이르는 말)으로 명성을 떨치고 있는 인사들, 곧 산림(山林)을 초치했고, 이들을 위해 사헌부 장령이나 지평, 성균관 사업과 같은 산림(山林)직을 마련했다.

산림은 연산군 이래 빈번한 사화(士禍)로 신진사림이 큰 피해를 입게 되자 과거 응시를 포기하였지만, 학문적 권위를 바탕으로 현실정치에 막대한 영향을 미친 재야인사를 일컫는 용어로 효종, 현종대의 송시열, 숙종초의 허목, 윤휴 등이 대표적 인물이다(『조선후기 산림세력연구』 우인수, 일조각). 서인은 반정 후 정권유지를 위해 숭용산림(崇用山林)과 국혼물실(國婚勿失)을 원칙으로 삼았다. 숭용산림(崇用山林)은 산림을 우대한다는 의미이고, 국혼물실(國婚勿失)은 왕비를 서인 가문에서 낸다는 뜻으로, 서인이 권력을 장악했던 이유는 바로 이 철칙을 지켜왔기 때문이라 할 수 있다.

산림은 관직에 나가지 않아도 조선정치를 좌우하는 권력을 휘두르게 됐다. 숙종 때 송시열의 권위가 하늘로 치솟아, 왕명도 거역하는 사태에 이르자, 임금이 분노하여 신하들에게 "한갓 사표(師表, 스승)만을 알고 군명(君命, 왕)이 있음은 알지 못한 것이니, 인신(人臣)으로서 임금을 섬기는 도리가 어찌 이와 같아서야 되겠느냐? 진실로 심히 해괴하다."(1674년 숙종 즉위년 12월 18일. 『숙종, 조선의 지존으로 서다』, 이한우, 해냄)라고 일갈했던 것은 유명하다.

인조가 초치한 산림인사 김장생(金長生), 장현광(張顯光), 박지계(朴知誡) 등은 인조에게 임금의 수양과 성학을 강조하며 성인군주가 될 것을 강하게 요구했고, 이후의 산림들도 이를 강조함으로써 실질적으로는 왕권을 제약하는 요인으로 등장했다. 군주를 사대부의 일원으로 파악하여 사대부 논리를 적용시켜 신하와 같이 인격도야가 필요할 뿐 아니라, 오히려 신하보다 한층 더 노력해서, 성인(聖人)이 될 의무가 있는 존재로 자리매김 시켰기 때문이다. 인조는 일단 이러한 군주관을 받아들이고 반정으로 권좌에 오른 정통성의 부족을 학문을 통해 만회하려고 했다. 인조는 즉위 직후부터 경연이 더 이상 시행되지 않은 재위 17년까지 경연을 진행하여 호학군주라는 사림의 기대에 부응하는 모습을 보이려고 애썼다. 그러면서도 나름대로 왕권을 수호하려는 모습을 보이기도 하는데 부친인 정원군을 추숭하거나, 이이, 성혼의 문묘종사를 끝까지 반대하여 산림의 학문적 권위는 인정하되 정치적 권위는 부인하려고 한 점이 그것이다(『인조의 군주관과 국정운영』 이인복, 조선시대사학보).

그러나 서인을 기본으로 하고 남인을 수용하는 형식으로 균형을 유지하던 붕당 간의 정쟁은 점점 심해지는 경향이 있어 사안마다 대립과 갈등이 발생했다. 유백증은 인조가 추구하던 붕당들 사이의 조화와 보합(保合, 화합함)을 부정하지 않으면서도 이는 그보다 먼저 시비와 분별에 입각한 공론을 세운 뒤에야 가능하다고 반박하여 반대당 공격을 합리화했다.

"동서(東西)로 분당된 이후 50여 년이 지난 지금에 이르러…청탁

(淸濁)과 우열(優劣)이 서로 뒤섞여 있게 됐으니, 가능한 한 조화롭게 보합(保合)시켜야 할 것입니다. 그러나 반드시 시시비비를 가려 그 사이에 공론(公論)이 행해지게 한 뒤에야 조정이 안정되어 서로 협력하는 아름다움이 이루어질 것입니다. 만일 그렇지 않고 시비를 가리는 일에 대해 당파를 구분해 배척하려는 것으로 생각하신 나머지 시비를 가리지 않은 채 오직 진정시키려고만 하신다면, 공론이 행해지지 못하고 현부(賢否)가 구분되지 않아 취사(取捨)한 것들에 대해 인심이 승복하지 않고 국시(國是)도 정할 수 없게 될 것입니다."(1630년 인조실록 인조 8년 3월 26일)

여기 등장하는 공론이란, 붕당체제 하에서 서원이 사림을 양산하는 역할을 했고, 서원을 중심으로 중앙과 지방이 긴밀히 연결됐으므로, 중앙관리, 지방사림, 산림의 의견을 종합한 의견을 말하는 바, 무엇이 공론인지, 누가 공론을 대표하는지에 관해 치열한 다툼이 생길 수밖에 없는 사안이었고, 이는 두고두고 조선정치의 뜨거운 감자로 등장한다.

일례로 정묘호란(1627년)에서 병자호란(1636년)에 이르는 약 10년간 조선정치의 공론은 척화(斥和)였던 바, 공론이라는 이유만으로 척화 주장이 정당했음을 인정할 것인지 따져볼 문제라 하겠다. 어쨌든 인조는 당쟁에 대해 민감하게 반응하는 등 나름대로 왕권을 지키기 위해 노력했으나, 그의 권력 기반은 합법적 정당성이 없는 공신세력이었고, 대개가 서인이었으므로 서인 우위, 그 중에서도 공신파 우위의 추세는 거스를 수 없었다. 인조의 이러한 모습은 끝까지 변함이 없어 초반에 김류, 이귀에 의탁했다면, 후반에는 심기원, 김자점에 매달리어 정치를 이끌어갔다.

실록에 의하면, 정묘호란이 발발하였을 때 대사헌 박동선(朴東善)

등은 "전하께서 신임하고 총애하는 신하로는 김류, 이귀, 이서, 신경진, 심기원, 김자점 등만 한 이가 없습니다. 그런데 (반정공신이라는 사람들은 모두) 혹은 해도(海島)로 들어가고, 혹은 산성(山城)으로 올라갔으며, 혹은 호위한다고 칭하고, 혹은 검찰에 제수되는 등 다 편안하고 안전한 자리를 차지했습니다."라면서 제 살 길만 찾는 공신들과 이들에 무조건 의지하는 인조의 행태를 간접적으로 비난한 바 있다(1627년 인조실록 인조 5년 1월 23일).

공신들은 반정 후 처벌받은 구신들의 전답, 저택, 노비들을 하사받았음에도, "신경진은 집을 하사받은 후에 또 다른 사람의 터 수천 칸을 차지했고, 이서(李曙)는 온 나라의 기이한 화초를 모아 완상(玩賞)하거나"(1632년 인조실록 인조 10년 3월 6일), 김류는 "대장과 재상의 권세를 겸하여 뇌물이 몰려드니 부귀에 도취하여 백성의 곤궁을 마치 월(越)나라 사람이 진(秦)나라 사람 여윈 것을 보듯이 하였다."(1637년 인조실록 인조 15년 12월 11일)고 한다.

형조참의 나만갑(羅萬甲)은 이에 대해 "반정한 신하들만 해도 의거할 당초에야 어찌 털끝만큼이라도 부귀를 도모하려는 생각이 있었겠습니까. 공을 이룸에 미쳐서는 사패전(賜牌田) 외에 또 많은 전민(田民)을 거느리고서 넓은 제택(第宅)을 점령하는 등, 방자함이 날로 심하여 민원이 날로 더해 가고 있으니, 예로부터 공신의 끝이 좋지 않았던 원인도 대개 이 때문이었습니다. 만약 단속을 하지 않는다면 전하께 뒷날의 후회를 끼치지 않을까 두렵습니다."(1635년 인조실록 인조 13년 3월 23일)라고 상소한 바 있고, 헌부가 아뢰기를, "요즈음 재이는 나날이 생겨나고 재용(財用)은 나날이 궁핍해 가는데, 집을 짓는 제도가 나날이 더욱 벗어나고 있어 훈척이나 권귀의 집은 한계도 없이 참람하니…한성부(漢城府)로 하여금 적발하여…죄를 다스리게 하소서 하니…이때 김자점(金自點)이 새로 큰 집을 지었는데, 도성에서 으뜸이었기 때문에 이런 논의가 있었던 것이다."(1635년 인조실록 인조 13년 10월 28일)하며, 또 "한성부가 헌부의 계사로 인하여 제도에 벗어난 집들을 적발하여 처벌할 것을 청하였는데, 모두 의지할 곳 없는 고아나 과부 서민들이었고 김류나 홍서봉(洪瑞鳳) 같은 집들은 한 동네를 점령하고 있었으나 감히 아뢰지 못하니, 사람들이 다 그르게 여겼다."(1635년 인조실록 인조 13년 12월 2일) 등의 기사는 공신들의 위세와 위상을 간접적으로 반영한다. 공신들의 부귀영화는 한 배를 탄 인조의 방조와 암묵적 용인에서 비롯된 것이지만, 27년에 이르는 집권기간 내내 그들의 영향력에서 벗어나지 못한 데다 어떤 점에서 보면 자발적으로 그들에게 의지했다는 점이 인조의 특징적 면모가 되는 부분이겠다.

인조라는 인물

인조는 어떤 사람, 어떤 군왕이었을까. 우선 그가 1623년 반정으로 정권을 잡았을 때는 28세(1595년생)의 청년이었고, 26년간 재위하다가 54세인 1649년 사망했으므로 생의 황금기를 왕으로 보냈다고 할 수 있다. 정비인 인렬왕후에게서 4명의 아들, 총애하는 후궁인 숙원 조씨에게서 2명의 아들과 딸 1명을 얻었다. 그러나 실록 등의 자료만으로 그와 같은 기초사실 이외에 인조라는 인물을 입체적으로 재구성하여 눈앞에 제시하기는 쉽지 않은 일이다. 하지만 후세의 눈으로 본다면 인조는 결코 현군이나 명군이 아니었다. 그가 목숨을 걸고 반란에 나선 것은 광해군에 의해 동생과 아버지가 죽음에 이른 데 대한 맹목적인 원한이었고 그 이상의 목표나 원대한 구상이 없었다는 것은 그의 행적이 말해주고 있다.

애초 광해군이 주목한 사람은 그의 동생 능창군이었다. 그는 어려서부터 재주가 출중하고 독서를 좋아하여 현공자(賢公子)로 불렸으며, 외모도 훤칠하고 말 타기와 활쏘기 등 무술에도 뛰어났다고 한다. 그런 그가 신경희 옥사사건에 엮여 사사되자, 인조(능양군)는 다가오는 멸문 위기를 모면하기 위해 행동에 나서서 우연히 성공하였을 뿐, 그 전에도 그 후에도 제왕학이나 치도에 대해 주도적 체계적으로 고민한 바 없다. 그 점은 업적이라고 내세울 만한 사안이 없고, 이괄의 난, 부친(정원군)의 추숭(원종), 병자호란(제4장에서 다룸),

소현세자(제5장에서 다룸)의 독살과 같이 주로 부정적 사건을 통해 기억되는 왕이라는 면모에서 드러난다. 원래 감정표현을 하지 않던 인조는 왕이 된 이후에도 분위기가 무겁고 말이 없어 궁녀들도 하루 종일 임금의 목소리를 듣지 못했고, 아들과도 거리를 두어 봉림대군과 인평대군이 장성하여 출궁한 뒤 입궐해 들어오면 시중들던 젊은 궁녀들을 피신시켜 자식 앞에서도 흐트러진 모습을 보이지 않았다고 한다(『인물한국사』 정성희).

그럼에도 실록에는 그의 성격을 짐작할 수 있는 기사가 몇 개 등장한다. 병조참의 유백증이 인조가 "언로를 가로막고 시상에 공정하지 못하고"(1628년 인조실록 인조 6년 6월 14일)라고 했고, 부제학 이경여도 "성명께서는 자신을 굽혀 남을 따르는 도량이 상당히 부족합니다. 그리하여 언론이 약간 직선적이기만 하면 일찍이 너그럽게 용납하신 적이 없다."(1630년 인조실록 인조 8년 1월 20일)고 하며, 대사헌 박동선(朴東善)은 "삼가 보건대 전하께서는 말씀하시는 사이에 쉽게 감정을 드러내시며 억제하지 못하는 병통을 면하지 못하고 계십니다. 사리 상 결코 해서 안 된다는 것을 진실로 알면서, 한때의 노여움으로 인하여 행해서는 안 될 일을 억지로 행하시며"(1631년 인조실록 인조 9년 8월 5일)라 하고, 경상좌도 양전사 이현(慶尙左道 量田使 李袨)이 "성상께서는 덕이 너무 굳세어 너그러운 기상이 드러나지 않고, 허물을 듣기 싫어하시어 혹 옳지 않은 일을 하시기도 하며, 조금이라도 뜻에 거슬리면 문득 엄하게 내치시고, 좋아함과 싫어함의 편벽된 점이 반드시 제수하는 사이에 드러난다."(1634년 인조실록 인조 12년 5월 27일)고 상소한 점에 비추어 보면, 좋은 것과 싫은 것에 대한 호불호가 분명하여 이를 감추지 못하고, 듣기 싫은 말은 듣지 않는 경향이 있는 등의 관용과 절제, 균형감과 포용성이 부족하였음을 알 수 있다.

그리하여 대사헌 김남중(金南重)은 "귀에 거슬리는 말을 아뢰자마자 듣기 싫어하는 기색이 대번 드러나며, 한쪽으로 치우치는 사심을 떨쳐버리지 못하고 남을 이기기 좋아하는 습관을 다스리지 못한 것이 바로 전하의 병근(病根)이니, 반드시 마음을 함양하되 고요한 속에서 그 마음을 지키고, 사욕을 극복하되 행동하는 사이에서 그것을 다스리며, 강직한 논의를 듣기 좋아해서 선(善)을 받아들이는 도량을 넓히고, 의리를 깊이 살펴서 이기기 좋아하는 사심을 버리소서."(1645년 인조실록 인조 23년 7월 2일)라고 건의하기에 이르렀던 것이다. 이렇게 보면 적극적으로 드러내지 않았다 해도 자기 생각에 어긋나는 의견이나 상황에 대해서는 불쾌감이나 싫은 기색을 감추지 않음으로써 역설적으로 분명한 의사표현을 한 셈이다.

그러나 의견을 누구라도 알아들을 수 있도록 명백하게 제시했던 경우는 부친의 추존이나 소현세자빈인 강빈의 사사(賜死) 등의 일부 사안에 국한되는 바, 이괄의 난 때 허둥댄 것이나, 병자호란 때 척화와 주화 사이를 오락가락한 것을 상기해보면, 그를 움직인 유일한 원칙은 어떤 대가를 치르더라도 왕권을 지키고 수호하겠다는 권력의지(權力意志)였다고 할 수 있다. 비정상적인 권력욕은 아들이라도 정적이라 생각되면, 제거하는 비정함에서 정점을 이룬다. 소현세자의 희생을 낳은 비극은 후기 조선에 어두운 부채로 작용한다.

이괄의 난과 원종추숭(元宗追崇)

인조를 특징짓는 사건 중 이괄의 난과 부친인 정원군의 추숭에 대해 살펴본다. 이괄의 난은 1624년 인조 2년에 발생한 반란이다. 인조가 집권한 지 만 1년이 채 안 된 상태에서 일어난 반란으로 인조는 황급히 도성을 비우고 공주로 피천(避遷)을 갔다. 이괄(李适, 1587~1624)은 본래 무관으로 광해군 때에 제주목사, 함경도 북병사(北兵使) 등을 지낸 인물이다. 그는 신경진의 동생인 신경유(申景裕)의 권유로 반정에 참여했으며, 거사 당일 실질적으로 군사를 이끌었다. 당시 반정군이 홍제원(弘濟院)에 모였을 때 김류가 계획이 누설되었다는 이유로 망설이면서 제 시간에 도착하지 않자, 이괄이 대장으로 선출되어 병력을 지휘했지만, 논공행상에서 무관 출신이라는 이유로 문관 출신인 김류와 이귀, 김자점보다 아래 등급인 정사공신(靖社功臣) 2등에 봉해지는 데 그쳤다.

더구나 반정 이후 2달 만에 후금(後金)의 침입 우려에 대비하기 위해 도원수(都元帥) 장만(張晩)의 추천으로 평안병사(平安兵使) 겸 부원수(副元帥)로 임명되어 관서(關西) 지방으로 파견됐다. 일반적으로 반정주체 간 암투에 따른 불공정인사와 이어진 좌천에 대한 불만이 반란 원인으로 꼽히는 이유이다.

이괄은 평안도 영변(寧邊)에 주둔하면서 후금의 침략에 대비했다. 부원수직은 최진방의 군대를 직접 지휘하는 자리로, 전략에 밝고

통솔력이 있는 인물에게 합당한 바, 당시의 상황으로 볼 때 일류 무관으로 알려진 이괄의 발탁은 잘 된 것이었다. 이괄 역시 새 임무의 중요성을 알고 평안도 영변에 출진한 뒤에 군사 조련, 성책(城柵) 보수, 진(鎭)의 경비 강화 등 부원수로서의 직책에 충실했다.

그러나 인조 2년 1624년 3월 6일 문회(文晦) 등이 이괄이 역모를 꾀한다고 고변하면서 즉시 추국청(推鞫廳)이 열렸다. 정권이 아직 불안정한 상황에서 반대세력에 대한 공신들의 의심은 끝이 없었다. 이괄과 함께 역모를 꾀했다고 고발된 자들이 조사받았고, 이귀는 이괄도 잡아다 문초할 것을 주장했다. 그러나 인조는 이를 승인하지 않고, 그 대신 이괄의 아들인 이전(李旃)을 한양으로 압송해 오도록 했다. 이괄은 "하나 밖에 없는 아들이 역모 혐의로 끌려가면 그 아비는 무사하겠는가."라며 3월 13일 아들을 압송하러 온 금부도사 고덕률(高德律) 등을 죽이고 반란을 일으켰다. 요컨대 사전 계획이라기보다는 집권층의 의구심에 의한 우발적인 반란이었다.

반란을 일으킨 이괄은 모반 혐의로 서울로 압송 중이던 구성부사(龜城府使) 한명련(韓明璉)을 중도에서 구해내어 반란에 가담시켰다. 한명련은 작전에 능한 인물로서 이후부터 두 사람은 서로 긴밀한 관계를 맺고 반란군을 지휘하게 됐다. 3월 14일 이괄은 임진왜란 때 항복한 왜병(降倭兵) 100여 명을 선봉으로 삼고, 휘하의 전 병력 1만여 명을 이끌고 영변을 출발했다. 같은 날 조정에서는 김류가 내응의 위험이 있다는 이유로 광해군 때에 영의정을 지낸 기자헌(奇自獻) 등 37인을 재판도 없이 마구잡이로 죽이고, 3월 22일에는 이괄의 아내와 동생도 처형했다. 반정 당시 머뭇거리던 자세와 사뭇 다른 행태다. 이괄은 장만이 주둔하고 있는 평양을 피하고 샛길로 곧장 서울을 향해 진군했다. 당시 장만은 이괄의 반란 정보를 입수했으나, 휘하의 군사가 수천 명에 불과해 이괄의 정예군과 정면으로 맞서 싸울 형편이 되지 못했다. 이괄의 군(軍)이 황주에서 관군과 처음 접전하여 관군을 대파하고, 선봉장인 박영서(朴永緖) 등을 죽였다. 이괄은 관군의 방비가 굳은 곳을 피해 개성을 지나 임진(臨津)을 지키고 있던 관군을 기습 공격해 붕괴시켰다. 이에 인조 이하 대신들은 서울을 떠나 공주로 피난했다. 3월 29일 이괄 군은 마침내 서울에 입성, 경복궁의 옛터에 주둔했다. 지방에서 반란을 일으켜 서울을 점령한 것은 조선 역사상 처음 있는 일이었다.

이괄은 곧 선조의 아들 흥안군 이제(興安君 李瑅)를 왕으로 추대하고, 각처에 방을 붙여 도민들로 하여금 각자 생업에 충실하도록 하였다. 하지만 그날 안령(鞍嶺, 서대문구 현저동에서 홍제동으로 넘어가는 고개)에서 벌어진 전투에서 장만이 이끄는 토벌군에 크게 패하여 한밤중에 남은 병사들을 이끌고 광희문(光熙門)을 통해 경기도 이천(利川) 방면으로 퇴각했다. 그리고 4월 1일 경안역(慶安驛) 부근에서 한명련과 함께 부하 장수인 이수백(李守白), 기익헌(奇益獻)에게 살해됐다. 영변에서 군사를 일으킨 지 22일만이고, 서울 점령기간은 3일도 되지 않는 3일천하였다. 이괄에 의해 왕으로 추대된 흥안군 이제도 4월 3일 처형됐다.

공주로 피난을 갔던 인조는 4월 5일 한양으로 돌아와 난에 동조했던 세력들에 대한 대대적인 처벌을 하고, 공을 세운 장만, 정충신, 남이흥(南以興) 등 32인을 진무공신(振武功臣)으로 포상했다. 그러나 이괄의 난은 조선사회에 엄청난 영향을 끼쳤다. 도원수 장만에게 소속되고 부원수 이괄에 의해 훈련을 받은 관서병력 1만여 명은 무기나 자질로 보았을 때 조선의 최정예였다. 그런데 이들 병력이 반란에 이용되어 사라진 것은 큰 손실이었다. 더구나 관군 측에서 방영서, 이중로, 이성부 등이, 반군 측에서는 이괄, 한명련 등이 죽어 노련한 무장을 잃는 결과를 가져왔다. 한마디로 북방방어를 담당하던 군대가 반란과 그 진압에 동원되면서 관서 지방의 방어 체제가 크게 약화됐다(『장만평전』). 이는 정묘호란(丁卯胡亂)과 병자호란(丙子胡亂) 때에 조선이 후금(後金)의 침입에 제대로 대응하지 못한 요인이 되기도 했다. 한명련의 아들 한윤(韓潤)은 후금에 투항하여 조선과 후금 사이를 이간질하고 정묘호란을 부채질했으며, 샤르허 전투 때 항복해 심양에 억류돼 있던 강홍립(姜弘立)의 휘하로 들어갔다가 정묘호란 때 후금 군대와 함께 남하하기도 했다. 그는 후금에 귀화하여 후금 사람으로 살았다.

또한 반군에 의해 한양이 점령됐던 기억은 이후에 수도 방위의 중요성이 강조되면서 인조반정 이후에 국왕의 호위를 위해 설치된 어영청(御營廳)이 종래의 훈련도감과 함께 한양의 방위를 담당하는 핵심 중앙군으로 확대 개편됐지만, 이는 지방군의 전력 약화를 의미했으며 특히 서북지방 방어에 치명적으로 작용했다. 2차례에 걸친 호란 때 평안도, 황해도를 비롯한 서북지역이 무인지경으로 뚫린 배경에는 이곳이 명 청의 사신이 오가는 곳으로 그들을 접대하는 데 들어가는 비용에 따른 수탈이 다른 지방에 비해 심하였던 데다, 내부의 반란을 두려워하여 서울지역에 군사력을 집중하고, 서북지역에는 적의 위협에 상응하는 억지력을 배치할 만한 총체적 국가여력이 없었던 데 기인한다.

그러나 이러한 외적 충격은 인조 자신의 피난 경험과 내적 타격에 비하면 미미할지도 모른다. 인조는 보위에 오른 지 만 1년 만에 믿었던 공신의 반란에 의해 황급히 서울을 떠나야 했다. 조선 역사상 모반 때문에 왕이 도성을 비운 것은 처음 있는 일로 남의 권력을 찬탈하여 왕위에 올랐던 인조에게는 특히 충격으로 다가왔을 것이다. 빼앗은 권력은 언제든지 도로 빼앗길 수 있다는 사실을 뼈저리게 체험한 인조는 이후 왕권수호 및 보전에 집착을 보이며, 부친의 추숭(追崇) 문제에 매달리는가 하면 마침내는 청의 인질 상태에서 돌아온 아들 소현세자와 세자빈, 손자들을 사지에 몰아넣게 된다. 현안에 대해 평생 우왕좌왕하던 인조가 이때만은 누구의 의견도 듣지 않았다.

소현세자 및 강빈 사사(賜死) 건은 제5장에서 보기로 하고, 여기서는 원종추숭(元宗追崇)의 의미와 경과를 살펴본다. 원종추숭은 인조가 1623년 즉위하여 약 10년에 걸친 작업 끝에 병자호란이 발발하기 직전인 1632년(인조10년) 그의 부친 정원군을 사후 왕(元宗)으로 승격시킨 사건을 일컫는다. 정원군은 선조의 아들이고, 인조는 정원군의 아들이므로 선조는 인조의 할아버지다. 주자성리학의 종법 개념에 의하면 종법은 종가의 맏아들에서 맏아들로 이어지는 것을 정통으로 하는 바, 왕통이 일반 사대부의 종통과 같은 차원의 규범인가 아니면 다른 규범인가 하는 문제가 원종추숭 및 현종 대 예송 논쟁의 배경이다.

왕통도 종통 질서에 포섭된다면, 왕가도 사대부가의 일원일 뿐 특별한 존재가 아닌 셈이 된다. 조선사회에서 종법은 현대의 헌법, 예(禮)는 현대의 공법(公法)과 같은 개념이었으므로, 적통승계 여부는 왕권의 정통성과 적합성, 정당성의 지표로 작용한다. 그러므로 장자에서 장자로 이어져 왕통과 종통을 동시에 보유한 왕의 경우 그 권위는 다른 왕보다 훨씬 높았다. 그러나 백성의 시각에서 볼 때 적자이건 서자이건 나라의 번영과 안녕만 이룰 수 있다면 아무 상관이 없을 것이다. 이것이 문제가 된다는 사실 자체가 근본적으로 당시의 인물들이 얼마나 성리학 세계관에 빠져 있었는가를 알려주는 지표가 된다.

원(元)나라가 경우에 따라 형제 상속에 의해, 청(淸)이 황제가 선택한 황자의 이름을 쓴 친필봉투를 어전 위에 놓아두었다가 황제가 죽으면 대신들이 그것을 확인하여 다음 황제를 옹립하는 소위 밀건법(密建法)에 의해 황위를 계승한 것을 보면, 장자 상속은 가장 특징적인 주(周)나라 종법의 유산이고, 이를 불변의 차원으로까지 올린 것은 주자 성리학 예론이었다. 추숭 논쟁은 인조가 성리학에 능통한 호학군주가 아니었음에도 당시의 대부분 사대부와 마찬가지로 무비판적으로 주자학적 가치관에 함몰되어 있었다는 증거로 보아도 될 것이다.

물론 추존의 전례가 없는 것은 아니었다. 조선 9대 임금 성종(成宗)은 세조의 장남인 의경세자의 둘째 아들이다. 하지만 아버지인 의경세자가 1457년에 20세의 나이로 요절하자, 세조의 둘째아들(성종의 숙부)인 해양대군(海陽大君) 이황(李晄)이 왕위에 올라 조선의 제8대 예종(睿宗, 재위 1468~1469)이 되었다.

그러나 예종도 왕위에 오른 지 14개월 만에 죽자, 세조의 왕비인 정희왕후(貞熹王后) 윤씨(尹氏)와 신숙주(申叔舟), 한명회(韓明澮) 등은 성종의 형이고 큰아들인 월산대군(月山大君) 이정(李婷)과 예종의 아들이자 성종의 사촌이 되는 제안대군(齊安大君) 이현(李琄) 등을 제치고, 13세의 성종을 왕위에 올렸다. 성종은 자신의 부친 의경세자를 덕종(德宗)으로 추존하였지만, 이는 세자였던 사람을 추숭한 것이므로 정통성에 문제가 없었다.

방계를 추숭한 예는 명나라에서 찾을 수 있다. 이른바 대례지의(大禮之議)라는 명칭으로 불리는 사건이다. 명의 제11대 황제 가정제

(嘉靖帝, 재위 1521~1566)는 백부인 9대 황제 홍치제(弘治帝, 재위 1487~1505)의 조카로서 홍치제의 아들인 10대 황제 전임 정덕제(正德帝, 재위 1505~1521)와는 사촌지간이다. 정덕제가 후사 없이 요절했기 때문에 우연히 황제가 된 것인데 주자가례에 의하면, 황제나 임금의 지위를 계승한 자는 그의 후사(後嗣)가 되어 전임자의 아들이나 다름없는 위치가 된다. 사촌인 정덕제나 백부인 홍치제의 양자로 가게 된다면 생부인 흥헌왕의 처우는 어떻게 할 것인가가 문제가 되었다. 주자가례를 중시하는 관료들은 정덕제 대신 백부인 홍치제를 양아버지로 보고, 홍치제를 황고(皇考, 考는 죽은 아버지를 뜻함)로, 생부인 흥헌왕은 황숙고(皇叔考)라 칭해야 한다고 주장했다. 처음에 가정제는 이에 동의했으나, 곧 아버지 흥헌왕을 황제로 추존하여 친부를 황고로 하고, 홍치제는 황백부라 칭해야 한다고 맞섰다. 신하들은 궐문 밖에서 대대적인 농성전을 펼쳤고 황제파와 주자가례파가 정면으로 대립하는 대논쟁이 벌어졌다. 결국 논의는 3년을 끌다가 가정제가 부친을 황제로 추존함과 동시에 중신(重臣) 양정화를 비롯한 주모자를 유배(流配) 보내고, 많은 관리를 장살(杖殺)에 처하는 것으로 종료됐다(『조선국왕 vs 중국황제』 신동준, 역사의 아침). 가정제는 만력제와 더불어 대표적 암군(暗君)으로 명의 멸망을 앞당긴 인물로, 대례지의는 주자가례에 의한 소모적 논쟁으로 국력이 낭비된 예시적 사례로 역사에 남았다.

인조의 경우 할아버지에서 손자로 왕위가 계승되어 대를 뛰어넘은 것과 적자가 아닌 서자인 정원군에게 정통성을 인정할 것인가 하는 두 가지 차원에서 논란이 되었다. 인조로서는 아버지 정원군을 왕으로 높이면 모든 애로점이 일거에 풀릴 묘책이었다. 인조는 당시 생존했던 어머니 구씨(인조 4년 1626년 사망)를 높이고 더 나아가 작고한 생부 정원군을 왕으로 만들고자 했다. 신하들은 반발했고 논쟁은 길고 지루하게 이어졌다. 서인(西人)산림인 김장생은 인조가 선조를 계승한 이상 주자가례에 충실하게 왕통을 이은 이상 인조의 아버지(考)는 선조라고 못 박았다. 할아버지를 아버지로 만들자는 것이었다. 지금 시각으로는 이상하기 짝이 없는 논리지만, 왕통은 사적인 혈연보다 우선한다는 것을 내세워 정원군을 아버지로 대접하려는 인조의 의도를 차단하려는 것이었다. 이후 서인의 입장은 대개 왕가를 사대부가의 일원으로 보고 왕가에도 사대부가와 같은 논리의 주자가례가 적용되어야 한다는 견해를 고수했고, 남인은 왕가를 특별히 대접해야 한다고 주장했다.

서인 신료들이 김장생에 동조했던 것과 대조적으로 남인(南人)산림인 박지계는 선조와 인조를 부자 관계로 하면 정원군과 인조는 형제가 되는 난점이 있으므로, 인조는 선조의 손자이자 정원군의 아들이라고 주장함으로써, 정원군을 왕으로 추숭할 수 있는 여지를 열어 놓았다. 인조는 기회가 될 때마다 추숭 논의를 계속했으나, 대다수 신하들의 격렬한 반대에 부딪혔다. 원종이 왕으로 추숭되면 역대 왕들의 위패를 모신 종묘에 원종의 위패-신주를 모셔야 될 것인지, 모신다면 어느 위치에 놓을 것인지 등등 국법과 예론상의 난점이 여러 개 발생하기 때문에 반대론도 일리가 있었다.

정치판은 바야흐로 인조, 이귀, 박지계, 최명길 등 소수 추숭 찬성론자들과 다수 반대론자로 나뉘었다. 그런데 사실 인조는 즉위 직후 지난날 광해군이 자신의 생모 공빈(恭嬪) 김씨를 공성왕후(恭聖王后)로 추숭하고 무덤을 성릉(成陵)이라 했던 것을 비판하고 성릉의 석물 가운데 분수에 지나친 것을 없애라고 지시한 일이 있기 때문에 자신의 부친을 추숭하려는 행위는 염치가 없는 짓이었다. 인조는 반대하는 신하를 시정잡배로, 성균관 유생을 괴물이라고 매도하면서 추숭을 강행했다. 인조는 결국 1632년(인조 10년) 2월, 추숭도감(追崇都監)을 만들었고 5월에는 추숭을 완료하여 원종(元宗)이라는 묘호(廟號)를 올렸다. 원종과 계운궁을 모신 산소는 장릉(章陵)으로 승격되고, 1635년에는 위패를 종묘에 모시는 데도 성공했다. 신료들의 반대와 조야의 공론을 모조리 무시하고 밀어붙여 얻어낸 성과였다. 인조의 어머니 능성 구씨와 아버지 정원군은 아들에 의해 10년간의 긴 논쟁과정을 통해 인헌왕후와 원종대왕으로 추존되었다.

인조는 이를 통해 권위를 어느 정도 높일 수 있었는지 몰라도 정묘호란에서 병자호란 직전까지 물경 10년 가까이 계속된 논란으로 신하 간, 붕당 간 불신의 벽을 높이고 국력을 갉아먹었다. 일부 학자는 인조가 추숭문제를 통하여 신권을 제약하고 왕권을 공고히 하는 통로로 이용하는 정치력을 보여주었다고 평하기도 하나(『인조의 원종추숭』, 김인숙, 호서사학 제36집), 오히려 적절치 못한 세계관에 몰입되어 말 그대로 무엇이 중한지 알지 못한 소모적 낭비를 한 데 지나지 않았다고 보는 것이 옳다. 당시 청의 침입은 예고되어 있었고, 대책은 전무했던 사실은 조야가 모두 알고 있었다. 신권을 제약하고 왕권을 확보할 수단은 다른 곳에도 있었다. 인조가 똑같은 집요함과 집중력을 가지고 외침 대비와 군제 개혁을 추구하였다면 역사가 달라졌을 수도 있다. 백성들이 도탄에 빠져 있어도, 나라라 할 수 없을 정도로 침략에 대한 대비가 부실했어도 오직 자신의 정통성을 높일 궁리만 했던 인조에게 다음 해에 찾아온 건 병자호란과 삼전도의 굴욕이었다.

인조의 공과

대개 인조 때 이루어진 개혁은 군제를 정비해 총융청, 수어청 등을 신설한 것, 강원도에 대동법을 실시한 것을 들고 있다. 그러나 군제개혁은 앞서 말한 바와 같이 이괄의 난 당시 반군이 수도 외곽인 경기도 방어망을 뚫고 서울을 점령하여 공주까지 피난을 간 데 이른 취약점을 보완하기 위해 설치됐다는 경위에 비추어볼 때 결국 왕권보호가 목적이었고, 따라서 진정한 개혁에 해당될지 의문이다.

강원도에 실시된 대동법의 연원은 다음과 같다. 인조 원년(1623년) 9월 인조정권은 민심수습 방안으로 광해군 때부터 이미 시행되던 경기의 대동법 이외에 강원, 충청, 전라에도 대동법을 확대 시행하려고 했다. 그러나 기득권층의 반대에 직면하자 이듬해인 인조 2년에 강원도에만 시행한 것이다. 강원도는 농지가 적은 데다 양반 부호의 소유지가 거의 없었으므로 반대의 소지가 적었다. 대동법은 공물(貢物)이라는 세금과 관련된 사안으로 화폐경제가 발달하지 않은 전근대적 사회경제의 산물이다. 현대에는 국민이 세금으로 금전을 납부하면 국가가 그 돈으로 소요물품을 조달하지만, 과거에는 백성이 국가-왕가의 필요 물건을 직접 납부했다. 당초 지방 생산물을 진상하면 되었지만, 시간이 흘러 생산이 중단되거나 보유할 방법이 없어도 공물납부 의무는 계속됐으므로, 백성은 오히려 물건을 구입하여 바칠 수밖에 없었다. 이때 백성들을 대행하여 구매를 담당한 상인(방납업자, 防納業者)이 국가나 권력자의 비호를 업고 실제가의 몇 배를 물건 값으로 징수했으므로 원성이 생겨난 것이다.

헌부가 아뢰기를, "공물(貢物)을 방납하는 폐단은 그 유래가 이미 오래 됐는데 오늘날에 와서 더욱 극심해졌습니다. 모리배들이 세력가에게 부탁하고 수령에게 청탁한 다음 먼저 이득을 받아내기도 하고 해당 고을에서 대가를 배로 징수하기도 하는데, 풍년에는 베로 받고 흉년에는 쌀로 받고 있으니, 백성들의 고달픔은 이를 미루어 알 수 있습니다. 해조와 제도의 감사로 하여금 통렬하게 금단하게 하여 그들이 이익을 노려 멋대로 빼앗는 폐단을 막으소서."(1648년 인조실록 인조 26년 4월 9일)라고 한 것과 같다.

그런데 대동법의 취지는 현대와 같이 금전으로 일정액을 납부하고, 국가가 이를 가지고 직접 물건을 조달하는 방식, 즉 오늘날과 같은 방식으로 바꾸자는 것이다. 다만 현대에는 현금을 납부하는 것이라면 당시에는 현금으로 통용되던 쌀을 징수했다는 점[이와 더불어 삼실이나 무명실, 명주실로 짠 베(布, 포)도 현금으로 사용됨. 쌀과 베의 가격이 다를 때, 세금은 둘 중에 비싼 것으로 받고, 녹봉은 싼 것으로 주어 문제가 되는 경우가 많았음, 『조선조 경연에서의 인조의 독서력(讀書曆) 고찰』 김중권, 서지학연구 제62집]이 차이가 있을 뿐이다.

말하자면 백성 입장에서 보면 국가에 물건을 직접 납품하느냐 금전으로 통용되던 쌀을 납부하느냐의 문제이고, 국가 입장에서 보면 백성으로부터 직접 물건을 징발하느냐, 돈을 징세하여 그 돈으로 물건을 마련하느냐의 차이인데 방납업자와 이를 둘러싼 양반부호의 반대 때문에 전면 시행에 무려 100여 년 이상이 걸린 것이다(『대동법, 조선 최고의 개혁』 이정철, 역사비평사).

반정 초기나 국가 멸망에 가까운 피해를 입었던 병자호란 이후에도 왕이나 집권층에서는 이를 근본적으로 타개할 제도개혁이나 하다못해 원인에 대한 진단 노력도 관심도 없었다. 기득권층은 대동법 확대 실시론에 대해 국법을 자주 바꾸느니보다 공안[貢案, 중앙에서 지방에 부과, 수납할 연간 공부(貢賦)의 품목과 수량을 기록한 책]을 개정하고 호패법을 강화, 시행하는 것이 상책이라면서 반대했고, 결론적으로 지주들의 이익과 방납상인들의 이권만 옹호했다. 물론 대동법은 효종과 현종을 거쳐 숙종 대에나 가서야 완전하게 시행됐으므로, 이를 두고 인조만의 잘못이라고 적시하는 것은 어폐가 있지만, 백성의 고초에 대한 국가—국왕의 대처는 왕의 근검절약과 인격수양을 강조, 실천하거나, 실질적으로 토지를 보유한 양반부호에게만 혜택이 돌아가는 세금감면 이외에 다른 실용적 실무적 대안은 제시된 적이 없다는 점을 기억할 필요가 있다. 현실문제에 대한 실사구시의 실천적 대처방안에 무관심할수록 고상한 품격으로 받아들이는 것이 행정을 담당한 관료 유학자들의 세계관이었다.

인조 대는 왕가(王家)뿐만 아니라 대군이나 기타 왕족의 궁가(宮家)에서 토지를 겸병하여 내수사전(內需司田)이나 궁방전(宮房田)을 크게 늘려나간 시기인데, 후대로 갈수록 그러한 경향은 더욱 심해져 국가재정에 부담이 됐다. 왕가의 내수사나 왕족의 궁방전에 대해서는 세금이나 기타 요역 부과가 불가능했기 때문이다. 임란과 호란이라는 연이은 전란으로 말미암아 토지문서인 공안(貢案)이 소실된 틈을 타서 왕가나 양반부호 등 권세가가 대대적으로 토지를 늘려갔지만, 이에 대해 제동을 건 적이 없었다.

"산림과 천택(川澤)은 마땅히 백성과 그 이익을 함께 누려야 하고 개인이 마음대로 점유해서는 안 됩니다. 경기의 백성들은 다른 어느 지방보다도 빈곤하여 태반이 땔감을 채취하는 것으로 생업을 꾸리고 있는데, 요즈음 궁가와 귀족이 입안(立案, 관청의 증명서)을 취득하기 위해 곳곳에서 접근하지 못하게 금하므로 백성들이 살아갈 길이 없어 원망이 날로 일어납니다. 아무리 군왕의 동산이라 하더라도 나무를 하러 가는 법인데 어찌 세도가가 제 마음대로 점유하여 곤궁한 백성이 생업을 잃도록 한단 말입니까. 청컨대 해도의 감사로 하여금 그러한 사례를 적발하여 금지시키고 계속 법을 어기는 자는 조사해내어 죄를 다스리게 하소서."(인조실록 인조 22년 1월 23일. 1644년)라면서 이를 타개할 근본대책 강구를 촉구하는 일이 빈번했다.

그런데 유일한 해결방안이 궁가와 양반부호가 민간 토지를 점령하여 무리하게 자기 소유라고 주장하는 토지의 경계를 측량하고 원래 주인이 있는 토지는 원주인에게 돌려주는 양전(量田)-토지측량 및 국가공부에 기재-이외에는 없다는 것을 알았지만, 막상 양전실시 주장에 대해서는 갖가지 이유를 들어 반대했다.

"경계를 정확하게 하여 부역을 고르게 하는 것은 왕도 정치에 있어서 큰일이니 양전의 조처를 실로 폐할 수는 없습니다. 그러나 일이란 때를 헤아리는 것이 중요하고 정사에는 이해(利害)가 있는 법이니, 만약 그러한 일을 시행해서는 안 될 때에 시행한다면 백성을 병들게 함이 클 것입니다. 강원, 경기 두 도에는 양전을 아직까지 거행하지 않아 의논하는 자들이 그 일을 말한 지가 오래 됐으나, 국가에 일이 많고 흉년을 계속 만나 백성을 징발하는 역사가 없는 해가 없고 굶주린 자를 구제하는 일이 해마다 발생하였으니, 전제(田制)를 미처 바로잡지 못한 것은 사실 형편상 그렇게 된 것입니다. 더구나 도내에 전염병이 크게 성하여 열 가구에 아홉 가구가 앓고 있고 죽은 자를 미처 땅에 묻지도 못하는 처지인데, 어찌 감관(監官)과 서리들로 하여금 민간에서 소란을 피우게 할 수 있겠습니까. 가을까지 기다렸다가 거행하는 것이 좋겠습니다."(1644년 인조실록 인조 22년 1월 22일)라거나, 경기지방의 양전이 시급하다는 호소에 "금년은 기근과 전염병으로 사망자가 속출하여 밭갈이가 반드시 과거와 같지 않을 것이며, 보리와 기장도 다 부실한데 칙사가 나온다는 소식이 또 있으니, 경기 백성의 부역은 그 형세가 필시 지탱하기 어려울 것입니다. 결코 양전할 시기가 아니니 마땅히 풍년이 든 해를 기다려 다시 논의하여 조처해야겠다고 하니, 상이 따랐다."(1643년 인조실록 인조 21년 6월 25일)는 등의 기사에 나타난 바와 같이 형편상, 시기상, 관례상, 민간사정상 불가하다면서 갖가지 이유를 들어 양전을 방해하고 저지하여 미뤄나간 것이다.

양전을 하지 않고 시간을 끌수록 남의 토지를 불법적으로 겸병한 왕가(내수사전), 궁가(궁방전), 양반부호(지주)들에게 유리한 국면이 유지, 계속되는 결과를 가져올 것이므로, 민간의 불편과 준비부족은 표면적 핑계일 뿐 사실은 이익으로 뭉쳐진 징세저항연합이 형성되었던 것으로 볼 수밖에 없다. 농사지을 토지 한 뙈기 없는 자에게는 양전을 하든 말든, 풍년이 들던 흉년이 들던 아무 상관이 없을 것이요, 손바닥만 한 농토라도 있는 자는 오히려 현실에 따라 세금이 부과되는 편이 나을 것이기 때문이다. 물론 당시에도 현실문제에 관심을 가지고 이를 교정하기 위해 노력한 관료들이 있었다. 최명길이나 이경석, 혹은 신진관료 중 김육(金堉), 정태화(鄭太和) 등이 그들이다. 그러나 대사간 이식이 "병역제도를 개선하고, 대동법을 실시하자고 주장하나, 이 일을 묘당에 미루고, 끝내 시행되지 않았다."(1636년 인조실록 인조 14년 9월 13일)거나, "간원이 호위군관을 혁파해서 무위도식의 비용을 절감할 것을 청하였지만 상이 따르지 않았다."(1645년 인조실록 인조 23년 9월 16일)는 기사에서 볼 수 있는 바와 같이 임금과 대부분의 고위관료들이 제도개혁에 부정적 입장을 가진 상황에서 그들의 목소리는 외로운 외침에 그칠 뿐이었다.

그리하여 인조 재위 25년째인 1647년에는 병자호란이 끝난 지 10년이 지났음에도 아무런 개선책이나 대비방안 없이 세월을 보내다가 공무원의 월급마저 규정대로 지급하지 못하는 사태에 이르렀다.

"백관의 녹봉을 감했다. 이때 나라의 저축이 죄다 없어져 종7품 이상은 쌀 1석을 감하고 콩 1석으로 대신했다. 7품에서 1품까지는 녹봉의 다과가 현격히 다른데도 일률적으로 감하니 사람들이 모두 비난했다."(1647년 인조실록 인조 25년 6월 30일) 양반권세가의 경제력은 충분했어도 국가재정은 이 정도로 열악했다. 그럼에도 임금을 비롯한 집권층의 대책은 근신과 절검, 인격수양에 모아지고, 때로 세금 감면이 행해지지만 이 역시 지방단위에 이르면 관리의 농간으로 실효를 거두지 못했으니 답답한 노릇이라 하겠다.

사정이 이와 같은 데도 인조는 집권말기에 오면 통치 피로에 사로잡힌 모습을 보인다. 전술한 대로 인조17년 이후에는 병약(病弱)을 핑계로 경연을 중단했고, 신하들을 만나 국사를 논하는 조회도 등한히 한다. 대신에 유락(遊樂)을 즐기는 모습이 자주 보인다. 이미 병자호란이 일어나기 전인 1634년 "상이 어수당(魚水堂)에 술상을 차려 놓고 세자만 시종하도록 명했다. 정묘년 변란으로 어수당이 거의 모두 퇴락했는데, 상의 어소(御所)를 옮긴 뒤 곧바로 개수토록 했고, 또 열무정(閱武亭) 가에 못을 파고 화선(畫船)을 만들어 띄웠는데, 화선은 십여 명을 태울 수 있는 것이었다. 때로 뱃놀이를 했는데 여러 궁가(宮家)의 여악(女樂)을 불러 노래하고 춤을 추게 했으며 더러는 밤이 되어서 마치기도 했다. 환관들에게 밖으로 소문이

나가지 않게 하라고 명했으나, 밖의 사람들은 모두 그것을 알고 있었다."(인조 12년 9월 9일. 1634년)라는 기사가 있는 것으로 보아 이 같은 형태의 놀이를 즐긴 것으로 보이는데, 인조 후기에 오면 같은 형태의 놀이가 더욱 빈번해진 것으로 기록되고 있다.

"앞서 상이 후원(後苑)에서 놀면서 시녀에게 가마를 메고 가게 하다가 넘어져 상처를 입은 적이 있었는데, 상이 그 사실을 숨겼으나 내국(內局)이 알고서 침약(鍼藥)을 시술할 것을 청하니, 상이 비로소 그 사실을 말했다."(1642년 인조실록 인조 20년 6월 7일)

"상이 후원(後苑)에 나가 노닐다가 넘어져 몸을 다쳐서 침을 맞았다."(1644년 인조실록 인조 22년 7월 16일)

"상이 매양 봄가을로 한열(寒熱) 증세를 앓아왔는데, 이때에 이르러서는 이미 나아서 간혹 대군 및 환관들과 더불어 원중(苑中)에서 노닐며 즐기기나 하고 대신과 비국 당상을 인견하려 하지 않았으며, 경연도 오래도록 폐했으므로, 식견 있는 이들이 이를 걱정했다."(1645년 인조실록 인조 23년 9월 8일)

"이날 상이 원(苑) 중에서 환관들에게 활쏘기를 연습하도록 명하여 구경하고 외부 사람들로 하여금 알지 못하게 했다. 상이 왕위에 계신 지 이미 오래 됐고 춘추(春秋)도 점차 높아진 데다 항상 옥체가 건강하지 못하기 때문에 조회를 보는 일을 전폐했고, 백관이 일을 아뢸 적에 크고 작은 일을 막론하고 다 글로 적어서 계달(啓達)했으며, 긴급한 변방의 계책이나 신하를 죄책하는 일이 있지 않으면 일찍이 대면하지 않고 자못 후원에 토목공사를 일삼아 대나무로 정자를 짓고 기둥을 조각했는데 몹시 기묘했다."(1646년 인조실록 인조 24년 3월 22일)

간원이 상의 부덕함과 경연을 열지 않은 잘못을 아뢰면서, "전하께서 반정하신 처음에는 잘 다스리기를 도모하는 데에 마음을 두고 계셨었는데, 근년 이래에는 점차 처음만 못 하십니다. 이에 오랫동안 경연을 폐하고 항상 궁첩들을 가까이하고 희로를 사심(私心)에 의거해서 하고 상벌이 정당한 데에 어긋나고 귀에 거슬리는 말을 듣기 싫어하고 자신의 뜻에 따르는 것만을 즐거워하십니다."(1648년 인조실록 인조 26년 1월 28일)

"이때 상이 여러 해 동안 미령한 탓으로 오랫동안 조정에 나아가 시사(視事)하지 않았다. 원중(苑中)에 대사(臺榭, 누각이나 정자), 지관(池館, 연못가 쉼터)을 꾸미는 일이 많았고 늘 소여(小輿)를 타고 다녔는데, 궁녀들에게 끌고 가게 했다. 빈어(嬪御)와 세자(世子)가 수종하여 놀았는데, 늘 이렇게 했으나 외인은 아무도 몰랐다."(인조실록 인조 26년 3월 27일, 1648년)

인조의 유산

흔히 병자호란 때 인조가 1637년 1월 30일 삼전도에 나가 무릎을 꿇고 삼배구고두(三拜九叩頭)의 예에 따라 청 태종에게 항복한 것을 두고 굴욕 또는 치욕이라고 표현한다. 그러나 누구 입장에서 본 치욕이고 굴욕이란 말인가. 치욕은 적어도 치욕을 치욕으로 느끼고 감지할 수 있는 정신적 주체를 전제로 한다.

수치와 모멸을 당하더라도 이를 대수롭지 않게 여기는 사람에게 수치와 모멸은 존재하지 않는다. 병자호란을 다룬 역사서마다 삼전도의 치욕이라고 기재하고 있으나 조선 사대부와 인조가 느꼈던 치욕은 일반인의 그것과 달랐다.

다음 장에서 상술하겠지만 고위직 양반에게는 아들 중 하나를 인질로 청에 보내야 하는 것, 딸과 며느리가 붙잡혀 갔다가 환향녀로 돌아온 것, 혹은 끌려간 인친척의 쇄환을 위해 많은 돈을 지참하고 심양까지 원치 않은 불편하고 고달픈 여행을 해야 했던 것 등이 치욕이 될 수 있겠다. 민초들 몇 십만이 노예로 끌려간 것, 그들의 삶과 인생에 닥친 비참함과 신산은 고려대상이 아니었다.

당시 인구 700만에서 900만 정도의 나라에서 최대 60만 명까지 끌려갔을 것으로 추산되는 조선노예 대부분이 노동시장에서 바로 쓰일 수 있는 청장년이었다고 보면 뒤에 남아있는 그들의 부모, 자식, 아내에게 미친 영향, 아니 조선사회 전체가 입었을 충격과 고난은 상상할 수도 없다.

그러나 조선의 위정자들은 절치부심, 와신상담과 같이 치욕을 치욕으로 받아들인 자가 취하는 반응을 보여준 적이 없었다. 전쟁이 끝났어도 패배에 따른 원인분석과 재발방지, 부국강병을 위한 대책 마련과 같은 논의가 시도됐다는 역사기록은 보이지 않는다. 사대부들은 여전히 당쟁에 몰두하여 자파의 안녕과 개인의 영달이 최고의 목표였고, 성리학의 수양론에 따라 거경궁리(居敬窮理)-성(誠), 경(敬)을 통해 존심양성(存心養性)의 가치를 실현하려고 노력하면 인간으로서의 도리를 다하는 것이라고 믿고 있었다.

임금이라고 다르지 않았다. 병자호란 직후인 재위 17년(1639년) 인조는 경연을 중단하여 배움을 멀리한 것은 물론 집권말기에는 건강이 좋지 않다는 핑계로 조회와 경연도 폐하고 조정에 나가지 않으며 후원에서 후궁이나 궁녀들과 노는 것만 좋아했다.

재위 20여 년이라 해도 아직 50대 초반에 불과했고 지병 운운해도 의지와 열정이 있다면 국정을 등한시할 이유가 되지 않았다. 한 연구에 의하면 인조의 독서력은 광해군과 더불어 조선군왕 가운데 최하위에 속한다고 한다(『조선조 경연에서 인조의 독서력(讀書力) 고찰』, 김중권, 서지학연구 제62집).

그가 평생 읽은 책은 논어, 대학, 맹자, 중용 등 7종에 불과했고 그나마 완독하지 못했다. 그것은 그가 세자로서 체계적인 교육을 받지 못했던 것보다 호학의 인물이 아니었던 데다 근본적으로 백성의 삶에 대한 관심이 없었던 데 기인한다. 교류와 소통은 그의 정신세계에 없는 단어였다.

죽은 식물 같았던 그가 깨어난 것은 강빈 사사(賜死) 때였다. 소현세자와 강빈은 청에 볼모로 끌려간 지 8년만인 1644년 1월 잠시 휴가를 받아 귀국한다. 그런데 그 전해인 1643년 6월 강빈의 부친 강석기(姜碩期)가 사망했으므로, 영의정 심열 등이 세자빈이 부친의 빈소를 찾아 곡을 하는 것이 인정상 마땅하다고 상주했으나, 인조가 끝내 허락하지 않아 그냥 심양으로 돌아간다(1644년 인조실록 인조 22년 2월 9일). 하지만 1645년 2월 영구 귀국한 소현세자는 그해 4월 26일에 창경궁(昌慶宮) 환경전(歡慶殿)에서 갑자기 사망했다.

그 뒤 소현세자와 강빈의 소생인 원손(元孫)이 폐위되고 봉림대군(鳳林大君)이 세자로 책봉되자, 강빈은 설자리가 없어졌다. 1646년 1월 인조가 먹던 전복에서 독이 발견됐다는 이유로 강빈을 배후 주모자로 지목하고, 3월에 이르기까지 직접 궁녀들을 문초하며, 처벌을 반대하는 신하들을 명초하고 파직하는 등 갑작스런 과잉활동을 보이더니 결국 1646년 3월 15일 강빈을 사사하고, 손자들은 제주도로 유배를 보냈다.

소현세자의 죽음이 독살인지, 강빈과 세손의 퇴출이 봉림대군을 위해 지반 다지기를 한 것인지에 대하여는 의론이 분분하다. 그러나 태종이 셋째아들인 세종을 선택한 것처럼 인조가 국가의 장래를 위해 부자연스럽지만 불가피한 선택을 했다는 견해는 없다. 그만큼 그는 평범하면서도 감정적이고 권력의지에 충실한 인물이었다.

인조는 일찍이 광해군이 저지른 폐모살제의 과오를 바로잡겠다는 것을 반정의 명분으로 내걸었었다. 하지만 인목대비는 계모일 뿐 친모가 아니고, 영창대군도 이복동생에 불과했다.

그러나 인조는 친아들과 며느리, 손자를 죽음으로 내몰았으니 어느 것이 인륜상 잘못이 더 큰 사안인가는 굳이 주자가례를 찾아보지 않아도 분명할 것이다.

인조는 반정 당시 김류를 3차례나 방문하여 거사를 도모하고, 심기원에게 군자금을 제공하는가 하면, 거사 당일에는 직접 군사를 지휘했다고 한다(『인조의 원종추숭』, 김인숙, 역사와 담론, 호서사학 제36집). 국왕으로서 이런 적극성을 나타낸 것은 소현세자와 강빈, 그리고 친손자를 제거할 때뿐이었고, 이괄의 난이나 병자호란, 그리고 대동법, 군역(軍役) 불균형, 양반의 토지겸병과 수탈 등 국가제도 개혁에 이르러서는 중심을 잡지 못한 채 아무런 주견 없이 그때그때 신하들의 의견에 따라 우왕좌왕했다. 결국 1647년(인조 25년)에는 공무원 급료마저 지급하지 못할 정도로, 그가 25년간이나 다스려온 나라의 재정과 건전성은 형편없었다.

조선 27명의 왕 가운데 태조 이성계의 자손이 아닌 자가 없지만, 특히 병자호란 이후의 임금들은 모두 인조의 직계 자손인 점은 중요하다. 그만큼 인조시대는 조선 후반기를 규정하는 역할을 하고 있다. 그것은 산림과 붕당, 서원을 실체적 바탕으로 해서 사상적으로 성리학과 예론, 대명의리와 조선중화론이 국민의식 속에 깊이 뿌리내린 시기이기 때문이다.

말하자면 인조 재위기는 그 후 조선멸망에 이르기까지 250여 년간의 국가정향성과 진전방향이 정해진 시대라는 것이다. 이후의 사회를 당쟁격화와 사상투쟁의 소모적이고 공허한 연속으로 파악하건, 진경문화를 꽃피운 창조적 시간으로 이해하건, 나는 그 모태와 근간은 직접적으로는 인조시대로부터 비롯된다고 파악한다.

반정명분으로 내건 존주대의(尊周大義)는 삼전도 패전과 맞물려 대외교류와 국외접촉을 스스로 차단하는 자해, 자폐적 세계관을 촉발시킨 시발점으로 작용했으며, 허식적인 예에 집착한 성리학은, 인조에 이어 보위에 오른 효종이 둘째 아들인 것을 빌미로, 후일 현종때에 이르러 2자에 걸친 예송논쟁을, 그리고 주자견해 고수 여부를 기준으로 사문난적 분쟁을 불러오는 등 생산적 역할을 하지 못하고 무익한 설전과 실랑이의 도구로 전락한다. 그러나 그렇게 정해진 사상의 조건과 굴레는 그 세월을 통과했던 송시열, 윤선거, 윤휴, 허목 등 명현(明賢)은 물론이고 숙종이나 영조, 정조 등 임금도 피해 갈 수 없었다.

인조는 인조 27년 5월 8일(1649년) 사망한다. 처음에 정해진 묘호(廟號)는 열조(烈祖)였으나(1649년 효종실록 효종 1년 5월 15일), 논의 끝에 인조(仁祖)로 바꿨다(1646년 효종실록 효종 1년 5월 23일). 묘호 중 조(祖)와 종(宗)에 큰 차이가 있는 것은 아니나, 나라를 창업하거나 중흥하는 등 공(功)이 있는 임금을 조(祖)라 하고, 덕이 있는 임금을 종(宗)이라 하는 것이 고례(古禮)인데, 인조의 공은 조종(祖宗)을 빛내고 덕은 온 누리에 미쳤으므로 조(祖)라 하는 것이 고례에 부합하고 거기에 어질 인(仁)을 써서 인조(仁祖)로 정하자는 것이 대신들의 의견이었다. 임진왜란을 초래한 선조(宣祖)와 병자호란을 불러들인 인조(仁祖)에게 세종보다 높인 조(祖)를 묘호로 부여하고, 더구나 임진왜란 때 앞장서서 도망가 나라를 결딴낸 왕에게 베풀 선(宣)을 주어 선조(宣祖), 그리고 아들, 며느리, 손자를 죽음으로 몰고 간 왕에게 어질 인(仁)자를 붙여 인조라 한 것은 조상들이 후손들에게 보여줄 수 있는 최고의 블랙 코미디라 하겠다.

4장 병자호란

공론과 전쟁

병자호란은 피할 수 없었을까. 다시 말해 조선은 청과 전쟁을 벌일 수밖에 없었는지 궁금하다. 역사에 가정은 무의미한 일이지만, 오늘의 반면교사로 삼기 위해서라면, 이 문제를 살펴보는 것이 반드시 의미 없지는 않을 것이다. 먼저 청의 입장에서 보면, 반드시 그런 것은 아니었다. 중원을 노리는 청이 조선과의 전면전을 원치 않았다는 증거는 여럿이 있기 때문이다. 조선이 남한산성에 의지한 채 힘겨운 항전을 하던 1637년 1월 2일 청태종은 조선의 좌의정 홍서봉(洪瑞鳳)을 통해 서한을 보낸다.

"짐(朕)이 이번에 정벌하러 온 것은…그대 나라의 군신(君臣)이 먼저 불화의 단서를 야기(惹起)시켰기 때문이다. …정묘년에 그대 나라는 …우리 군사를 물리칠 수 있는 형편이 못 되었다. 그러나 짐은 생민(生民)이 도탄에 빠진 것을 보고 …애석하게 여긴 나머지 우호를 돈독히 하고 돌아갔을 뿐이다. …그런데 그 뒤 10년 동안 그대 나라 군신은 우리를 배반하고 대적하였으니… 군사를 동원하게 된 단서가 또 그대 나라에서 일어난 것이다.…"(1637년 인조실록 인조 15년 1월 2일)

이는 청이 책임을 조선에 전가하려는 의도에서 나온 것이지만, 순전히 억지로만 보기 어려운 면이 있다. 조선이 정묘호란에서 병자호란에 이르는 10년 동안 적대행위 일변도인 대청외교의 대안을 모색했거나, 예정됐던 침략에 잘 대비했더라면 다른 결과가 나왔을 수도 있다는 점도 여러 자료로 인정되기 때문이다.

하지만 조선의 경우는 달랐다. 조선은 숭명기조를 바꿀 의사가 없었고, 조야를 막론하고 척화론으로 기울어 있었다. 이조참판 정온(鄭蘊)의 주장처럼 "무릎을 꿇고 망하기보다는 차라리 정도(正道)를 지키며 사직을 위하여 죽는 것이 낫다."는 것이 대다수의 결의였다. 적으로 둘러싸인 절망적인 상황에서도 척화론은 대세였고 소위 공론(公論)이었다. 죽음이 목전에 이르렀어도 척화론자는 당당했고, 주화론자는 죄인처럼 행동했다. 무엇이 그들의 정신세계를 갈라놓은 것일까. 척화론자들은 공론의 정당성을 의심치 않았고, 정당성에 대한 확신은 행동의 당당함으로 표출됐다.

공론은 무엇인가. 공론은 국가를 이끄는 당대의 올바른 견해를 뜻한다. 주자는 공론 개념의 정치적 중요성을 최초로 제기하였으며, "공론은 천리에 따르고 인심에 부합하여 천하 사람이 모두 함께 옳게 여기는 것"이라고 정의한 바 있다(『조선시대 언론의 공정성』, 김영수, 정치와 평론 제17집). 천리와 인심이 부합, 접맥되는 곳이 바로 공론의 타당성을 획득하는 지점이라는 뜻이다. 이를 위해서는 다수의 공통된 의견과 상하좌우를 막론한 언로개방이 전제되므로 이를 언론자유를 강조한 것이라고 보는 견해도 있다(『유교전통과 자유민주주의』 이상익, 심산문화). 그러나 언론자유의 존재는 표면적 인상일 뿐이고, 주자학에서 말하는 진정한 공론은, 사대부 중에서도 소인배를 배제한, 군자에 의해 형성된다는 점을 잊으면 안 된다고 생각한다. 같은 사대부라 해도 소인의 시각은 공론에 들지 못하고, 일반 백성의 관점도 고려 대상이 아니다.

성리학은 정치를 국가 내의 상이한 의견과 이해(利害)관계에 관한 합의와 절충과정으로 보는 것이 아니라, 진리 자체의 실현 행위로 본다. 다시 말해, 정치는 구성원 상호간의 쌍방향적 교통과정이 아니라, 군자가 백성에게 베푸는 일방향의 시혜에 가깝다. 정치는 고된 수양으로 자기를 완성한 자가 나라를 다스리고 천하를 태평하게 만드는 고귀한 행위인 것이다(修身齊家 治國平天下). 거경궁리(居敬窮理)의 지난한 과정을 통과한 군자만이 나라를 다스릴 자격을 획득하고, 그런 사람들의 견해가 일치를 이룬 것이 바로 공론이다. 공론은 일반적으로 대간(臺諫)이나 산림을 통해 결집됐다. 유생이나 전직 관리에게 개방된 상소(上疏)도 공론의 범위에 든 것은 사림정치가 정착하고 난 이후의 일이지만, 정치적 중요성은 대간(臺諫)의 그것에 미치지 못하였으므로 논외로 한다.

조선은 중국과 고려의 대간(臺諫)제도를 모방하여 소위 삼사(三司 : 홍문관, 사헌부, 사간원)를 두고 공론정치를 구현하고자 했다. 조선의 설계자 정도전은, 독재정치를 견제할 목적으로, 군주는 최종 결재권, 재상은 정책결정과 집행권, 대간은 왕과 재상에 대한 탄핵권을 행사하도록 구상했고, 이를 제도화했다. 대간은 대관(臺官)과 간관(諫官)을 합친 말로 사헌부(司憲府)와 사간원(司諫院)을 뜻하고 역시 간쟁의 역할도 하던 홍문관(弘文館)을 합쳐 삼사(三司)라 했다. 사헌부는 고위관리의 비위를 적발, 탄핵하는 것이 기본임무로 요즘의 검찰이나 감사원과 같고, 사간원은 국왕에 대한 간쟁, 홍문관은 원래 서적을 관리하던 부서였는데, 왕의 자문에 응하는 역할도 있었기 때문에 이 부분이 나중에 간쟁 권한으로 발전한 것이다. 대간들은 직언을 존재이유로 삼았고, 풍문(風聞, 직접 보고 들은 것이 아니라 다른 사람에게서 들은 정보)으로도 공격하는 권한을 부여받았기에 대담한 간쟁을 서슴지 않았다. 왕은 물론이고 대신도 예외가 아니었다. 성종

때 나는 새도 떨어뜨린다는 권력을 누리던 한명회도 100여 회 이상 탄핵을 받았을 정도로 맹렬한 기상이 대단했다.

선조 대에 들어오면 언관은 스스로의 권위를 내각 대신의 그것보다 상위에 둘 정도로 막강해졌다. 대간은 병조판서 이이(李珥)가 먼저 군정(軍政)을 시행하고 나중에 보고했다는 이유로 탄핵하여 물러나게 한다.

"이이는 바로 온 세상에 사람이 없는 것으로 보고 대간 정도는 손바닥이나 사타구니 사이에다 버리겠다는 생각이니, 그 얼마나 공론을 무시한 처사입니까. 공론이 있는 곳이면 비록 만승(萬乘)을 가진 존귀한 몸으로도 오히려 몸을 굽혀 따라야 하는 것인데, …재상의 지위에 있는 자가 대간을 꺾어버리고 국가가 안전했던 경우를 보신 적이 있습니까."(1583년 선조실록 선조 16년 6월 19일)

재상은 물론 군주도 공론을 무시해서 안 된다는 소견을 확고하게 표명하고 있는 점이 주목된다. 군주제 국가에서 대간이 없었다면 부패하고 탐욕한 자를 견제할 수단이 없었기 때문에 분명히 순기능이 있었고, 이런 이유로 삼사제도는 끝까지 존속됐다. 대간에는 대체로 조선 최고 엘리트가 배치되고 언론권이 보장됐으므로, 이상적 측면에서 보자면 왕과 고관의 독주와 횡포를 견제하고 상하 간 막힘없는 소통 지향적 정치가 이루어져야 했다. 그러나 부작용이 없을 수 없고 이상과 현실 사이에는 괴리가 있게 마련이다.

조선 전기에 비교적 설치목적에 부합되게 운영되던 대간제도는 성종이 언론권을 강화하기 위해 삼사의 인사권을 정5품에 불과한 이조전랑(吏曹銓郎)에 부여한 후 조금씩 변질된다. 이조전랑은 인사권을 통해 자파 인사를 삼사에 배치함으로써 삼사의 언론권을 실질적으로 장악하게 된다. 주지하는 비와 같이 당쟁의 시발인 동서(東

西) 분당이 바로 이조전랑 자리를 둘러싼 다툼 때문에 생겨났고, 당쟁 격화에 따라 언론도 더 이상 공의를 대변하는 공론이 아니라, 겉모양은 공론이지만, 내용은 특정계파의 당론에 지나지 않게 됐다. 후대로 갈수록 융통성 없고 엄격한 성리학적 가치관을 앞세워, 공정성은 망각되고 특정인물이나 특정계파를 비난하고 탄핵하는 데 언론권을 사용하게 된다. 이이(李珥)에 대한 공격도 동인이 장악한 대간의 편향성을 보여준 사례지만, 후일 영·정조 대에 이르면 세상의 공론은 정권을 틀어쥔 노론(老論)의 관점을 뜻하게 될 뿐, 전체 국민 아니 사대부 계급의 견해와도 현격한 괴리를 보이게 된다.

대간제도가 본래 의도와는 달리 왜곡된 이면에는 조직상의 결함과 운영상의 허점이 결합되었기 때문이다. 사헌부와 사간원의 의사결정방식은 전원합의 방식이었다. 만약 하나라도 반대하면 각자는 자기 의견을 밝힌 후에 소위 피혐(避嫌)을 했다. 예를 들어 사헌부에서 합의 불발이면 사헌부에서 피혐하고, 당해 문제에 대한 결정권이 사간원으로 넘어간다. 이때 사간원에서 합의된 결정을 하게 되면 그것을 처치(處置)라 한다. 원칙적으로 처치와 같은 내용을 주장했던 사헌부 관원은 현직을 유지하고, 그렇지 않은 자는 관직에서 물러난다. 만약 사간원에서도 합의가 안 되면 다시 사간원 관원은 피혐하고, 결정권은 홍문관으로 넘어간다. 일견 합리적으로 보이는 이러한 의사결정방식은 왕에게 대간이 제출한 현안에 관한 소견을 채택하거나 거부할 권한, 즉 전부 아니면 전무(all or nothing)를 택할 수밖에 없는 제한된 권한만을 줄 뿐, 타협과 대안 모색이라는 중도적 정치적 해결가능성을 원천적으로 봉쇄한다(『왜 선한 지식인이 나쁜 정치를 할까』 이정철, 너머북스). 더구나 조선과 같이 왕권이 미약하다면, 국정수행임무는 대신에게 위임됐어야 했지만, 대신조차도 언관의 권위에 밀려남으로써, 중심을 잡아 현안을 해결할 실권자가 부재하는, 이상한 현실에 놓이게 됐다. 간관의 임무가 정책 제시와 미래 대비가 아니라 풍문에 근거하여, 부패 탄핵에 치우치다 보니 상대방의 비리나 성리학적 가치관 위배 혐의를 두고 싸우는 것이 고작이었다.

결국 대간제도가 만들어낸 인간형은 시비와 원칙에 민감한 젊고 비타협적인 지식인들이었을 뿐 정국 전체를 조감하고 국가의 장래를 고민하고 염려하는 실용적 인물을 생산하지 못했다. 바로 이 지점이 최명길이 대간의 폐해를 지적하는 부분이다.

"…우리나라는 크고 작은 관리의 임명이 모두 전장(銓長)에게서 나오는데, 유독 이조와 병조의 낭관(郎官)은 낭청(郎廳)에게 천거하게 하므로 당하 청망(清望)의 임명이 모두 낭관의 손에서 나옵니다. 이 때문에 전랑(銓郎)의 권한이 지나치게 중하여 때때로 조정을 휩쓸고 매번 낭관을 천거할 때가 되면 나이 젊은 명류들이 기염을 토하며 서로 배격하여 반드시 다투어야 할 곳으로 알고 있으니, 이것이 바로 당론(黨論)의 근원지입니다. …지금은 대간이 하나의 조그만 일을 논하려 해도 반드시 전체의 동의를 구해야 되고 하나라도 합의가 안 되면 벌떼처럼 일어나서 피혐하여 사람들로 하여금 자기의 소견을 지킬 수 없게 하니, 뭐라고 말할 수조차 없습니다."(1637년 인조실록 인조 15년 5월 15일)

대개 젊은 관원으로서 노회한 정승을 탄핵하는 데 사용된 말이 시원하고 과격할수록 기개가 있는 것으로 받아들여졌으니, 당해 언사의 신랄함이나 미칠 파장은 안중에 없었다.

국정 현안은 도덕 원칙과 시시비비의 분변과는 다른 차원에서 해결된다는 점을 이해할 수 없었기 때문이다.

"연소한 선비들 중에서 청의(淸義)를 견지하여 …언론을 주장하는 권한이 쇠하지 않아, 정치가 대각에 달려 있으니, 젊은 나이에 문학이 있고 풍도를 간직한 자들이 과감하게 …재상의 잘못, 관리들의 실수를 논박하니, 비평이 너무 지나친 것이 단점이다. 그러나 국가의 대체로서는 이렇게 해서는 안 된다. 국정은 임금이 노성한 재상들과 다스려야 할 것인데, 갓 벼슬한 후생들이 끼어들어 간섭하며, 한때의 젊은 선비들이 모두 바람처럼 쏠려 청환(淸宦 : 학식, 문벌이 높은 사람에게 시키던 규장각, 홍문관 등의 벼슬. 지위, 봉록이 높지 않으나 뒷날 높이 될 자리)의 발탁과 파면이 그들의 손에서 좌우되었다." [柳壽垣,『우서(迂書)』 권4 ;『조선시대 언론의 공정성』, 김영수, 정치와 평론 제17집]

정묘호란

1627년 인조 5년 1월 17일 후금(後金) 군이 조선을 침공했다. 정묘호란이다. 적장 아민(阿敏)이 이끄는 3만 후금 군(軍)은 8일 만에 의주(義州), 용천(龍川), 선천(宣川), 안주(安州), 평산(平山), 평양을 거쳐 황해도 황주(黃州)를 장악했다. 조선은 장만(張晩)을 도원수로 삼아 저항했으나, 제대로 싸워보지도 못하고 개성으로 후퇴했고, 인조는 강화도로, 소현세자는 전주(全州)로 피란했다. 황해도 황주에 이른 후금 군은 진격을 멈추고, 2월 2일 강화도로 사신을 보내 화친할 뜻을 표했다.

조선은 3월 3일 후금을 형으로 섬기되, 후금은 조선이 명나라를 섬기는 것을 반대하지 않을 것을 주요내용으로 하는 정묘조약(丁卯條約)을 맺었다. 이에 따라 전쟁은 50여 일 만에 종료됐다.

침략 원인으로 열거되는 것은 다음과 같다. 숭명반청을 내건 인조가 모문룡(毛文龍)의 명군이 평북 철산(鐵山) 앞바다 가도(椵島)에 주둔하는 것을 허락하고 군사원조까지 하여 배후 위협이 됐으므로 이를 정리할 필요가 있었다. 당시 명과의 전쟁으로 중국 본토와 경제교류의 길이 끊겼기 때문에 물자부족 상황을 타개하기 위해 조선과의 통교를 노렸다. 후금이 제한적 전쟁목표를 가지고 있었다는 점은 애초 3만에 불과한 군대로 들어왔으며, 8일 만에 진격을 멈추고 화친을 청한 사실 등에서 입증된다.

50여 일 만에 끝난 전쟁은 조선에 어떠한 영향을 미쳤을까. 표면적으로는 화친으로 끝났지만 실상은 조선이 완패한 전쟁이었다. 화친 직후 인조가 강화를 떠나 김포(金浦)에 이르렀을 때 유학(幼學) 한숙일(韓肅一)이 대가 앞에 나와 진언(進言)하기를 "와신상담(臥薪嘗膽)하는 마음을 가다듬어 강화(江華)의 치욕을 잊지 마소서 하니, 상이 술을 주라고 명하였다."(인조실록 인조 5년 4월 11일) 우선 조선군은 변변한 대항 한 번 해보지 못하고 무력하게 물러났을 뿐이고, 분조까지 설치해가며 기대했던 삼남의 저항군은 움직임이 없었다. 오히려 철수하는 후금 군의 횡포에 맞선 것은 평안도의 의병이었지만 미미한 승리에 불과하여 굴욕을 만회할 만한 것은 아니었다.

조선이 정상적인 국가였다면 패전 원인을 규명하여 미비점을 수습하고 장래 다가올 전쟁에 대비했어야 했다. 조선은 군세가 허약했다. 후금 군이 무인지경을 달리듯 나라의 중심부까지 들어온 것이 그 증거다. 그나마 서북 방면의 방어를 담당하던 정규군이 이괄의 난 때 반란군으로 동원돼 궤멸된 데다, 이괄의 반란에 겁을 먹은 인조와 반정세력이 남아있는 쓸 만한 군사는 모조리 왕을 호종하는 근왕병으로 동원했으므로, 막상 도원수 장만에게는 휘하에 2천여 명의 군졸밖에 없었고 심지어 도원수가 타고 갈 말이 없어 출발이 지연되는 한심한 지경이었다(『장만평전』, 주류성). 어렵게 출정했음에도 황해도 서흥에 도착하기에 앞서 평안도 의주, 안주가 적에게 떨어졌다는 소식에 하룻밤 사이에 군사들이 모두 도망칠 정도로 오합지졸에 불과했다. 장만이 무력하게 개성으로 물러나 있던 인조 5년 2월 8일 사헌부와 사간원은 합계하기를, "급속히 장만에게 하유하여 산길로 가지 말고 물러와 임진강을 지키게 하고, 한편으로 조기[趙琦, 무장(武將). 그의 딸이 인조의 후궁으로 말이 많은 조씨다.]를 독촉하여 보내되 주야로 임진강으로 달려 나아가 파수하게 하는 계책을 정하도록 하소서."라고 한다. 전선 사정을 모르고 군대 지휘 경험이 전혀 없는 젊은 대간들이 오합지졸인 보병 2천여 명을 가지고 3만 명의 기병과 빨리 싸우라고 재촉하면서 군무에 간섭한 것이다. 이런 사람들이 전후에 희생양을 찾는 것은 당연했다.

이미 화의 논의가 진행 중이던 인조 5년 2월 1일 사간 윤황(尹煌, 윤선거의 부친이요, 윤증의 조부로서 윤증과 송시열의 회니 시비에 대해서는 나중에 상술)은 이귀가 화의에 찬성했다는 이유로 세 번이나 참수할 것을 주장했고, 2월 10일에는 후금의 사신과 강홍립을 참수할 것을 상소했다(1627년 인조실록 인조 5년 2월 10일). 앞서 말한 대로 강홍립은 명의 요청으로 누르하치를 치기 위해 사르허 전투에 참가했지만, 광해군의 밀지에 따라 항복을 한 뒤 심양에 머물면서 여러 경로로 적정을 알려온 사람이었다. 그런 사정은 고려 대상이 아니었다. 후금 군이 물러가던 인조 5년 3월 26일 양사가 합계하여 전쟁 중 싸움을 기피한 채 도망 다녔다면서 장만을 유배 보내고, 경상좌병사 이항(李沆), 경기수사 유응형(柳應泂), 동래부사 유대화(柳大華)가 전쟁 대응에 소홀했다는 이유로 파직할 것을 요구했으며(1627년 인조실록 인조 5년 3월 26일), 인조가 아직 강화에 머물던 인조 5년 4월 5일에는, 간원(諫院 司諫院)이 이준(李埈), 이민성(李民宬), 이언영(李彦英) 등 10여 명이 왕이 강화로 피난할 때 달려와 문안하지 않았다는 이유로 모두 파직할 것을 청했다(1627년 인조실록 인조 5년 4월 5일).

정묘화약으로 북방의 불안이 제거됐다고 생각한 사람은 아무도 없었다. 후금 군은 언제든지 재침(再侵)할 수 있었다. 철군하던 아민이 인조에게 보낸 협박 편지가 증거다. "하늘이 나에게 서울(한양)과 팔도를 준 것은 내가 여기에서 왕이 되기를 바란 것인데, 나는 이

곳을 차지하지 않고… 귀국에서는 '내가 이미 섬(강화) 안에 있는데 저들이 나에게 어떻게 하겠는가.'라고 생각하지 마십시오. 내가 왕경(王京)에 도착하기만 하면, 팔도가 모두 내 차지가 될 것입니다." (1627년 인조실록 인조 5년 3월 17일)

조선으로서는 우선 군제 및 군사 개혁에 착수하는 것이 시급했다. 국초 천민을 제외하고, 모든 남자가 군역을 지던 양인개병제(良人皆兵制)는 임진왜란 무렵이면 관리, 서리, 향리는 물론 양반의 자제, 유생까지 병역에서 제외되고 그나마 돈을 내면 병역을 면제해 주는 방군수포제(防軍收布制)나 타인을 대리로 군에 보내는 대립군(代立軍) 관행으로 변질되어, 사실상 평민에게만 모든 부담을 안기는 모병제에 가까운 형태로 후퇴했다. 양반들은 자기들이 직접 병역을 부담하거나 적어도 군포를 내지 않는다면, 다른 대안은 모두 근본적인 개혁이 될 수 없음을 알면서도 이에 대한 지적이나 자기비판은 없었다. 물론 전래의 호패법(군역과 요역을 부과하기 위한 일종의 주민등록증, 호패를 패용한 자에게만 주어지는 과도한 세 부담과 거주이전의 자유 제한 등의 사유로 기피되었음)을 부활하거나, 과거에 낙방한 유생에게도 군역이나 포(布)를 징수하자는 의견이 잠시 거론되기도 하였으나 그것으로 끝이었다.

타인의 결점을 지적할 때는 그토록 집요하던 젊은 대간들도 자신들의 병역이나 세금부담 문제에 대해서는 입을 다물었다.

인조 때 설치된 것으로 알려진 수어청(남한산성 방어부대) 총융청(경기지방 방어부대)은 앞서 진술한 대로 이괄의 난에 놀라 왕의 호위를 위해 설치한 것이지 북방 위협 대비 용도가 아니었다. 결국 인조가 집권하여 정묘호란까지 5년간, 정묘호란에서 병자호란까지 10년간 외침에 대비하여 마련한 국가방위 대책은 전무했다고 해도 과언이 아니다. 물론 기회가 없었던 것이 아니다. 1626년 명의 원숭환(袁崇煥)과 후금의 누르하치(努爾哈赤) 사이에 영원성(寧遠城) 전투가 있었다. 홍이포로 무장한 명장 원숭환의 승리로 부상을 입은 누르하치는 사망하고 그해 홍타이지가 등극했지만 1641년 오삼계(吳三桂)가 항복할 때까지 15년간 청은 산해관(山海關)을 자력으로 넘지 못했다. 조선이 명과 후금의 대치 상황, 무엇보다 군사정보에 관심이 있었다면 홍이포의 위력에 대해 충분히 취득할 수 있는 사안이었다. 그런데 조선이 명의 승전소식을 전혀 모른 것은 아니었다. 인조실록에 기사가 있다. "적이 전에 영원(寧遠)을 침범하였는데 원노야(袁老爺 : 袁崇煥)가 성 밖에 나아가 진을 치니 적병이 감히 진격해오지 못하고 십삼산(十三山)으로 물러가 주둔하고 있다."(1627년 인조실록 인조 5년 6월 26일) 또한 1627년 네덜란드 사람 박연이 표류해 왔다. 인조는 친히 그를 통해 서양 사정을 알게 됐고 그를 화포와 총기를 만드는 제조 감독관으로 삼았으나 조선의 재료와 기술이 부족했고 무엇보다 임금과 관료층 전부가 국방개혁과 그 실행에 관한 의지가 부족했다. 그것이 한계였다.

무대책의 전쟁대비

1627년 정묘호란부터 1636년 병자호란까지 10년 동안 조선은 무엇을 했을까. 누르하치와는 달리 1626년 새로 등극한 홍타이지는 전투성과 정복욕이 강했고 조선에 대해 적대적이었다. 취임 이듬해에 일으킨 정묘호란이 징표였다. 그러나 화약을 맺었다 해도 조선은 여전히 후금을 무시했고, 후금은 명과 동등한 외교적 대우를 요구해 갈등이 증폭됐다.

"조선(朝鮮)이 남조(南朝)를 부모로서 대우하기 때문에, 명의 사신이 나갈 때에는 조선의 대소 관원들이 모두 말에서 내려 서로 영접하고, 우리는 조선에 대해서 형제의 나라이므로 피차간의 사신이 왕래할 때에 말 위에서 서로 읍하고서 영접함에 불과할 뿐이라, 우리 차사(差使)가 왕래할 때에는 1로(一路)의 4대관(大官)들이 나와 영접하지 않는다고 하는데, 지금 이후로 또 이와 같이 하면 우리 차사가 마땅히 스스로 되돌아올 테니 이 뜻을 아뢰어라."(1632년 인조실록 인조 10년 9월 27일)

그러나 조선은 외교문서에서 은근히 후금을 모욕하는 언어를 사용하거나 후금에 바칠 세폐(歲幣)를 제대로 보내지 않았다. 또한 정묘호란의 주요목적이 조선과의 시장개설을 통한 경제교류였지만 이것도 지지부진했다. 조선도 계속되는 기근에다(1633년 인조실록 28권, 인조 11년 1월 29일), 모문룡의 뒤치다꺼리에 벅찼기 때문이다.

여기서 잠시 모문룡에 대해 알아보자. 일단 그는 명의 무장으로 만주 지역과 조선 북부에서 활동하던 자였다. 1621년 심양과 요양이 누르하치에게 함락되자 남은 무리를 이끌고 압록강변의 진강을 거쳐 조선에 상륙했다. 조선에서 철산, 용천, 의주 등 평안도 지역을 돌아다니면서 조선에 들어와 있던 명의 패잔병과 난민을 수습했다. 1622년(광해군 14년) 광해군은 그에게 평안도 철산 앞바다인 가도(椵島 또는 皮島)에 주둔하도록 권유했다. 모문룡은 동강진(東江鎭)을 설치하였으며, 명군과 난민 1만 명이 모문룡을 따라서 가도에 머물게 된다. 그런데 1623년 인조가 즉위하고 나서 22개월 동안 책봉을 받지 못하자, 인조 정권은 명의 환심을 사기 위해 뇌물을 대량으로 썼으며 이 과정에서 가도의 명나라 장수 모문룡의 도움을 받았다고 한다. 이때 인조가 명에 쓴 뇌물의 양은 광해군 재위 전반에 명나라 사신에게 사용한 은의 총량을 능가했고 모문룡은 책봉을 도운 것을 계기로 갖은 행패를 부린다.

모문룡은 명으로부터 매년 은자 20만 냥을 지원받아 동강진을 유지했지만, 좁은 섬이라 군량이 부족했으므로 조선에 징발을 강요했다. 이 식량이 매년 10만 석에 달했다. 흉년으로 조선 측의 식량 지원이 여의치 않으면, 황해도와 평안도에 상륙하여 약탈하거나 관헌을 살해하는 등 방자한 행위를 일삼았다. 그러면서도 정작 1627년 정묘호란 때는 전혀 도움이 되지 않았다. 조선에 깊숙이 들어온 후금 군의 배후를 위협할 수 있었는데도 가도에 숨어 있었기 때문이다. 그러면서 횡포는 더 심해져 갔다. 급기야 1628년 11월 22일에는 동지사(冬至使) 송극인(宋克訒) 일행의 은과 인삼을 빼앗아 돌아갔다(인조실록 인조 6년 11월 22일). 명나라 황제에게 보낼 조공물을 마음대로 빼앗아간 것이다. 1629년 3월 27일 이경직은 인조에게 "신이

막 가도(椵島)에서 왔는데, …모문룡의 군세(軍勢)가 너무나 피폐해져서 그의 뜻은 다만 섬 안에 편안히 앉아서 부귀나 누리고 싶을 뿐이고… 군대 수를 과장했으며, 많은 부녀자를 거느리고 살면서 번번이 거짓 공로나 상신(上申)하고 있었습니다."라고 아뢴다(1629년 인조실록 인조 7년 3월27일). 요컨대 조정에서도 모문룡의 사기행각을 알고 있었다는 얘기다.

돌파구는 명의 원숭환이 마련했다. 1629년 4월 27일 원숭환은 모문룡을 산동반도의 쌍도(雙島)로 불러서 군사 문제를 논의한다고 했다. 두려움을 느낀 모문룡은 병선 40여 척에 2만 8천 명의 병사들을 이끌고 쌍도로 출발했다. 1629년 6월 5일 모문룡은 쌍도에 이미 와 있던 원숭환과 만났다. 원숭환은 다음날 모문룡을 전격 체포하고 목을 베었다(『병자호란』 한병기, 푸른역사).

모문룡이 천조(天朝)의 장수라는 이유로 무조건 그의 요구를 들어주고 행패를 눈감아준 사실은 어떻게 해석해야 할까. 인조실록 중 모문룡이 언급된 횟수는 362회에 달한다. 거의 대부분 모문룡의 횡포나 동향에 관한 사실 보고이고, 그 중 대간에서 모문룡을 탄핵하거나 그에 대한 정부 대처를 비난하고 대안을 제시하는 사례는 전혀 보이지 않는다. 삼사를 차지한 조선의 젊은 기재들이 생각하는 언론의 역할이 무엇이었는지 드러나는 대목이다. 이런 침묵의 이면에는 대신들과 대간의 암묵적 타협 혹은 의견일치가 있었다.

"도승지 김상헌이 아뢰기를, 오랑캐의 편지에 답하는 내용에 '모문룡이 가도에 머물고 있는 것을 우리나라에서는 본디 좋아하지 않고 있다.'고 하였습니다. 말을 만드는 체모(體貌, 모양이나 갖춤새)는 결단코 이와 같아서는 안 됩니다. 이 한 조항은 반드시 다시 의논해야 합니다."(1628년 인조실록 인조 6년 5월 29일) 요컨대 후금에 대해 조선이 모문룡을 달갑게 여기지 않고 있다는 표현을 하지 말아야 한다는 말이다.

1629년 2월 인조가 대신을 불러 의논한다. "요즈음 모문룡의 속셈과 태도에 대하여 사람들이 모두 의심을 품고 있는데, 그에 대한 경들의 의견은 어떠한가?" 김류가 아뢰기를, "지금 그를 의심하는 이유로는 그가 사리에 어긋난 방자한 말을 많이 하고, 또 군대를 조련하고 있기 때문인데, 거친 말투는 바로 그의 본성이고 군대를 조련하는 일 또한 그로서는 당연히 할 일입니다. 그 때문에 그렇게 의심할 거야 뭐 있겠습니까?" 하였다. 이귀가 아뢰기를, "그가 착하지는 않지만 우리는 그를 반드시 지성으로 대해야 할 것입니다."(1629년 인조실록 인조 7년 2월 9일) 이와 같이 조선 조야는 일개 무장에 불과할지라도 지성으로 모문룡을, 나아가 명을 섬겨야 한다는데 의견일치가 돼 있었다. 공론을 다수의 의견이라고 보는 한에서는, 이게 공론이라면 공론이었다.

논자에 따라서는 당시 후금이 욱일승천의 기세에 있었다 해도 아직 명의 변경을 위협하는 작은 세력에 불과했고 명의 패배가 확실하지 않은 상황이었으므로 친명외교를 특별히 비난할 일은 아니라고 주장하기도 한다(『인조의 대중국 외교에 대한 비판적 고찰』, 조일수, 역사비평 121호). 물론 당시 정세에서 장래를 정확히 예측할 수 없긴 했어도 후금의 위협은 명백하고도 현존했던 데 반해, 조선은 군사적 대비가 부족했던 것은 사실이므로, 최소한의 외교적 노력이라도 다했어야 할 의무가 반감되는 것은 아니다.

가도 문제는 모문룡의 죽음으로 일단락된 것이 아니다. 그의 사망 이후 유흥치(劉興治)라는 인물이 잔당을 이끌던 도독(都督) 진계성(陳繼盛)을 죽이고 실권을 잡았다. 인조는 그가 황제의 뜻을 어기고 반란으로 권력을 찬탈했다고 보아, 가도를 정벌할 군사(西征軍)를 조직했지만, 무위로 끝났다(1630년 인조실록 인조 8년 5월 19일). 유흥치는 심세괴(沈世魁)라는 인물에 의해 죽임을 당했고, 심세괴는 도독을 자처하며 여전히 항거를 계속한다. 조선 및 후금에 끝까지 골칫거리로 남아 있던 가도는, 결국 병자호란 이후 홍타이지가 철군하면서, 임경업이 이끄는 조선수군과 연합으로 1637년 4월 초 정벌을 완료함으로써, 역사에서 사라진다. 가도 정벌이 병자호란의 주요목표 중의 하나였던 셈이다.

정묘호란에서 병자호란에 이르는 기간 동안 조선의 최대 정치 현안은 군사, 외교, 군제 및 세제 개혁 같은 사안이 아니라, 원종추숭(元宗追崇) 문제였다. 앞서 본 바와 같이, 1623년 인조 즉위년 이미 박지계가 상소하여 추숭할 것을 권유한 이래, 수백 차례의 논의 끝에 1632년 인조10년 2월 24일 추숭도감을 설치하고, 1634년 인조 12년 윤8월 9일 원종의 위패를 종묘에 안치함으로써 논의를 완결했다(1634년 인조실록 인조 12년 윤8월 9일). 대부분 신료의 반대를 무릅쓰고 강행된 과정에서 인조의 미움을 사서 귀양, 파직되거나 외직으로 밀려나간 사람은 부지기수였다. 당연히 대간은 이를 두고 치열한 간쟁을 벌였고, 전 현직 관료, 재야 유생에 이르기까지 찬성과 반대로 갈라져 추존 문제 이외의 사안은 존재하지 않는 듯 싸웠다. 정묘호란이 지나갔어도 그때뿐, 패전 원인과 대책에 대한 논의는 관심 밖이었다. 이렇게 시선이 추존이라는 예의 문제에 쏠린 상황에서 다른 사안의 심각성이 논의의 중심이나 공론의 핵심으로 부상되기는 힘들었다. 인조는 바라던 추숭으로 만족하였을지 모르나, 1633년 초 위기가 다가온다.

심양으로 갔던 사신 신득연(申得淵)이 예물은 전하지 못하고, 후금으로부터 금은비단을 무역하고, 명을 치기 위한 선박 300척을 동원해주지 않는다면 단교하겠다는 내용의 문서를 받아가지고 돌아왔다(1633년 인조실록 인조 11년 1월 25일). 조선의 분위기는 당연히 격앙된다. 인조는 다음과 같은 교서를 반포한다.

"국가가 불행하여 강한 오랑캐와 가까운 이웃을 삼았다. …정묘년 봄에 그들이 군사를 일으켜 우리나라 변방에 기습했다. …이에 나는 종사와 생령의 대계를 생각하고 잠시 관계를 맺기로 허용하여 화를 늦추는 소지로 삼았다. …그 첫째는 중국의 사신처럼 대접해 달라는 것이며, 둘째는 배를 빌려주고 군사를 지원해 달라는 것이었으니, 이는 신자(臣子)로서 차마 들을 수 없는 일이다. 이는 대의에 관계되어 다른 일은 돌아볼 겨를이 없는 것이기에 사람을 보내 절교를 고하고 맹약을 어긴 데 대해 힐책했다. …진실로 각각 충의를 가다듬어 상하가 함께 원수에 대항한다면 천리의 강토로 남을 두려워할 것이 있겠는가. 이 뜻을 잘 알아 두었다가 후일의 하명을 기다리라."(1633년 인조실록 인조 11년 1월 29일)

요컨대 저들의 불의한 요구를 눈뜨고 볼 수 없으니 상하가 합심하여 결전을 준비하자는 내용이었다. 호방함으로 가득 찬 사자후(獅子吼)가 아닐 수 없다.

인조는 회답사 김대건에게 절교를 통고하는 문서를 가지고 가도록 하지만(1633년 인조실록 인조 11년 2월 2일), 김대건(金大乾)이 강을 건너려 할 때, 도원수 김시양(金時讓), 부원수 정충신(鄭忠信)이 사사로이 사람을 보내 김대건을 의주에 머물러 있게 하고, 상소하기를 "…오랑캐가 들어와 섬멸된다 하더라도 국세는 지탱하지 못하게 될 것이니… 김대건이 소지한 국서의 말을 약간 고쳐 잘 꾸미되 토산이 아닌 황금 이외의 것은 그들의 뜻을 따라 주어 잠시 그들의 회답을 본 후에 국교를 끊어도 늦지 않을 것입니다."라고 주청한다. 조선의 군사역량을 누구보다 잘 알고 있는 도원수, 부원수가 화친을 주장하고 나선 것이다. 이에 인조는 크게 노하여 왕명을 어겼다는 이유로 두 사람을 투옥시킨다(1633년 인조 11년 2월 11일).

화해의 빌미는 오히려 후금의 홍타이지가 마련한다. 그는 김대건에게 딸려 보낸 답신에서 "…내가 앞서 사신을 통래할 필요가 없고 무역만 유지하자고 말한 것은, 대개 귀국의 사귀는 예가 점점 악화되고 또 폐물의 증가를 싫어하면서 이처럼 억지로 왕래한다면 무슨 의미가 있겠는가, 해서였소. …그런데 지금 왕은 교역 길도 단절하고 있으니 이는 스스로 우호를 무너뜨리는 것이오. 지난 해 불화가 생긴 것도 귀국에서 발단됐고, 오늘 교역 길을 끊는 것도 먼저 왕의 입에서 나왔으니, 이와 같은 허물이 모두 왕에게 있지 나에게는 있지 않소. 왕께서 만약 마음을 고치고 생각을 바꾸겠다고 말한다면 내 어찌 들어주지 않을 리가 있겠소이까." (1633년 인조실록 인조 11년 3월 6일)

조선에서는 비로소 홍타이지의 진의는 폐물을 증가하기 위한 데 있는 것으로 파악하고 국교단절의 위기를 넘긴다(1633년 인조실록 인조 11년 3월 7일). 여기서 중요한 점은 비변사도 김시양과 같은 의견이었다는 점이다. 비변사는 이미 인조가 김시양을 처벌하는 것에 대하여 "…국서(國書)를 작성하여 보낸 후에 중의가 모두 우리에게 믿을 만한 형세도 없는데 먼저 국교를 끊는다는 뜻을 보여 강한 오랑캐를 건드려서는 안 되며 그들이 갑자기 싸움을 일으킬지도 모른다고… 지금 김시양 등은 몸소 행군에 있으면서 방비가 형편없음을 목격하였기 때문에 그 말이 더욱 간절한 것입니다. 김대건이 가지고 가는 국서를 약간 고쳐 여유를 두게 함이 아마 사리에 합당할 것

같습니다."(1633년 인조실록 인조 11년 2월 11일)라고 보고하였기 때문이다. 결국 국교를 끊으면 전쟁이 올 것이라는 사실을 누구나 알고 있었다는 점을 기억해둘 필요가 있다.

잠시 봉합되었던 갈등은 1636년 4월 홍타이지가 국호를 후금에서 청으로 바꾸고 황제를 칭하면서 재개된다(이후 후금을 청이라 칭한다). 홍타이지-청태종은 1630년대 초 만주 및 몽고 전 지역을 복속시킴으로서 이제 남아있는 적국은 명과 조선밖에 없었다. 청은 칭제하기 직전인 1636년 2월 사신을 보내 "…우리나라가 이미 대원(大元)을 획득했고 또 옥새를 차지했다. 이에 서달(西㺚, 몽고지역) 여러 왕자들이 대호(大號, 황제칭호)를 올리기를 원하므로 귀국과 의론하고 싶다."고 했다(1636년 인조실록 인조 14년 2월 16일). 사실상 존호를 강요한 것이다.

여기에 사간부 사간 조경은 사신을 들이지 말 것을 상소하고, 사헌부 장령 홍익한은 "…신이 태어난 처음부터 다만 대명(大明) 천자가 있다고만 들었을 뿐이었는데, 이런 말이 어찌하여 들린단 말입니까. …우리나라는 본디 예의의 나라로 소문이 나서 천하가 소중화(小中華)라 일컫고 있으며 열성(列聖)들이 서로 계승하면서 한마음으로 사대하기를 정성스럽고 부지런히 하였습니다. …신의 어리석은 소견으로는 그가 보낸 사신을 죽이고 그 국서를 취하여 사신의 머리를 함에 담아 명나라 조정에 주문한 다음 …만일 신의 말을 망령되어 쓸 수 없다고 여기신다면, 신의 머리를 참하여 오랑캐에게 사과하소서."라고 주장한다(1636년 인조실록 인조 14년 2월 21일). 여기에 태학생 김수홍(金壽弘) 등 1백 38인과 유학(幼學) 이형기(李亨基)가 상소하여, 오랑캐 사신을 참하고 그 글을 불살라 대의를 밝히기를 청하는 등 국가 전체가 들끓었다(1636년 인조실록 인조 14년 2월 25일).

생명의 위협을 느낀 용골대 등 청의 사신은 1636년 2월 26일 답서도 받지 않고 돌아가 버렸다. 그러자 인조는 1636년 3월 1일 팔도에 하유(下諭)하여 청의 사신이 화를 내고 돌아간 사실을 밝히며 "…병역의 화가 조석에 박두하여 있으니, …종군에 자원하여 … 나라의 은혜에 보답할 것을…" 촉구한다(인조실록 인조 14년 3월 1일).

다시 한 번 분명히 할 것은 인조의 하유에서 드러난 바와 같이 조선이 갈 길은 청과의 전쟁뿐이라는 사실을 누구보다 집권층에서 잘 알고 있었다는 점이다. 말을 시원하게 하고 사신이 도망쳐 도성 사람들이 통쾌하게 여긴 일은 한때의 낙이고, 다가올 현실은 현실이었다. 전쟁이 코앞에 다가왔어도 대비는 형편없고 강하고도 장한 말씀만 여전했다. 임금이 화친을 끊으니 전쟁을 대비하라는 내용으로 평안감사에게 보낸 문서를 금군(禁軍, 궁중을 지키고 임금을 호위하던 군대)이 들고 가다가, 자기 나라 안에서 황급히 도망가던 후금 사신에게 빼앗기는 어이없는 일이 벌어졌다(1636년 인조실록 인조 14년 3월 7일).

그럼에도 홍문관 교리 조빈(趙贇)이 상소한다. "…우리나라가 왕업을 일으킨 근본은 중국을 높이고 이적을 배척한 데 있지 않겠습니까. …대체로 제후의 나라로서 참호하는 도적과 사신(使臣)을 통하면 신은 이 사신을 무어라고 명칭해야 할지 모르겠으며, 제후의 나라로서 참호하는 도적과 서신(書信)을 통하면 신은 이 서신을 무어라고 명칭해야 할지 모르겠습니다. …만일 전하께서 신의 말을 오활(迂闊)하다 하시고 다시 기미(화친)할 길을 도모하신다면, 신은 … 동해에 빠져 죽겠습니다."(1636년 인조실록 인조 14년 9월 22일. 1636년)

화친을 도모한다면 동해에 빠져죽겠다고 기세등등하게 다짐했지만 달리 전쟁을 피하거나 승리할 묘책이 마련됐던 것도 아니다. 대표적인 척화파 김상헌조차도 "화친을 믿을 수 없다는 것은 오늘을 기다리지 않아도 알 수 있습니다. 병란이 일어나는 것은 비록 분명히 언제라고 알 수는 없으나 또한 위험하고 위태롭습니다."(1636년 인조실록 인조 14년 3월 7일)라고 걱정대열에 동참했지만, 조선이 믿는 것은 하늘과 대의뿐이었다.

"중국 조정은 우리나라에 대해 지존(至尊)입니다. …우리나라는 의지할 만한 군사가 없고 충분한 재물이 없으나, 강조하는 것은 대의이고 믿는 것은 하늘뿐입니다. …설사 우리나라가 의를 지키다가 병화를 입어 그 병화가 비록 참혹하더라도 원래 그 임금의 죄가 아니면, 민심은 반드시 떠나지 않고 국명도 혹 보전할 수 있는 것입니다."(1636년 인조실록 인조 14년 6월 17일)

논란의 중심에 인조가 있다. 척화파가 공론을 점령하고 있는 가운데 대세에 편승하여 호기롭게 전쟁을 운운했던 그는 사태에 대한 최종 책임을 비켜갈 수 없다. 큰소리는 쳤지만 그도 불안감을 숨길 수 없었다.

"…돌아온 호역(胡譯)의 말을 들으면 저 도적이 군대를 동원시킬 낌새가 있다 하니, 외방(外方)의 병마(兵馬)를 국경에 불러 모아 몇 달 동안 변고에 대비하게 해야 합니다."라는 이성구의 말에 인조는 "호역이 어떻게 오랑캐의 실정을 정확하게 알 수 있겠는가?" 하였다. 이성구가 아뢰기를, "이미 병화를 입을 것을 분명하게 알면서 팔짱을 끼고 편안히 앉아 있으니 민망스럽지 않습니까?" 하니, 상이 이르기를, "수어할 준비를 하고자 하면 형세가 이와 같고 기미(羈縻)할 방책을 세우고자 하면 명사(名士)의 무리가 모두 불가하다고 한다. 적은 오고야 말 것인데 어떻게 해야 하는가?"라면서 내면의 동요를 드러낸다(1636년 인조실록 인조 14년 11월 12일).

명사의 무리가 모두 화친을 반대하고 대책은 전무하였으니 분위기를 자제시키고 반전시켜야 할 책무가 있는 임금이나 대신도 시류에 이끌려가는 것이 당시의 상황이었다. 심지어 삼사의 대간들은 1636년 9월에 명이 후금을 치는 일에 협조를 구하기 위해 서울에 도착한 명의 감군(監軍) 황손무가 청에 간첩을 보내 적정을 탐지하라고 권고하였음에도 "…대의가 있는 한 화친하는 일은 이미 끝났습니다. …겉으론 간첩을 보낸다는 명분을 빌리고 실지로는 스스로 하려던 계획(화친)을 이루려고 하니, 거조가 잘못된 것이고 의리에도 해롭습니다. 대각의 신하가 의리에 의거하여 집요하게 논쟁하지 아니할 수 없…"다면서 단호히 반대한다(1636년 인조실록 인조 14년 9월 15일).

간첩을 보내 적정을 탐지하자는 기본적 군사행위도 의리와 명분에 비추어 필요 없다는 마당에 주화파에 대해 손을 놓고 있을 리가 없다. "병법에는 권모술수가 없을 수 없으니, 우선 오랑캐 통역관을 보내 그들의 동태를 관찰하는 일이 필요하다."면서 사신을 보낼 것을 주장한 주화파 최명길이 공격의 대상이 된다. 다음의 상소가 대표적이다. 홍문관 수찬 오달제는 "…지난번 최명길이 화의(和議)를 거절하기로 한 후에 사신을 보내어 서신을 통하자는 의논을 발론했고, 또 삼사의 공론이 이미 제기되었는데도 오히려 국가의 사체(事體)는 생각지 않고 상의 의중만 믿고서 …대론(臺論)이 제기되었더라도 한편으로 사신을 들여보내야 한다고 말을 하였습니다. 아, '한 마디의 말이 나라를 망친다.'는 것은 이를 두고 말한 것인가 봅니다. …명길은 어떤 사람이기에 유독 공론을 두려워하지 않음이 이처럼 극도에 이른단 말입니까?"(1636년 인조실록 인조 14년 10월 1일)라고 공격한다.

요컨대 당시 조선에서 화친을 말하는 것은 소위 왕따가 될 각오가 없으면 안 될 정도로 격앙되고 경직된 분위기였다. 이런 상황을 박현모는 집단적 사고(group thinking)라고 부르고 있다(『10년간의 위기 : 정묘-병자호란기의 공론정치비판』, 박현모, 한국정치학회보). 집단사고란 응집성이 강한 구성원으로 이루어진 집단에서 각자의 목표나 생각, 가치가 반영된 결정이 만들어지지 못하고 일면적 편향성을 띠게 되는 것을 말한다. 다시 말해 동질성 추구(concurrence-seeking)의 욕구 때문에 의사결정 과정에서 민주성, 타당성, 다양성이 훼손되고 하나의 결과만 선호되는 현상이다. 일반적으로 집단사고에 빠지게 되면 반론은 무조건 질시와 질책을 받을 가능성이 높아진다. 물론 어느 집단이든 다른 집단과 구분되는 특수한 관습과 관행이 존재하지만, 그것이 국가 차원의 거대 집단이고 건전한 반론이나 대안 제시가 불가능할 정도로 경직된 문화를 가졌다면, 당해 국가는 특정 이데올로기에 사로잡혔다고 봐야 될 것이다.

나는 조선의 경우 그 이데올로기가 주자학이라고 주장해왔다. 당시 공론을 주도한 대간들은 명(明) 이외의 다른 나라가 있다는 얘기는 들어본 적이 없으며 대의와 의리에 비추어 명에 대한 절대적 사대와 존숭 말고 다른 길은 없다고 공공연히 언급한다. 그들에게 존주대의는 조선이라는 나라의 유일한 목표이자 존재이유로서, 이를 지키다가 멸망하는 것이, 명 이외의 다른 나라와 통교하는 것보다 도덕적으로나 명분에 있어 더 우월했다. 그러므로 그들은 나라 안팎의 사정과 국력, 군사력에 관계없이 무조건 명을 따르고 청을 배척하자고 주장했고 마침내 그런 결과를 맞이했다. 1636년 12월 6일 청태종 홍타이지는 12만 8천 명의 대군을 이끌고 압록강을 건넜고 정묘년에 이어 또다시 10일 만에 서울에 당도한 것이다.

홍타이지-조선을 친정(親征)한 최초의 외국 군주

여기서 당시 동북아의 풍운아 홍타이지에 대해 살펴보자. 1592년생인 그가 누르하치의 여덟째 아들이라는 것은 잘 알려진 사실이다. 조선의 기준으로 볼 때 의례와 예법을 모르는 금수에 불과한 오랑캐였지만, 한반도를 친정해 국왕을 무릎 꿇게 한 유일한 외국 군주였고, 그가 설계하고 기반을 다진 청나라는 중국 역사상 최대의 영토를 차지한 제국이 됐다(현대 중국은 오히려 외몽골, 연해주 등의 영토가 축소됨). 그는 35세 때인 1626년 원숭환이 지키는 영원성 전투의 패배 후유증으로 사망한 누르하치의 후계자로 등극하여 1643년까지 17년간 재위한다. 그가 다스리던 기간에 만주에는 행운과 기적이 연속되었다.

광해군은 1621년 만포첨사(滿浦僉使) 정충신(鄭忠信)을 후금 진영에 보내 적정을 알아오게 하였던 바, "다른 아들들은 다 보잘 것 없으나 홍태주는 똑똑하고 용감하기가 보통이 아니나 시기심이 많아 아비의 편애를 믿고 형을 죽이려는 계책을 몰래 품고 있었습니다."라고 보고했으니, 외국의 사신도 그의 영웅 기질과 비범함을 인정한 셈이다(1621년 광해군 일기 광해군 13년 9월 10일). 즉위 초 가뭄과 기근으로 사정이 어려워지자 명과 임시 휴전한 뒤 조선과의 교역을 통해 경제난을 극복하고 또한 중원 진출을 위한 배후 정리를 목표로 정묘호란을 일으킨다. 한편 적극적으로 인재 영입에 나서 한인 관료와 장군을 중용하고 각종 행정제도 및 만주족뿐만 아니라 한족, 몽골족을 포괄하여 팔기군 조직을 정비한다. 이어 철기군에 수군을 포괄한 다음 홍이포로 무장하여 당시로서는 세계 제일의 군사역량을 구축하고 몽골과 주변을 정복하고 약탈하여 경제를 부흥시킨다.

그는 반간계(反間計)에도 능한 인물이었다. 원숭환이 지키는 한 산해관을 넘는 것이 어렵다고 판단되자, 그는 1629년 10월 원숭환이 지키고 있는 영원성을 피해 몽골로 우회하여 베이징을 공격했다. 원숭환은 급히 베이징으로 병사를 이끌고 이동하여 광거문(廣渠門)과 좌안문(左安門) 부근에서 후금 군대를 물리쳤다. 홍타이지는 베이징 외곽으로 병력을 물리고, 숭정제에게 화친을 맺자고 위장전술을 구사하면서, 환관(宦官)을 매수하여 원숭환이 후금과 내통하여 모반(謀反)을 꾀하고 있다는 말을 퍼뜨렸다. 결국 1629년 12월 의심 많은 숭정제는 원숭환을 모반 혐의로 감옥에 가두었다가 1630년 9월 22일 처형하였다. 이로써 명의 장수들 사이에는 절망감과 패배감이 팽배하여 중원 공략을 위한 모든 걸림돌이 제거되고 이제 배후의 조선만이 남은 문제였다.

그러나 조선 침공은 임진왜란의 전례가 보여주듯 지구전에 빠질 염려가 있는 데다 명이라는 대적을 앞에 두고 군사역량 분산이라는 불안요소가 있었다.

홍타이지는 1636년 10월 심양을 찾은 역관 박인범에게 "11월 25일 이전에 대신과 왕자를 보내서 화친을 결정하지 않으면 군사를 일으키겠다."는 최후통첩을 보내면서 "너희가 산성을 쌓는다 해도 만약 내가 큰 길로 곧장 한양으로 향한다면 산성으로 나를 막을 것인가? 너희가 믿는 것은 강화도인데 만약 내가 팔도를 다 유린해도 조그마한 섬 하나로 나라를 지탱할 수 있겠는가? 척화를 주장하는 유생들이 붓으로 군대를 막을 것인가?"라는 말을 덧붙인다(『국역연려실기술 인조조 고사본말』, 장한식, 『홍타이지 천하를 얻다』).

홍타이지가 이같이 겨울이 되어 강물이 얼면 쳐들어가겠다는 말을 공공연히 했으므로, 전쟁이 올 것은 분명했지만, 조선은 인조와 이성구의 문답이 보여주듯 화친을 말하자면 모두가 불가하다고 하고, 전쟁을 하자고 하면 아무런 대비가 없는 상황이었다. 병자호란이 끝나고 몇 년 뒤 인조는 지난날을 회상하며 척화신을 평가한다.

"어찌 척화한 것에 그치겠는가. 곧 나라를 그르친 것이다. (만약 청에) 표문(表文)을 올려 신하로 칭하였다면, 이에 대해 대간이 극력 간쟁하는 것이 참으로 마땅하다. 그러나 그때의 일은 사신을 보내어 화를 늦추려는 계획에 지나지 않았는데, 이 무리들이 그 사이에서 가로막아 국사가 마침내 이에 이르게 하였으니, 죄가 어찌 작겠는가. …대신이, 대간의 논의가 한창 일어나고 있음을 듣고 있으면서도 곧바로 자기의 뜻대로 행하는 것은 형세 상으로 그럴 수 없는 것이다. 마땅히 해야 할 일이더라도 대각이 논집하고 있으면 임금도 뜻대로 단행할 수 없는데, 대신이 어찌 동요하지 않을 수 있겠는가. 절절이 나라를 그르친 죄를 어찌 다 말할 수 있겠는가."(1639년 인조실록 인조 17년 2월 7일)

개전과 지리멸렬

병자호란의 마무리를 장식한 삼배구고두의 예는 조선으로서는 치욕이라 했다. 그러나 전쟁 후 조선 사대부가 치욕으로 받아들인 부분은 패배했다는 사실이 아니라, 명나라 황제가 아닌 오랑캐의 추장을 황제로 모심으로써 존주대의를 저버렸다는 점에 있었다. 조선의 식자들은 항복문서 쓰는 것을 모욕으로 생각했으며, 삼전도 비문 작성을 피하기 위해 갖은 구차한 핑계를 다 댔다.

결국 비문을 작성한 이경석(李景奭)은 묘갈명(墓碣銘)을 써주는 사람이 없어 영의정을 지냈음에도 구한말에 이르기까지 묘지 봉분 앞에 비석도 세우지 못하는 처지에 놓였었다. 화냥년으로 통칭되는 청의 귀환포로들은 단지 가문의 수치일 뿐 실패한 정치의 피해자로 여겨지지는 않았다.

무엇이 이런 허위의식을 불러온 것일까. 병자호란의 굴복은 정권을 담당하여 전쟁을 치른 집권층의 무능과 파렴치, 몰지각, 부패에 더하여 공론을 장악한 식자층의 공허한 이데올로기가 결합된 최악의 실례라 할 것이다. 차례로 살펴본다. 먼저 조선 집권층의 안이한 현실인식과 그에 따른 이해불가의 방어대책이다. 병자호란 직전 이조참판 정온은 청에 간첩을 보내는 일에 대해 불가함을 역설하면서 다음과 같이 서술한다.

“오늘날 의논하는 자들은 우리에게 자강지책이 없는데 기미(화친)

할 계교를 하지 않는 것이 옳으냐고 하겠지만, 신은 전혀 그렇지 않다고 생각합니다. 전쟁이 일어난 지 10년이 되었으나 저들과 교전한 적이 없으니 강약은 참으로 판명되지 않았고 승부는 아직 결판이 나지 않았습니다. 우리의 강하고 날쌘 군사로 힘을 합하여 서변(西邊)으로 가 중국과 기각의 형세를 이루면 저들은 항상 강하고 우리는 항상 약하다고 기필할 수 없고, 또 저들이 항상 이기고 우리가 항상 진다는 것도 기필할 수 없습니다."(1636년 인조실록 인조 14년 11월 21일)

여기서 주목할 것은 정묘호란의 경험에도 불구하고 양측의 강약은 판명되지 않았고 명과 힘을 합치면 조선이 반드시 진다고 볼 수 없다는 근거 없는 낙관론이다. 이런 견해는 감군 황손무의 추천대로 그야말로 간첩을 보내 허실을 탐지해보기라도 했거나 적어도 청의 정복전쟁 추이와 국내 대비상황에 관심이 있었다면 나올 수 없는 순진한 발언이었다.

1884년 청이 조공국이었던 베트남을 프랑스로부터 지켜내기 위해 벌였던 청프전쟁이 발발했을 때 이홍장이 심혈을 기울여 축조한 중국 복건함대의 주력함선은 전투개시와 동시에 어뢰에 맞아 침몰됐고, 7분 내에 모든 함선이 피격됐으며, 한 시간 내에 모든 배가 침몰 또는 불길에 휩싸이고 무기고와 선박계류장이 파괴됐다(『The search for modern China』, Jonathan Spencer). 또한 1894년 청일전쟁 때 무적이라던 북양함대도 일본군에게 무참히 파괴됐다. 이로 인해 중국은 열강에 토지와 배상금 등 많은 양보를 해야 했다.

전쟁이란 그런 것이다. 만반의 대비를 하고 또 해도 부족한 것이 전쟁인데, 밑도 끝도 없이 "우리의 강하고 날쌘 군사" 운운하며 오직 희망과 공상을 기반으로 전쟁을 치르려는 것이 조선 사대부의 대비책이라면 대비책이었다.

무능과 부패는 전쟁 첫날부터 드러났다. 그 가운데 1633년 조선군 도원수가 된 김자점이 있었다. 반정공신이라는 이유로 고속 승진하던 그는 정묘호란 때 인조를 호송한 공로로 도원수에 임명됐다. 1636년 청의 침략에 대비하여 평안도에 파견됐으나, 백성을 매질로 채근하여 정방산성을 쌓게 하고 형벌과 곤장으로만 위엄을 세워 여러모로 인심을 잃었다. 김자점은 의주 건너편 용골산에 봉수대를 설치했으나, 봉화는 그가 주둔하는 황해도 북방의 황주군 소재 정방산성까지만 닿게 했다. 1636년 12월 6일 청의 침입 당일 용골산에서 봉화가 올랐지만 서울에 소동이 날 것이 걱정된다면서 무시하고 왕에게 보고하지 않았다. 3일이 지난 9일이 돼서야 군관을 보내 형세를 살펴보게 했다. 적은 이미 평양 근처 순안에 이르렀다. 군관이 정방산성으로 돌아와 김자점에게 보고하자, 김자점은 "네가 어찌 망령된 말로 군정을 어지럽히느냐?"며 목을 베려 했다. 군관은 "내일이면 적병이 이곳에 당도할 것이니, 잠시 기다렸다가 죽이더라도 상관하지 않겠습니다."라고 했다. 하지만 곧이어 다른 군관도 같은 내용의 보고를 하니 그제서야 조정에 장계를 올렸다.

"그러나 무릇 변방에서 임금께 보내는 장계는 모두 적에게 뺏겼으므로 조정에서는 보고를 듣지 못했고, 전황은 12월 12일 오후에야 조정에 도달했으니 초기의 소중한 6일이 그냥 흘러 간 것이다."(『병자록』 나만갑, 서동인 역주, 주류성)

조정은 우왕좌왕하며 12월 13일 강화로 들어가기로 결정하고 대가를 움직였지만, 이미 강화로 가는 길목인 지금의 녹번동 일대와 개화나루가 점령된 사실을 알고 남한산성으로 발길을 돌리는 수밖에 없었다. 그렇지만 그의 막장 극이 그대로 종료된 것은 아니다.

일국의 도원수라면, 적의 선봉을 아무 제지 없이 그냥 보냈다 해도 뒤이어 남하하는 청의 주력군을 막아섰어야 하는 것이 당연한 의무였다. 청군은 초반에 보급을 포기하고 서울로 질주했기 때문에 이후 홍이포, 대장군포 등 각종 화포의 확충과 군수품 공급이 없었다면 청의 입장에서 보더라도 남한산성 공방전은 수행이 어려웠을 것이다. 김자점은 1637년 1월 9일 황해도 황주(黃州)와 봉산(鳳山)의 경계에 있는 동선령(洞仙嶺)에서 벌어진 전투에서 황해도 수안군수 이완(李浣)의 건의를 무시하고 전투를 벌여 작은 승리를 거두었으나, 우선 김자점 본인이 큰 부상을 입었고, 5천여 명에 이르는 많은 군사와 장수들이 전사하게 만들었다(『병자호란2』, 한명기, 역사평설).

이후 청은 일체 방해받지 않고 화포를 비롯한 전쟁 물자를 조선 내부 깊숙이 수송하게 됨으로써 남한산성 전투에 있어 압도적으로 유리한 위치를 차지하게 됐다. 그뿐 아니다. 김자점은 인조가 남한산성에 갇힌 뒤에 각도(各道)의 근왕병의 봉기를 바라는 유시를 수차례 보냈지만, 지금의 양평, 가평 일대에 머물면서 한 발도 움직이지 않았다. 더구나 나중에는 각도의 근왕병들이 몰려들어 합하면 총수가 수만에 이르렀음에도 불구하고 하나로 뭉치지 않고 각자 따로 싸우거나, 서로 관망만 한 것도 김자점의 책임으로 돌리지 않을 수 없다. 각 도의 군사들을 총지휘할 권한이 있는 도원수가 아무 것도 안 하고 있으니 지휘권이 통일될 수 없었던 것이다. 이런 김자점에 대해 비난이 없었을 수 없다. 그는 삼전도 이후 대간의 탄핵을 받아 충남 서산의 절도로 귀양을 갔지만 2년만인 1639년 호위대장에 임명되고 1642년 병조판서, 1645년 영의정으로 영전하여 소현세자 독살과 강빈 사사사건을 주도한다. 인조의 맹목적인 용인술을 관찰할 수 있는 대목이다. 그는 효종 즉위 뒤 실각하게 되자, 청에 북벌 준비사항을 알리고 모반을 도모한 죄로 처형된다.

도원수의 무능만이 아니라 조선의 방어 전략도 지적대상이다. 조선은 청의 기병과 들판에서 맞설 경우 승산이 없다고 보고 대로변을 따라 설치된 군진(軍陣)을 버리고 주변의 산성으로 후퇴하여 화포와 조총으로 저항한다는 작전을 세웠다. 말하자면 나폴레옹의 침공을 받은 러시아 꾸뚜조프가 택했던 청야전술(淸野戰術)과 같은 개념이다. 그러나 의주의 백마산성, 평양의 자모산성 등은 의주에서 서울로 이어지는 대로로부터 최소 3~40리, 어떤 것은 하루거리나 떨어져 있었다. 더구나 청은 이미 "너희가 산성을 쌓는다 해도 만약 내가 큰 길로 곧장 한양으로 향한다면 산성으로 나를 막을 것인가?"라고 공개적으로 말해온 상황이었다. 그렇다면 아무리 산성을 중심에 놓더라도 당연히 수비 대책에는 큰 길로 돌진해가는 기병을 막는 방안이 포함돼 있어야만 했다. 청이 조선의 산성 위주 방비 대책과 국왕의 강화도 피난계획을 인지한 사실, 이를 무력화하고 우회하는 공격 방법을 택할 것이라는 사실을 사전에 공표했음에도 이에 대한 대비가 없었던 점은 어떻게 변명해도 비호될 수 없는 행동이다. 도원수 김자점은 침입한 적이 평양을 지나 서울로 다가간 뒤에 비로소 산성을 나와 남한산성을 포위한 청을 포위하는 형식으로 군사를 배치했지만 기병을 상대할 방책이 전무했고, 이미 한 차례의 패전으로 위축되어 전쟁 종결까지 관망만 했을 뿐이다.

원래 조선은 중요지역에 진이나 관을 설치해 방어하는 진관 체제를 운영했지만 이는 군사의 수와 이를 유지할 경제력이 충분할 때의 얘기고, 임란 이전에 벌써 양반의 병역면제와 군포납부 저항으로 군사재정이나 병력수가 절대적으로 부족했다. 그래서 수령이 각자 자기 지역 수비를 책임지는 제승방략(制勝方略) 제도를 실시했으나 임진왜란 때 무력하게 당한 후 양반, 평민, 노비를 포괄하는 속오군을 편성했다. 그러나 이 역시 양반의 참여 거부로 유명무실하게 됐다. 인조 집권 후 이괄의 난으로 서북 방어를 책임진 정예군이 반란군으로 동원되어 대거 피해를 입은 데다, 그나마 동원 가능한 자원을 대부분 수도권 방어에 배분하여 사실상 서북 방어는 포기한 것과 다름없었다. 정묘호란 이전부터 도원수 장만은 자원이 부족한 현실을 감안하여 청이 남침하려면 반드시 경유해야 하는 평안남도 안주군 안주성에 병력을 집중하여 방어하자는 전략을 수차례 건의하였으나, 평안북도 절도사였던 이괄도 반란군을 이끌고 수일 만에 서울에 당도하였는데 그보다 남쪽인 안주에 군대를 배치할 경우 정권에 대한 위협이 배가될 것을 염려한 반정공신들의 반대로 끝내 채택되지 않았다(『장만평전』).

조선은 개국 이래 무신을 경시하는 풍조가 현저하여 군사지휘권은 문신이 가지고 무신은 이를 실행에 옮기면 족하다는 생각을 가지고 있었다. 당시 비변사 당상을 구성하고 있던 인물이나 대간들 모두 문신으로 군무에 관한 한 무지했다. 이들에게 중요한 것은 대명의리, 존주대의 같은 추상개념이었지 도성 방어, 축성, 화포의 성능, 군비와 군량 등의 현실개념이 아니었다. 강이 얼면 산성을 피해 대로로 직접 침공하겠다는 청의 공개 발언을 무시한 집권층의 무능에 덧붙여 조선의 항전의지를 완전히 분쇄한 것은 아무래도 강화도 함락이라 하겠다.

김경징이라는 인물이 있다. 김경징은 반정공신 김류의 아들이자, 그 자신 반정공신이다. 광해군 때 음서를 통해 관직에 올라 인조반정 때 아버지와 함께 반정에 참가해 정사공신(靖社功臣) 2등에 책록됐다. 이후 형조좌랑, 도승지, 한성부 판윤으로 고속 승진했다. 그는 1636년 12월 14일 새벽 강도검찰사(江都檢察使)에 임명되어 강화도 방어책임을 맡게 됐다. 봉림대군과 인평대군, 세자빈, 숙의, 원손, 대군의 부인, 부마와 공주, 왕손 등도 모두 강화도로 향했다. 부찰사인 부제학 이민구와 함께 먼저 강화도로 향했다. 그는 제 가족의 세간과 아내, 어머니를 50여 필의 수레에 태워 먼저 건너보내고, 심지어 세자빈조차 배에 태우지 않았고 이틀이나 추운 강기슭에 머물게 했다. 세자빈이 원망에 찬 목소리로 "경징아, 경징아! 네가 차마 이리 할 수가 있단 말이냐?"라고 이름을 부르자 마지못해 세자빈만 태우고 건너갔다.

그러나 나루에 몰려든 많은 선비와 부인들 그리고 수천, 수만의 백성들은 건너가지 못하고 잠깐 사이에 뒤쫓아 온 청의 군사에 의해 죽고, 약탈당하고, 끌려가는 등 비참함이 이루 표현할 수 없었다 한다(『병자록』, 나만갑, 서동인 역주, 주류성 ; 『병자호란 47일의 기록』, 윤용철, 말글빛냄). 또한 김포와 통진에 보관되어 있던 곡식을 피란민들을 구제한다는 연유를 들어 배로 실어 왔으나, 정작 자신의 가족과 친구들 말고는 아무에게도 나눠 주지 않아 모든 사람들에게 원성을 샀다. 심지어 강화도의 해안선인 갑곶과 연미정 이북 사이에 보초 하나 세워두지 않고, 청군의 동태를 감시하는 일도 하지 않으며, 게다가 "바다가 있는데, 청군이 어떻게 건너오겠느냐?"면서 방심까지 했다. 보다 못한 대신 김상용(金尙鎔, 김상헌의 형)이 "네 나이가 몇인데 어찌 이리도 철없이 구느냐? 네 아비인 김류도 임금을 따라 남한산성에 갔는데, 걱정이 되지도 않느냐?"라고 꾸짖는 일까지 벌어졌다. 김경징은 크고 작은 일을 모두 제멋대로 처리하면서 술판이나 벌이다가 한 달이 넘는 시간을 허송하고 1637년 1월 21일 청군이 바다를 건너 쳐들어오자 속수무책으로 무너졌다.

김경징과 이민구는 먼저 달아나고 김상용은 스스로 분신하여 죽었고 그 외 수십 명이 자살하였으며, 김류의 부인, 김경징의 부인 등도 마찬가지였다[단, 김경징의 아들 '김진표(金震標)가 제 할미와 어미를 협박하여 스스로 죽게 하였다.'라는 인조실록 기사가 있다.] (1637년, 인조실록 인조 15년 9월 21일). 나머지 적병에게 죽임을 당한 사람들은 이루 말할 수 없고 수없는 사람들이 줄줄이 (북쪽으로) 묶여갔다. 청이 포위된 남한산성을 향해 "강화도를 함몰시킬 것이다."라고 외쳤어도 대소 신민들은 누구하나 "저들이 어떻게 날아서 건널 수 있겠는가? 이는 우리를 속이는 것이다."라고 코웃음 치다가 비로소 함락 소식을 듣고는 절망해 마지않았다(『남한일기』, 남박 원저, 신해진 역주, 보고사).

강화도 함락으로 봉림대군(훗날의 효종)을 비롯한 왕실과 대신들의 가족들은 모두 청군에게 포로로 잡혔다. 게다가 김경징은 청군이 강화도를 함락시켰을 때 세자빈, 원손 등을 피신시키지 못하고 어머니와 부인 등도 자살하게 만들면서 제 몸만 건져 육지로 달아나 버렸다. 이 사실이 알려지자 남한산성에서 농성하던 인조와 조정의 인사들은 항전 의사를 잃었고 결국 항복했다. 만약 김경징이 최소한의 저항을 하고 왕실 가족만이라도 대피시켰다면 강화가 함락됐더라도 좌절과 상실감은 덜했을 것이다. 실제로 원손-소현세자의 아들들은 간신히 대피해서 충청도로 피난하는 데 성공했고, 집결하던 충청도의 병력과 영남, 호남의 근왕군의 전투의욕도 살아났을 수 있다. 하지만 결과적으로 강화도는 함락되었고, 거기에는 김경징이란 자의 무능과 몰상식이 큰 몫을 차지한다고 봐야 한다.

그러나 이런 자에 대한 인조의 처리는 의외였다. 홍타이지가 물러간 직후인 1637년 2월 11일(인조 15년) 양사가 합계하여 "강도(江都) 수호의 임무를 받은 제신(諸臣)들이 방어할 생각은 하지 않고 날이나 보내면서 노닐다가 적의 배가 강을 건너자 멀리서 바라보고 흩어져 무너진 채 각자 살려고 도망하느라 종묘와 사직 그리고 빈궁(嬪宮)과 원손(元孫)을 쓸모없는 물건처럼 버렸을 뿐 아니라 섬에 가득한 생령(生靈)들이 모두 살해되거나 약탈당하게 하였으니, 말을 하려면 기가 막힙니다. 검찰사(檢察使) 김경징(金慶徵), 부사(副使) 이민구(李敏求), 강도 유수(江都留守) 장신(張紳)…모두 율을 적용하여 죄를 정하소서."라고 상소하였지만, 인조는 '원훈(元勳)의 외아들을 차마 처형할 수 없다.'는 이유로 강계로 귀양 보내는 선에서 끝내려고 하였다. 그는 끈질긴 탄핵 끝에 1637년 9월 21일 비로소 사사되었다(1637년 인조실록 인조 15년 9월 21일). 그런데 함께 강화도 방위를 맡았으며 김경징 등 고위 지휘관들이 모두 달아난 상황에서 열세인 병력으로 끝까지 항전했던 충청수사 강진흔이 참수형을 당한 것에 비하면 굉장한 특혜를 입은 셈이다. 이 부분 역시 나중에 신하 대부분의 반대에도 불구하고 끝까지 고집하여 강빈을 사사한 것, 원손을 귀양 보내 죽도록 내버려둔 것과 비교하면, 인조라는 인물의 이중성을 보여주는 사실로, 소현세자 독살설에 회의적인 시각을 가진 사람들이 반드시 참고해야만 할 대목이라 하겠다.

애초 김경징이라는 인물을 강도검찰사로 추천한 것은 아비인 김류였다. 인조실록에 의하면 '김경징은 한낱 광동(狂童)일 뿐이었다. 글을 배우지 않아 아는 것이 없고 탐욕과 교만을 일삼으므로 길에 나가면 거리의 사람들이 비웃고 손가락질하는데, 김류는 사랑에 가려 그 나쁜 점을 몰랐으나 사람들은 집안 망칠 자식이라 했다. 이때…(청이 침공함에) …김류가 검찰사 두 사람을 내어 먼저 강도에 보내 주사(舟師)를 정리하게 할 것을 의논하고 그 아들 김경징을 우의정 이홍주에게 힘써 천거하여 입계하게 했는데, 이홍주는 그가 반드시 패하리라는 것을 알았음에도 (김류의) 권세에 겁이 나 애써 따랐다.' 라고 한다(1637년 인조실록 인조 15년 9월 21일). 말하자면 김류는 국가 절체절명의 위기에서 자기 부인과 며느리, 손자 및 가노(家奴)와 재산을 안전하게 피신시킬 목적으로 권세를 이용, 능력도 안 되는 자기 자식을 천거하여 강화도 방어책임을 맡도록 했던 것이다. 영의정 김류가 난리를 피하려고 제 식솔과 재물을 챙기는 판에 그런 나라가 청의 침략에 대한 항전을 원활하게 수행하리라는 기대는 애초부터 할 수 없었는지 모른다.

유백증은 1637년 6월 21일자 상소에서 "김류가 …지난해(1636년) 가을, 겨울 이전에는 화친을 배척하는 논의가 매우 준열하여 '청국이라 쓰지 말아야 하고 신사(信使)를 보내서는 안 된다.'고까지 말하다가, 전하께서 특별히 '적이 깊이 들어오면 체찰사는 그 죄를 면할 수 없으리라.'는 분부를 내리신 이후로 화친하는 의논에 붙어 윤집(尹集) 등을 묶어 보내고 윤황(尹煌) 등의 죄를 논할 것을 주장했습니다. 자신이 장상(將相)을 도맡아 마침내 임금이 성을 나가게 하고도 자신의 잘못을 논열한 적이 한 번도 없었습니다. 당초 청인(淸人)이 동궁(東宮)을 내놓으라고 요구할 때에 김류가 곧 입대(入對)하여 따라가기를 바라더니, 막상 동궁이 북으로 떠날 때에는 감히 (자신이) 늙고 병들어 (수종하지 못한다고) 핑계했습니다. 동궁이 또한 이미 북으로 가고 나서는 김류가 질자(質子) 김경징(金慶徵)이 '어미의 복을 입고 있다.'고 (심양에 인질로 보내지 못하는 사유를) 그 이름 아래에 적었는데, 이 때문에 구굉(具宏)이 큰소리로 말하기를 '동궁의 작위(爵位)가 김경징에 못 미치는가. 중전의 초기(初朞)가 겨우 지났는데 김경징이 감히 어미의 상을 핑계하는가.' 하니, 김류의 낯과 목이 붉어졌습니다. 이러한 일들이 어리석은 데에서 나왔겠습니까, 방자한 데에서 나왔겠습니까?"라고 비난한 바 있다(1637년 인조실록 인조 15년 6월 21일).

문제는 김류만이 전쟁을 코앞에 두고 척화와 주화를 오락가락하며 제 식구를 국가보다 우위에 놓는 행태를 보인 것이 아니라는 데 있다. 충청수사 강진흔과 함께 출전하였으나 싸우는 척하다가 그대로 도주한 강화유수 장신(張紳)은 공조판서 장유(張維)의 아우이고, 부찰사 이민구는 병조판서 이성구(李聖求)의 아우, 종사관 홍명일(洪命一)은 좌의정 홍서봉(洪瑞鳳)의 아들로서 모두 전투보다는 피난 목적으로 강화도에 파견됐다고 보는 것이 옳을 것이다. 이런 사람들이 군무를 논하니 전쟁이 어떤 방향으로 흘렀을지는 굳이 따져볼 필요도 없을 것이다.

"남한산성에 갇힌 지 보름 정도 지난 1636년 12월 29일 김류는 북문 위에 앉아서 정예포수 300여 명을 내보냈다. 우리 군사는 하산을 꺼려했는데, 김류는 깃발을 휘두르며 진군하라고 명령했고 비장(裨將)을 시켜 진군하지 않는 자의 목을 베게 했다. 우리 군사들이 한 곳으로 모이자 적의 기병이 몰아쳐 순식간에 유린당했는데, 죽은 자가 거의 200명이고, 적의 사상자는 2명뿐이었다. 대체로 우리나라 장수는 진법에 몽매하고 성품마저 두려움과 겁이 많아 자기는 성에 머물러 있으면서 유독 군사들만 전쟁터에 나가게 했으므로 대오는 뒤죽박죽이었고, 진형도 갖추지 못하여… 죄다 섬멸되고 말았으니, 그 애통함을 이길 수가 있겠는가?"(『남한일기』, 남박)

위 기록과 같이 병법과 군사운용의 지식이 전혀 없는 문신 김류가 도체찰사가 되어 정예군졸을 사지로 몰아넣은 것은 물론 임금조차도 무조건 결전을 강요하기도 했다. "상이 김류를 불러 이르기를, '오늘 한 번 결전하라.'"라고 다그치기도 했지만, 김류가 어렵다는 뜻을 진달하여 지나가기도 했다(1636년 인조실록 인조 14년 12월 22일). 이들이 성에 들어간 것은 12월 14일이었으므로 대략 18일 정도가 지난 1637년 1월 1일에도 전황이나 외부 형세에 대해서 깜깜했다.

"…상이 대신(大臣)과 비국당상(備局堂上)을 인견(引見)했다. 상이 묻기를, '비변사낭청(備邊司郎廳)이 왔는데, 그가 말한 것은 어떠한가?' 하니, 김류(金瑬)가 아뢰기를, '신의 소견으로는 적(賊)의 정황이 궁해진 듯합니다. 무릇 적국(敵國)은 형세가 궁해지면 없는데도 있는 척하고 비었는데도 차 있는 척하는데, 이는 병가(兵家)에서 으레 있는 일입니다. 지금 그 말이 구구절절 과장되고 공갈 협박하는 말 아닌 것이 없으니, 두려워할 것이 없는 듯합니다.'라고 했다. …이홍주(李弘胄)가 아뢰기를, '한(汗)이 나왔다는 말 또한 과장된 말 아닌 것이 없습니다.' 하고, 홍서봉(洪瑞鳳)이 아뢰기를, '황산(黃傘)과 홍산(紅傘) 등의 물건이 있다고 들었는데, 이것도 모두 그 형세를 과장한 것이니, 만약 성을 포위하고서 사기(士氣)를 빼앗을 때 얻은 바가 있었다면 어찌 수급이나 사로잡은 관원으로 우리나라 사람들에게 과장하고 싶지 않았겠습니까?'…김류가 아뢰기를, '대(臺)에 올라 멀리 바라보니, 그들의 군진(軍陣) 역시 많지 않다고 합니다. 한이 과연 나왔다면 군대의 위용이 어찌 이처럼 소략하겠습니까?' 하고, 이경직이 아뢰기를 '신이 생각하건대, 한이 나왔다는 설은 요구의 층을 높이고자 하여 우리를 공갈하는 듯합니다.'"(1637년 승정원일기 인조 15년 1월 1일)

물론 남한산성에 포위된 상태에서 밖에서 돌아가는 형세에 대해서 잘 알기 어려운 점이 있기는 하지만 당시까지는 아직 외부와 완전히 연락이 두절된 것은 아니었다. 그 전날에도 강화도(江都)의 서리(書吏) 한여종(韓汝宗)이 장계를 가지고 들어와서 말을 전하기도 했으므로(1636년 인조실록 인조 14년 12월 30일), 스파이나 첩보활동에 관심이 있었다면 알 수 있었을 적정에 대한 기본정보도 없이 전쟁 수행을 책임진 국가 수뇌부가 막연한 추측만으로 전황을 논의하는 일은 없었을 것이다.

여기에 근왕병이라고 더 나은 점도 없었다. 그들의 행동은 아무리 좋게 평가해주려고 해도 납득할 수 없는 부분이 많았다. 다시 한 번 남박의 『남한일기(南漢日記)』에 의하면 당시의 장수와 군사들이 스스로 자기의 공을 내세우는 것이 대체로 모두 허풍이고 사실이 아니었다고 한다(위 책 158쪽). 충청병사(兵使) 이의배(李義培)는 경기도 광주에 들어가서는 전혀 싸우러 나갈 뜻이 없었고, 원주영장(營將) 권정길(權正吉)도 검단산에서 한 번 패한 뒤에는 진군하지 않았으며, 강원감사(監司) 조정호는 끝내 진격하지 않았으며, 전라병사 김준룡(金俊龍)은 수원 광교산(光教山)에 나가 일시적으로 꽤 전공이 있었으나 나중에 양식이 바닥나자 퇴진하고 말았다. 전라감사 이시방(李時昉)은 공주로 달아났고, 전라우수사(右水使) 성하종, 좌수사(左水使) 안몽윤(安蒙尹) 등은 수군을 거느리고 이르는 곳곳마다 지체하다가 임금이 항복했다는 소식을 접한 후에는 본진으로 돌아갔다. 함경감사 민성휘는 원수(元帥) 심기원의 진영에 들어갔지만 심기원이 전투에 뜻이 없어 결국 싸워보지도 못했다. 경상병사 허완(許完)은 우병사 민영과 함께 약 4만의 병력을 거느리고 12월 그믐날 경기 광주(廣州) 쌍령(雙嶺)고개에 이르렀는데 척후병을 미리 보내지 않아 막연하게라도 적의 동정을 알지 못한 상태에서 진을 쳤으나 부하의 건의를 무시하고 무리한 작전을 펴는 바람에 대패를 자초했다. 다만 평안감사 홍명구(洪命耉)는 병사 류림(柳琳)과 동시에 1월 27일 김화(金化)에 이르러 적과 결전하여 승리했으니 병자호란에 있어 조선군이 거둔 거의 유일한 승리였다(『남한일기』). 하지만 무엇보다 당시 양평, 가평 일대에는 도원수 김자점, 유도대장(留都大將) 심기원(沈器遠) 휘하의 병력이 약 1만 7천 명 정도 집결해 있었으나, 그들은 병자호란이 끝나는 날까지 한 발도 움직이지 않고 상황을 주시했을 뿐이다(『병자호란2』, 한명기).

이와 같이 적의 동태도 모르고 전황을 논하는 국왕, 척후도 세우지 않고 전진하는 장수와 병력의 전투배치에 대해 기본을 무시하는 지휘관, 그리고 협동작전이 필수적임에도 서로 전공을 차지하기 위해 독자적인 행동에 나서는 혼선과 오만, 싸우지 않고 관망만 했던 비겁과 무능, 도원수라는 자가 각지의 근왕병을 규합하여 통일된 지휘를 하려는 의지조차 없었던 것 등이 총체적으로 결합된 상태에서 조선군이 무력한 패배를 맛보게 된 것은 오히려 당연한 일이라 하겠다.

그렇지만 나는 조선의 군사적 대응이 무기력했던 것은 단지 부패와 무능 때문만은 아니라고 본다. 근왕병으로 근거지를 떠나 남한산성 인근에 진출한 지휘관들은 본능적으로 자신들의 군장과 군비가 청과 비교되지 않는다는 사실을 인지했다. 병사들은 여기저기 긁어모은 오합지졸이었고, 화약, 화포, 총기, 병기와 군량, 보급 등 장비도 부실한데다 부족했으며, 실전 경험 있는 유능한 중간 장교도 없어 군령과 작전지시의 정상적 수행이 어려웠다. 그런 자원으로 청의 정예 기마병과 정면 승부하는 것은 자살행위나 다름없었을 것이다. 요컨대 조선은 총체적 준비부족 상태였다. 그러므로 조선 장수들에게 단지 비겁과 용렬(庸劣)이라는 표식을 붙여 폄하하는 것은 잘못된 진단이라 본다.

호기로운 공론

그렇지만 이런 국면을 더 어렵게 만든 것은 대간이었다. 공식적인 반대세력이 존재할 수 없는 왕조국가에서 유일하게 비판적인 목소리를 낼 수 있었고, 이를 공론으로 포장할 수 있었기 때문에 대간의 지위는 특별하고 독특했다. 앞서 기술한 바와 같이 대간의 권위는 선조 대에 이미 대신의 그것에 필적하였고, 국왕과 정승이라도 그들의 언론을 무시할 수 없었다. 애초 인조가 병자호란을 코앞에 두고 후금 사신을 물리치고 단교를 선언하면서 결전 준비를 하유했던 것이나, 영의정 김류를 비롯한 비변사 당상이 척화와 주화를 오락가락했던 것도 대간의 압력 때문이었다. 그들은 사실상 척화로 의견통일이 돼 있었고, 이에 거슬러 화친을 주장하는 것은 정치적 자살에 버금가는 행동이었다. 이렇게 군사현실에 대한 냉정한 진단과 평가가 누락된 '무조건적 척화'의 공론이 완강했으므로, 조선은 아무런 준비도 없는 상태에서 전쟁으로 휩쓸려 들어갔다.

전쟁 발발 3개월 전인 1636년 9월 청에 간첩을 보내 적정을 탐지하자는 최명길을 오달제 등이 간신으로 몰아세운 것은 앞서 말한 바와 같고, 1636년 10월 홍문관에서는 "…아, 우리나라는 명나라와 명분이 본디 정해져 있으니, 신라와 고려가 당(唐)나라와 송(宋)나라를 섬긴 것과는 같지 않습니다. 임진년 난리에 명나라의 도움이 없었으면 나라를 회복할 수 없었으니, 군신과 상하가 지금까지 서로 보존하여 어육이 되지 않은 것은 누구의 힘입니까. 지금 비록 불행하여 큰 화가 당장 닥친다고 하더라도 오히려 죽음이 있을지언정 두 마음을 가져서는 아니 됩니다. 그렇지 않으면 앞으로 천하 후세에 무슨 할 말이 있겠습니까."라면서 죽더라도 화친해서는 안 된다고 주장한다.

심지어 침입 당일인 1636년 12월 6일 홍문관 교리 이시해(李時楷)와 홍문관 부수찬 이상형(李尙馨)은 "…대각의 논의가 그치기도 전에 서둘러 사신을 보낸 일은 실로 전고에 없었던 일입니다. 이는 대간을 무시한 것입니다. 대간이 없으면 언로(言路)가 없는 것이고, 언로가 없으면 조정이 없는 것입니다. …전하께서 대간을 경시하시니 재상이 대간을 경시하게 되고, 재상이 대간을 경시하니 사대부가 대간을 경시하게 되고, 사대부가 대간을 경시하니 이서(吏胥)나 하인들까지도 대간을 경시하게 되었습니다. 삼가 바라건대 성명께서는 …신사의 행차를 사람을 보내 정지시키시고 서서히 대의(臺議)가 완결되기를 기다리소서."(1636년 인조실록 인조 14년 12월 6일)라는 차자를 올려 대간의 결론을 기다리라고 다그친다.

이들의 기세는 청의 침입을 목전에 확인했어도 꺾이지 않는다. 인조가 황망히 남한산성에 들어간 것은 1636년 12월 14일이었고, 다음날인 15일 새벽 강화로 가려고 성을 나섰지만 왕이 내린 눈에 몇 차례 넘어지면서 몸이 성하지 못해 다시 성안으로 되돌아갔다(1636년 인조실록 인조 14년 12월 15일). 그리고 청의 선봉이 남한산성을 포위한 것은 그날 오후였다. 나중에 상술하겠지만, 인조의 거동에 시간을 벌어준 것은 최명길이었다. 그는 강화로 가는 길이 끊겼다는 소식을 확인한 뒤 대담하게도 단신으로 홍제원(지금의 홍은동, 홍제동)에 있는 적군에게 가서 강화를 청하면서 진격을 늦추었다. 그럼에도 척화론자의 태도는 완강했다. 예조 판서 김상헌(金尙憲)은 17일 왕을 청대(請對)하여 화의(和議)의 부당함을 극언하였고(1636년 인조실록 인조 14년 12월 17일), 18일 왕이 산성 남문에 거둥하여 백관을 교유(敎諭)할 때 전 참봉 심광수(沈光洙)가 땅에 엎드려, 한 사람을 목 베어 화의를 끊고 백성들에게 사과할 것을 청하였다. 왕이 하문하기를, "그 한 사람은 누구를 가리키는가?" 하니 대답하기를, "최명길입니다."라고 했다(1636년 인조실록 인조 14년 12월 18일). 제 아무리 국왕이라 하더라도 대응책 수립에 있어 이 같은 강경론을 무시하기 어려웠고, 그만큼 여건에 맞는 적절하고 적정한 방안을 도출할 가능성은 기대하기 힘들었다.

1637년 1월 2일 인조와 대신이 서로 울면서 인견한 자리에서, 이조판서 최명길과 좌의정 홍서봉이 굴욕을 참고 강화를 요청하자고 주장하자, 예조판서 김상헌은 "한 번 칸(汗)이 왔다는 소리를 듣고 먼저 겁을 내어 차마 말하지 못할 일(즉, 화친)을 강구하니 마음이 아프다."면서 반대했다(1637년 인조실록 인조 15년 1월 2일).

다음날인 3일에는 동양위(東陽尉) 신익성(申翊聖), 예문관 봉교(奉敎) 이지항(李之恒), 대교(待敎) 김홍욱(金弘郁) 등이 척화할 것을, 그 다음날인 4일에는 김상헌이 "사신을 보내지 말고, 호서(胡書)에 답하지 말며, 한 뜻으로 싸우자."고 주장했으며, 같은 날 사간원 사간 이명웅(李命雄), 홍문관 교리 윤집(尹集), 사간원 정언 김중일(金重鎰), 홍문관 수찬 이상형(李尙馨) 등이 청대(請對)하여 "오직 싸움만이 있을 뿐이니 …최명길의 죄를 다스려 군사들의 마음을 진정시키소서."라고 했다.

1월 9일에는 역시 김류, 홍서봉, 최명길 등이 화친을 위한 국서를 보내도록 인조의 허락을 받자, 김상헌이 독대하여 이를 반대했고,

대사간 김반(金槃), 사헌부 집의(執義) 채유후(蔡裕後), 교리 김익희(金益熙)가 청대하여 각기 사신을 파견해서는 안 된다는 뜻을 진달했다(1637년 인조실록 인조15년 1월 9일). 1월 11일에는 사헌부 지평(持平) 염우혁(廉友赫), 사간원 헌납(獻納) 김경여(金慶餘)가 아뢰기를, "신들이 일찍이 탑전(榻前)에서 사신을 파견하는 것은 크게 불가하다고 갖추어 진달했는데, …사신을 보내는 일을 속히 정지시키소서."라고 했다(1637년 인조실록 인조15년 1월 11일).

1월 18일 "최명길이 마침내 항복을 청하는 국서(國書)를 가지고 비국에 물러가 앉아 다시 수정을 가했는데, 예조판서 김상헌이 밖에서 들어와 그 글을 보고는 통곡하면서 찢어 버리고, 인하여 입대(入對)하기를 청해 아뢰기를, '명분이 일단 정해진 뒤에는 적이 반드시 우리에게 군신(君臣)의 의리를 요구할 것이니, 성을 나가는 일을 면하지 못할 것입니다. 그리고 한 번 성문을 나서게 되면 또한 북쪽으로 행차하게 되는 치욕을 면하기 어려울 것이니, 군신(羣臣)이 전하를 위하는 계책이 잘못되었습니다. …국서를 찢어 이미 사죄(死罪)를 범하였으니, 먼저 신을 주벌하고 다시 더 깊이 생각하소서.'라고 했다."(1637년 인조실록 인조 15년 1월 18일)

다음날인 1월19일 이조참판 정온(鄭蘊)은 차자를 올려 "…명나라에 대한 우리나라의 입장은 고려 말엽의 금(金)나라나 원(元)나라의 경우와 같지 않은데, 부자와 같은 은혜를 어찌 잊을 수 있겠으며 군신의 의리를 어떻게 배반할 수 있겠습니까. 하늘에는 두 개의 태양이 없는 법인데 최명길은 두 개의 태양을 만들려고 하며, 백성들에게는 두 임금이 없는데 최명길은 두 임금을 만들려 한다."면서 일단 "신(臣)이라 일컫고 항복하면 (왕의 지위도) 온전히 보전할 수 있다."고 여기지만, "이것은 부녀자들이나 소인의 충성밖에 되지 않는 것"인데, "천하의 국가가 길이 계속되기만 하고 망하지 않은 경우가 어디에 있습니까. 무릎을 꿇고 망하기보다는 차라리 정도(正道)를 지키며 사직을 위하여 죽는 것이 낫다."고 주장하며, "최명길을 수판으로 후려치고 싶다."고 극언한다.

그런데 이 당시 전황은 어떠했을까. 이미 1월 1일에는 청나라 한(汗)이 모든 군사를 모아 탄천(炭川)에 진을 쳤는데 30만 명이라고 들었으며(1637년 인조실록 인조15년 1월 1일), 전라병사(1월 5일)와 강원감사, 함경감사(1월 6일) 등 근왕병이 구원하러 왔으나 모두 청군에 패하여 흩어졌고, 1월 8일에는 원래 6천여 석(石)이던 군량이 현재 2천 8백여 석이 남았다는 사실을 확인했다. 1636년 12월 15일에 6000석이던 군량이 1637년 1월 8일에 2800석 남았으므로, 24일간 3200석, 하루 평균 130석씩 소모한 셈이고 1월 8일을 기준으로 약 21일간 버틸 수 있는 양이었다. 인조가 성을 나간 것이 1월 9일부터 22일이 지난 1월 30일이었으므로 결국 성안에는 더 이상 버틸 수 있는 식량이 남아 있지 않았을 것이다.

1월 14일에는 날씨가 매우 추워 성 위에 있던 군졸 가운데 얼어 죽은 자가 나왔으며, 1월 15일에는 도원수 심기원이 장계를 보내, 구원병들이 대부분 패했다고 전했다. 1월 19일부터는 청이 성 안에 대포를 쏘아 성곽이 부서지고 맞아 사상자가 다수 발생했고, 특히 1월 25일에는 대포 소리가 종일 그치지 않았는데, 성첩(城堞)이 탄환에 맞아 모두 허물어졌으므로 군사들의 마음이 흉흉하고 두려워했다. 드디어 1월 26일에는 강도함락 소식이 전해졌다.

이에 훈련도감의 장졸 및 어영청의 군병이 성 위에서 서로 인솔하여 와서 대궐문 밖에 모여 화친을 배척한 신하를 오랑캐 진영에 보낼 것을 청했다.

"(병사들이)…이렇게 협박하는 변고를 일으키자, 사람들이 모두 위태롭게 여기면서 두려워했다." 이를 진정시키라는 인조의 말에 김류도 "군정이 이미 동요되어 물러가도록 타일렀으나 따르지 않습니다. 저들은 부모와 처자가 모두 살육을 당했으므로 화친을 배척한 사람을 보기를 원수처럼 여겨 이런 지경에까지 이르렀으니 진정시키기가 참으로 어렵습니다. 오직 그 뜻을 따르도록 힘쓰는 것이 마땅합니다(인조 15년 1월 26일)."라고 보고할 뿐이었다.

이런 처지에서도 같은 26일 삼사가 청대하여 인조에게 성을 나가지 말 것을 아뢰었지만, 상황은 이미 돌이킬 수 없는 지경에 가 있었다. 인조는 1월 30일 청의 요구대로 성을 나가 삼배구고두의 예를 행하고 항복한다.

공론과 인지부조화

척화파의 주장이 공허하게 들리는 이유는 무엇일까. '무릎을 꿇고 망하기보다는 사직을 위하여 죽는 게 낫다.'는 결기가 가슴 뭉클하게 다가오지 않고 냉소를 불러오는 까닭은 무엇일까. 그것은 그들이 내걸었던 대의명분이 공감을 불러오지 못하기 때문이다. 그들이 목숨을 바치려 했던 상대는 조선과 조선국왕이 아니었다. 그들의 충성 대상은 명과 명 황제였고, 오랑캐 추장을 황제로 섬기려고 항복하기보다는 차라리 죽는 것이 나았다.

정온은 주화파가 '두 개의 태양을 만들려고 하며, 백성들에게는 두 임금이 없는데 두 임금을 만들려 한다.'고 비난했다. 이때 두 임금은 명 황제와 청 황제를 말하지 조선의 국왕을 지칭하는 것이 아니었다. 조선국왕은 안중에 없었다. 정온은 또 명나라에 대한 우리나라의 입장은 고려 말엽의 금(金)나라나 원(元)나라의 경우와 같지 않은데, 부자와 같은 은혜를 어찌 잊을 수 있겠으며 군신의 의리를 어떻게 배반할 수 있겠냐고 반문한다. 물론 이때의 군은 명 황제를 말하고 신은 조선국왕과 정온을 말한다. 결과적으로 정온이 충을 바칠 주군은 명 황제가 되는 것이다. 조선국왕은 명 황제에 대해 자신과 똑같이 신하의 입장에 서 있을 뿐이므로, 신하가 신하를 주군으로 섬길 의무는 없게 된다. 여기서도 조선국왕은 충성의 투사대상이 아니었다. 청 황제에게 신이라 일컫고 자리를 보전해 봐야, 이

것은 진정한 충과는 거리가 멀어 부녀자나 소인배의 충(忠)밖에 될 수 없는 연유였다. 그렇기 때문에 사직이 깨지더라도 항복할 수 없다는 발언이 나온 것이다.

그들에게 "범려(范蠡, 월왕 구천을 도와 오왕 부차를 멸한 신하)와 대부종(大夫種, 범려와 함께 구천을 섬겼음)이 그 임금을 위하여 원수인 적에게 화친하기를 빌었으니, 국가가 보존된 뒤에야 바야흐로 와신상담(臥薪嘗膽)도 할 수 있는 것입니다."(1637년 인조실록 인조 15년 1월 2일)라거나 "…인군(人君)과 필부는 같지 않으니 진실로 어떻게든 보존될 수만 있다면 최후의 방법이라도 쓰지 않을 수가 없습니다."(1637년 인조실록 인조 15년 1월 16일)라는 최명길의 호소가 귀에 들어올 리 없었다. 국가가 보전된 뒤에야 후일을 도모할 수 있고, 복수도 할 수 있는 것은 당연한 이치지만, 그 국가가 춘추대의를 저버렸다면 요행히 보존된다 해도 와신상담이 (도덕적으로) 아무런 의미가 없게 된다는 것이 척화파의 논리였다. 말하자면 '어떤 나라도 길이 보전되는 경우는 없으니, 어차피 망할 것이라면 떳떳하게 망하는 것이 낫다.'는 것이다. 그러나 패망은 패망이지 거기에 떳떳한 패망과 비굴한 패망의 구별이 있을 수 없다. 패멸하여 소멸한 국가에는 해명과 반격의 기회가 없기 때문이다.

조선 공론의 담지자임을 자임한 척화파는 자신의 편향성과 굴절성을 인지하지 못했다. 어느 사회나 지배계급의 사상이 그 사회의 지배적인 사상이지만, 현실과 유리되어 역사와 실재에 대한 왜곡된 이해로 전락할 때, 그것은 허위의식, 이데올로기에 지나지 않게 된다. 원래 유학은 의(義) 혹은 의리(義理) 관념을 중시하여, "군자는 천하의 일에 대하여 오로지 주장하는 것도 없고, 그저 안 된다고 하는 것도 없다. 오직 의를 따를 뿐이다(子曰, 君子之於天下也, 無適也, 無

莫也, 義之與比. -『논어』 이인편)."라고 했고, 공자는 역사속의 의리를 밝히기 위해 스스로 노나라의 역사서인 춘추(春秋)를 저술하였다.

유학의 의리론은 주자학에 들어와 국가의 위기나 중대한 이념적 가치가 침해당할 때 자신의 신념과 의리를 지키기 위해 생명을 바치는 절의론(節義論)으로 발전하였으며 이를 정통문명인 중화(中華)와 오랑캐인 이적(夷狄)을 분별하는 것에 적용한 화이론(華夷論)으로 확대 전개됐다. 주희가 화이론을 개진한 것은 금의 침략에 당면한 남송의 신민(臣民) 입장에서 의리론을 변형시킨 것이라 할 수 있다. 말하자면 가치체계를 문화와 야만으로 구분하여 의리론적 시각에서 문명을 존중하고 야만성을 비판한 것이다.

그런데 중화와 이적의 구분이 현실의 한족(漢族)과 만주족(滿洲族)을 나누는 것에 그친다면 절의론이 표방한 일층 높은 가치가 상실되는 것이다. 공자는 오히려 분연히 동쪽 오랑캐 땅으로 가서 살고자 했다. 어떤 사람이 "(그곳은) 누추할 텐데 어떻게 하시겠습니까?" 하고 묻자, 공자가 말하기를 "군자가 거기에 산다면 어찌 누추함이 있겠느냐?"고 하였다(子欲居九夷. 或曰 陋, 如之何. 子曰 君子居之 何陋之有『논어』 자한편). 즉 중화와 이적의 구분은 인류의 보편적 가치, 즉 문명과 야만이지, 한족(漢族)과 이민족이 아니라는 점을 분명히 한 것이다. 청이 만주족이 세운 나라라는 이유만으로 중화가 될 수 없다고 단정한다면 이는 나중 시기에 나타날 조선중화사상과도 배치되는 것이다. 조선인이 한족이 아닌 이상 조선중화라는 말 자체가 성립될 수 없기 때문이다.

한편 조선중화론은 청의 옹정제가 대의각미록(大義覺迷錄)에서 중화의 정통은 출신 성분이 아니라 사이(四夷)를 복속시키고 대일통(大一統)을 구축했느냐의 여부로 결정해야 한다고 주장한 것과 같은 논거에 기초한 것이므로, 결국 당시 조선 식자층이 신봉한 의리론은 나중의 조선중화론의 성과에도 도달하지 못한 채 현실의 한족과 만주족을 그대로 문명과 이적의 구분에 대입한 고루하고 고식적인 수준에 머물러 있었다고 보아야 할 것이다.

그들에게 청의 역동성과 포용성, 진취성 그리고 명의 정체성과 부패상과 혼돈성은 보이지 않았다. 명이 아무리 말기적 증세에 시달리고 있었어도 단지 한족이 세운 나라라는 이유만으로 중화 자격이 충분했고, 청이 아무리 진보적이어도 그 주체가 만주족이었기 때문에 이적, 오랑캐에 지나지 않았다.

그러나 척화파의 의리론이 단지 명 황제에 대한 의리에 그친다면 그것은 정말 의리라는 말에 버금가는 의리라 평가될 수 있는 것일까. 나중에 조선 사대부들은 척화파들을 강상(綱常)과 절의를 지킨 인물로 추앙했지만, 저 멀리 타국에 떨어져 있는 황제보다 제 눈앞의 백성, 무고한 민초들을 어육(魚肉)으로 만들고, 수많은 생령(生靈)들을 외침에 짓밟히게 하고, 죄 없는 양민들을 포로로 끌려가게 만든 것이 의리에 합당한 것인지 묻지 않을 수 없다.

이는 공자가 관중(管仲)에 대해 검소하지도 않고 예의도 모른다고 비난하면서도, 자공이 관중은 인(仁)한 사람이 아닐 것이라는 물음에 대해, "관중이 환공의 재상이 되어, 제후들의 패자가 되게 하였고, 천하를 크게 바로잡아, 백성들이 지금껏 그 혜택을 받고 있다. 관중이 없었다면 지금 우리는 머리를 풀어헤치고 옷섶을 왼편으로 여미는 야만인이 됐을 것이다. 무식한 남녀가 작은 신의를 지킨다고 도랑이나 개천에서 목을 매어 죽어, 아무도 그를 알지 못하게 하는 것과 같은 짓을 관중이 어찌하겠느냐?(管仲非仁者與 桓公殺公子糾 不能死 又相之 子日 管仲相桓公覇諸侯 一匡天下 民到于今 受其賜 微管仲 吾其被髮

左衽矣 豈若匹婦之爲諒也 自經於溝瀆而莫之知也『논어』 헌문편)"라고 답한 것과도 상치되는 것이다.

공자는 위정자로서 청렴하고 예절에 투철한 것은 작은 의리고, 나라를 존속시키고 백성의 고통을 줄이며 편안히 살게 하는 것이 큰 의리라는 것을 강조한 것이다. 백성의 안녕을 신장하고, 질곡과 신산을 면하게 하는 것보다 더 중요한 의리는 없다는 사실을 망각한 척화파의 의리론은 바로 허위의식, 이데올로기에 다름 아니었다.

드러난 항전의사의 실상

문제는 의식구조만이 아니었다. 비유하자면 색안경 낀 눈에 세상이 제 색(色)으로 보일 리 없는 것처럼 현실 파악도 실상과 동떨어져 있기는 마찬가지였다. 우선 척화파가 죽기를 각오하고 싸우자는 말은 자신들이 직접 싸우겠다는 의미가 아니었다. 김류가 남한산성 북문 망루에 앉아 출병을 꺼리는 정예 포수들의 목을 베는 것으로 진격을 독려한 것처럼, 싸움은 병사들의 몫이었지 자신들의 의무가 아니었다. 그들의 무기는 세 치 혀와 붓 그리고 흰 손(白手)이었다. 오죽하면 1637년 1월 26일 군졸들이 척화신을 청에 보낼 것을 주장하며 시위를 벌였을까. 그들을 배후에서 사주한 주체는 다름 아닌 신경진(申景禛), 구굉(具宏), 구인후(具仁垕), 홍진도(洪振道) 등 고위(高位) 무장이었다. 그들의 입장에서 보면 아무 대책 없이 병사를 사지에 몰아넣으려는 척화신이 곱게 보이지 않았을 것이다. 조선 사대부의 굴절된 항전 의사는 도처에서 나타난다.

심집(沈諿)이라는 인물이 있다. 인조가 남한산성에 들어온 날, 단신으로 청의 진영을 다녀온 최명길이 가져온 화의조건은 간단했다. 적이 왕제(王弟) 및 대신을 인질로 삼기를 요구한다는 것이다.

이에 조정은 종친인 능봉군(綾峯君) 이칭(李偁)을 왕의 아우라 칭하고, 형조판서 심집을 정승 직함으로 가칭(假稱)하여 보낼 것을 결의했다. 그러나 1627년 정묘년에 이미 조선은 종실인 원창군 이구(李

玖)를 왕의 동생으로 속여 인질로 보낸 사실이 있고, 청은 자신들을 기망하였다는 점을 병자호란의 구실의 하나로 삼았기 때문에 안이한 대응이었다.

그런데 더 어이없는 일은 다음날 벌어졌다. 12월 16일 이칭과 심집은 청의 진영으로 갔다. 신분의 진위를 묻는 적장의 위세에 이칭은 자신이 왕제라고 강변했지만, 겁먹은 심집은 자신과 이칭이 모두 가짜라고 실토했다. "나는 평소 말을 신실하게 했으니 오랑캐라고 해서 속일 수 없다."는 이유였다. 당시 청 진영에는 사신으로 갔다가 억류됐던 박난영이 머물러 있었다. 적장은 박난영에게 물었다. 박난영은 틀림없는 왕제와 대신이라고 확언했지만, 결국 적장은 사실을 파악한 뒤 화가 나서 박난영을 그 자리에서 목 베었다. 박난영은 무장으로 1619년(광해군 11년) 사르허 전투 때 강홍립(姜弘立)을 따라 후금 정벌에 출전, 포로가 됐다. 1627년(인조 5년) 정묘호란 때 후금 군의 길잡이로 함께 들어왔다가 석방된 뒤 여러 번 심양(瀋陽)을 왕래하며 양국의 조율에 힘썼던 베테랑 외교관이자 역관이었다. 따라서 그가 살해된 것은 조선의 손실이었다. 격분한 청은 "세자를 보내온 뒤에야 강화를 의논할 수 있을 것이다."(1637년 인조실록 인조14년 12월 16일)라며 강화조건을 대폭 강화했다.

만약 이때 강화가 성립됐다면 삼전도보다는 나은 조건에서 전쟁이 마무리될 수도 있었다. 심집은 그 후 배척을 받아 문외 출송되었다가 1638년 예조판서에 임명되기도 했다. 심집은 평소 그의 말대로 모든 행동을 신실하게 했다면 적진에 가기 전에 자신에게 주어진 직무-인질의 신분을 속이는 일을 감당하지 않겠다는 의사를 분명히 했어야 했다. 그의 처사는 당시 67세라는 나이와 한 나라의 형조판서였다는 직책, 사명의 중요성을 감안하면 쉽게 양해되기 어려운 것이다. 이런 인물을 보낸 조정이나, 당사자 본인이나, 전후 다시 그를 예조판서로 기용한 임금이나 누구의 역량과 수준이 나은지 가늠할 수 없을 정도다.

우리는 당시 남한산성의 주된 언론은 척화론이었다는 사실을 알고 있다. 현실의 엄중함을 깨달은 소수 중신들 이외에 거의 모든 관원이 포탄이 떨어지고 성벽이 깨지는 상황에서도 척화를 외쳤던 것은 기술한 대로다. 그런데 청은 강화조건으로 "지금 만일 성에서 나오려거든 먼저 앞장서서 화친을 배척한 자를 잡아 보내라."고 요구했고(1637년 인조실록 인조 15년 1월 20일), 김류는 "화친을 배척한 사람을 붙잡아 보내야 할 텐데, …지난봄에 논주(論奏)한 자와 그 뒤로 준론(峻論)한 자 …이번에 자수한 자 외에도 지난봄에 그 일을 말한 사람이 한두 사람뿐만이 아닐 뿐더러 그 경중(輕重)도 모르는 판인데, 또 어떻게 취사선택할 수 있겠습니까. 신들의 생각으로는 그 당시의 삼사 및 오늘날 자수한 자를 아울러 잡아 보내면 저들이 반드시 숫자가 많은 것을 기뻐하리라 여겨집니다."(1637년 인조 15년 1월 28일)라고 했다. 묶어 보낼 대상자로 김상헌, 정온, 윤황(尹煌), 윤문거(尹文擧), 오달제, 윤집, 김수익(金壽翼) 김익희(金益熙), 정뇌경(鄭雷卿), 이행우(李行遇), 홍탁(洪琢) 등이 거명되었지만(『병자호란2』, 한명기), 결국 오달제와 윤집 두 사람과 평양에 있던 홍익한을 보내는 것으로 결정이 났다.

당시 52세로 사헌부 장령이었던 홍익한(극단적인 척화로 병자호란 직전 평양서윤으로 좌천)을 제외하고, 오달제는 당시 32세, 홍문관 교리였고, 윤집은 29세, 홍문관 수찬이었다. 이들이 희생양이 된 것은 물론 화친을 반대하면서 구사한 극렬한 언사 때문이었지만, 당시 조정에는 그들에 뒤지지 않는 강경파가 즐비했다. 외교의 수장 예조판서 김상헌, 이조참판 정온, 사간원 사간 윤황, 사간원 사간 조경(趙絅) 등이다.

나는 작성중인 항복문서를 찢어버린 김상헌이나 주판으로 최명길을 후려치고 싶다던 정온, 정묘호란 때부터 줄기차게 사신의 목을 베고 결전에 나설 것을 주장한 윤황, 언제나 청에 대해 극도의 적개심을 들어냈던 절대적 비(非)타협파 조경 등이 솔선하여 나섰더라면 여러 가지로 아름다운 결말이었을 것이라고 생각한다.

그러나 그들은 직책이 높고, 나이가 많다는 이유로 뒤로 숨었다. 오달제, 윤집은 지위도 낮았고 젊기에 의기만 충천했다. 홍익한과 함께 심양에 끌려가 이슬로 사라진 그들의 의연함은 나중에 송시열의 삼학사전(三學士傳)을 통해 전해지고, 현대에도 이들을 조선 사대부의 기개와 지조를 지킨 사례로 칭송하는 사람도 있지만(『병자호란시 언관의 위상과 활동—삼학사에 대한 재평가』, 정옥자, 한국문화), 그들을 회유하려는 홍타이지에게 '명 황제 외에 다른 황제를 섬길 수 없다면서 죽여줄 것을 자초하였다.'는 기술 부분에 이르면 기분이 석연치 않은 것이 사실이다.

그러나 김상헌과 정온이 그냥 물러서기만 했던 것은 아니다. 인조가 성을 나가 항복하기로 방침이 정해진 1637년 1월 28일 정온은 절명시를 읊고 "…차고 있던 칼을 빼어 스스로 배를 찔렀는데, 중상만 입고 죽지는 않았다. 예조판서 김상헌도 여러 날 동안 음식을 끊고 있다가 이때에 이르러 스스로 목을 매었는데, 자손들이 구조하여 죽지 않았다."(1637년 인조실록 인조 15년 1월 28일) 이날을 기록한 사관은 다음과 같이 적었다. "사신은 논한다. 강상(綱常)과 절의(節義)가 이 두 사람 덕분에 일으켜 세워졌다. 그런데 이를 꺼린 자들은 임금을 버리고 나라를 배반했다고 지목했으니, 어찌 하늘이 내려다보지 않겠는가."

구한말 충정공 민영환은 1905년 을사조약에 임해 집에서 단도로 목을 찔러 자결했고, 매천 황현은 1910년 경술국치를 당하여 음독 자살했다. 면암 최익현은 을사조약에 항거하여 74세의 노구를 이끌고 항일의병을 일으켰다가 붙잡혀 대마도의 감옥에서 음식을 거부하고 순절했다. 정온은 자살 시도 후 3일 뒤인 1월 30일 인조에게 항복의식에 임금을 따라가지 못하니 체직시켜 달라는 차자를 올릴 정도로 의식이 또렷했고(1637년 인조실록 인조 15년 1월 30일), 김상헌은 위의 기사나 그의 졸기에 적힌 대로 "스스로 목을 매었는데 옆에 있던 사람이 구하여 죽지 않았다(1652년 효종실록 효종 3년 6월 25일). 그뿐만 아니라, 그는 나중에 기술한 바와 같이 관작도 받지 않고 청의 연호도 쓰지 않는다는 이유로, 반청파의 수괴로 지목돼 1640년부터 1645년까지 심양과 의주에서 6년이나 보냈지만, 단식했던 최익현과는 다른 길을 택했고, 83세까지 장수하면서 국가의 대로(大老)로 모든 사대부의 존경을 흠뻑 받았다.

그들의 자결 실패를 비난하는 것은 지나치게 가혹한 평가일지 모른다. 그러나 그들은 조선의 판서와 참판으로 난을 불러들인 정치적 책임을 부정할 수 없는 위치에 있었다. 그들과 강화도 함락 시 화약 궤짝에 불을 질러 스스로 폭사한 김상헌의 친형 김상용(金尙鎔)이나 그 외에 자결한 우승지 홍명형(洪命亨), 전 공조판서 이상길(李尙吉) 등 수많은 사람과 청에 피살된 셀 수 없는 생령, 그들의 유린을 피해 자결한 부녀자들(이 중 윤황의 아들 윤선거가 강화도에서 부인 이씨와 함께 순절하기로 약속해 놓고, 부인은 "청군에게 몸을 더럽힐 수 없다."면서 목을 맸는데, 본인 윤선거는 난리 통에 부친의 생사를 확인하지 못한 상태에서는 죽지 못한다는 이유로 살아남았다. 이것이 나중에 윤선거의 아들 윤증과 송시열 사이에 회니시비(懷尼是非)로 이어진다. 이에 대해서는 6장 참조), 한겨울에 맨발로 끌려간 수십만 포로들을 생각하면, 그들의 격렬하고 준엄했던 언론과 차라리 죽음보다 못 하다는 항복 이후 그들의 행적에는 불균형이 존재하는 것이 사실이며, 이를 강상과 절의의 표본으로 높인 조선 사대부의 일그러진 정신세계를 이보다 더 선명하게 드러내는 사례는 없다고 본다.

삼전도비

문제는 이런 왜곡과 변형이 여기서 끝나는 것이 아니라는 점이다. 청은 강화조건으로 삼전도에 전쟁 경과와 청이 조선을 제압한 사실을 천하에 알리는 비석을 세울 것을 요구했다. 소위 삼전도비(三田渡碑), 정식명칭은 대청황제공덕비(大清皇帝功德碑)다. 조정은 1637년 6월부터 청의 감독 아래 공사를 시작했다. 기단 층계 위에 채각(彩閣)을 짓고 가운데 비를 세우고 담장을 두르게 했다. 한편 문장으로 이름난 장유(張維), 이경전(李慶全), 조희일(趙希逸), 이경석(李景奭)에게 명하여 삼전도비(三田渡碑)의 글을 짓게 했다.

실록에 따르면 "장유 등이 모두 상소하여 사양했으나, 상이 따르지 않았다. 세 신하가 마지못하여 다 지어 바쳤는데, 조희일은 고의로 글을 거칠게 만들어 채용되지 않기를 바랐고, 이경전은 병 때문에 짓지 못했으므로, 마침내 이경석의 글을 썼다."(1637년 인조실록 인조 15년 11월 25일) 이와 같이 형조판서 이경전은 병을 핑계대면서 아예 궁궐에 들어오지 않았고, 조희일은 일부러 글을 엉터리로 작성했으므로, 결국 장유와 이경석이 지은 삼전도 비문을 청나라에 보냈다. 조선에서 보낸 비문을 검토한 범문정(范文程, 한인으로 누르하치에 복속한 청의 개국공신)은 '장유의 글은 인용한 것이 부적절하고, 이경석이 쓴 글은 쓸 만하나 중간에 넣을 말이 있으니 조선에서 고쳐 쓰라.'고 돌려보냈다. 장유는 택당(澤堂) 이식(李植), 상촌(象村) 신흠(申欽), 월사(月沙) 이정구(李廷龜)와 더불어 조선중기 4대 문장가로 꼽힐 만큼 문명을 날린 사람이므로, 조희일과 같이 고의로 거칠게 작성했을 가능성을 배제하지 못한다.

이에 인조는 이경석을 불러 "저들이 이 비문으로 우리의 향배를 시험하려 드니 우리나라의 존망이 여기에 달렸다. 월나라 구천(句踐)은 회계산에서 오나라의 신첩(臣妾) 노릇을 했지만 끝내는 오나라를 멸망시키는 공을 이루었다. 훗날 나라가 일어서는 것은 오직 내게 있는데 오늘 할 일은 다만 문자로서 그들의 마음을 맞추어 사세가 더욱 격화되지 않도록 하는 것이다."(『연려실기술』)라고 당부했다. 결국 가장 연소했던 이경석이 일을 떠맡게 되었던 것이다.

이경석은 비문 찬술을 이유로 송시열과 그 제자들로부터 수많은 수모와 공격을 당했다. 이경석은 후일 재상으로 있으면서 효종을 보필할 인물로 송시열을 적극 추천하여 현달하게 만들었지만, 송시열은 화이론(華夷論)적 관점에서 조정의 공론을 이끌면서 노골적으로 삼전도 비문 찬술에 대한 시비를 일으켰다. 송시열은 "당시 부득이하게 궁지에 몰렸더라도 다른 방도를 찾았어야" 했고, 이경석이 "실로 터럭만큼이라도 사람의 성품이 있지 않기 때문에 청의 환심을 사기 위해 비문을 작성한 것"이라고 공격했다. 보다 못해 송준길(宋浚吉)조차 이런 터무니없는 비난이 해탄(駭歎, 놀랍고 탄식함)스럽다는 말을 한 적이 있었다. 뒤에 송시열의 문인 신유(申愈)가 이 말을 가지고 송준길을 헐뜯으니, 송준길 문하에서는 신유를 사문난적(斯文亂賊)으로 몰아 싸움이 벌어진 일이 있다(寒水齋先生文集 卷6 答鄭景由 ;『승정원일기』).

이경석은 현종 12년(1671년)에 사망했는데, 숙종 28년(1702년) 서계(西溪) 박세당(朴世堂)이 이경석의 신도비를 썼다. 그러나 박세당은 이경석이 삼전도 비문을 찬술한 것은 국가의 위기가 격화되지 않도록 행동한 것이라면서 옹호하며 송시열을 비판했고, 이 글이 문제가 돼 당시 정권을 장악한 노론으로부터 사문난적으로 몰려 삭탈관직 당했다(『17세기 관료학자 이경석의 현실인식과 정치활동』, 전다혜, 건대 석사논문). 이덕일에 의하면 박세당이 쓴 이경석의 신도비는 50여 년 뒤 영조 30년(1754년)에야 이광사(李匡師)의 글씨를 받아 겨우 세워졌으나 송시열을 따르는 노론은 이 신도비를 갈아서 없애 버렸다고 한다(『시원하게 나를 죽여라』, 이덕일, 한겨레출판사).

누가 보더라도 이경석의 비문 찬술은 선악, 정당과 부당성 여부를 판단할 대상이 아니다. 인조 말대로 멀리 복수를 도모하기 위해 당장의 굴욕을 참는 일이었고, 이경석도 원해서 한 일이 아니기 때문이다. 그렇기 때문에 송시열이 이를 이경석 개인의 과오로 몰아간 사건은 반드시 짚고 넘어가야만 한다. 송시열은 이경석이 터럭만큼도 사람의 성품이 없기 때문에 청의 환심을 사기 위해 비문을 작성했다고 했다. 하지만 위에서 말한 대로 1637년 이경석은 42세로 찬술을 명받은 문장가 중 가장 나이가 어렸기 때문에 일을 맡게 된 것이다. 당시 송시열은 30세의 약관이었고, 미안하게도 그의 문장은 남의 인정을 받은 적이 없다. 나는 송시열도 이경석의 불가피성을 모르지 않았을 것으로 본다. 다만 그의 북벌론, 화이론을 입론하기 위해 모든 방해요소를 악으로 몰고 간 것이나, 자신이 그 자리에 없었다는 이유만으로 비난하는 것은 비겁하다고 본다. 당시 조선에서 글을 하는 사람이면 누구라도 이경석이 될 수 있었고, 송시열도 예외가 아니었다.

나는 줄곧 치욕의 역사는 치욕을 치욕으로 받아들일 수 있는 사람에게만 치욕이라고 주장했다. 송시열이 포착한 치욕은 국가의 허약과 나라를 그렇게 만든 위정자의 무능이 아니라, 함께 찬술의 명을 받은 다른 사람처럼 질병 혹은 고의적으로 거칠게 작성할 수 있었음에도 청나라의 칭찬을 바랐던 문명(文名)에 대한 얄팍한 욕심이었다.

송시열은 효종, 현종, 숙종 대에 걸쳐 막강한 정치적 영향력을 행사하고 조선중화론의 골간을 세워 조선후기의 사상적, 철학적 담론을 주도했던 인물이다. 그가 이끌어간 나라가 어떤 모습으로 나타났는지는 우리가 아는 대로다. 조선중화론은 중화론의 주체를 한족(漢族)-중국인으로 한정한다면 조선중화라는 말 자체가 성립되기 어렵고, 누구든 문명의 정화를 대변하는 자로 본다면 조선중화론과 청중화론의 우열을 구별할 기준이 없다는 점에서 논리적 정합성과 자기완결성이 결여된 자폐적 병리적 의론이다. 강희에서 건륭에 걸치는 청의 안정기를 맞이하여 조선도 영·정조의 안정기를 갖기는 했으나, 그 같은 작은 평화-소강(小康)은 세계사의 흐름에서 멀어져 간 아픔의 시간에 불과했다.

포로와 속환(贖還)

그렇지만 삼배구고두로 모든 것이 끝난 것은 아니었다. 왕이 머리를 풀고 항복한 것은 작은 수치에 지나지 않았다. 인조는 청태종의 허락을 받고 환궁하기 위해 소파진(所波津)을 경유하여 배를 타고 건넜다. 당시 진졸(津卒)은 거의 모두 죽고 빈 배 두 척만 있었는데, 백관들이 다투어 건너려고 어의(御衣)를 잡아당기기까지 하면서 배에 오르기도 하였다. 백성들은 '우리 임금이시여, 우리 임금이시여. 우리를 버리고 가십니까.' 하였는데, 길을 끼고 울며 부르짖는 자가 만 명을 헤아렸다(1637년 인조실록 인조 15년 1월 30일). 한양은 처참했다. 여염(閭閻)이 대부분 불타고 넘어져 죽은 시체가 길거리에 이리저리 널려 있었다(1637년 인조실록 인조 15년 2월 1일). 조선은 당장 전후 복구가 필요했다.

그러나 조선의 대응은 느리고 무뎠다. 우선 청군이 장기간 주둔했던 남한산성 주변의 광주, 용인, 이천, 양주 등 경기, 서울 지역의 피해가 엄청나 필요한 인적 물적 자원을 동원할 방법이 없었다. 청은 수많은 포로를 끌고 갔다. 조선의 무관심으로 인해 이들 피로인(被虜人)들의 참상을 묘사한 자료는 부족하지만, 한겨울에 도보로 끌려간 그 고통은 굳이 적시할 필요도 없을 것이다. 청은 일찍부터 부족한 노동력, 군인의 숫자를 메우기 위해 점령지마다 많은 포로를 끌고 갔으며, 정묘호란 때도 예외가 아니었다.

최명길은 문집(『遲川集』, 지천은 그의 호)에서 피로인의 숫자를 50만 명이라고 했고, 나만갑은 『병자록(丙子錄)』에 "심양에서 속환된 사람이 60만인데 몽고 군대에 포로가 된 자는 포함되지 않았다 하니 그 수가 얼마나 되는지 알 수 있다."고 썼다. 소현세자 인질 시기의 기록인 『심양장계(瀋陽狀啓)』는 '이번에 포로가 된 남녀들이 산과 들에 이어가고 있고, 가는 길이 쉽지 않아서 하루에 3~40리밖에 갈 수 없습니다.'라고 기록했다. 청은 포로가 압록강(鴨綠江)을 건너서 일단 청의 영역에 들어섰다가 도망해오면 잡아서 청으로 돌려보내고, 그의 귀환을 원하는 경우 돈을 내고 데려갈 수 있도록 했다. 소위 속환(贖還)이다. 한명기에 의하면, 속환가(贖還價)는 남자 한 사람당은 5냥, 여자는 3냥 정도였고, 아무리 높아도 10냥을 넘지 않았다(『병자호란2』). 그런데 좌의정 이성구(李聖求), 부사 회은군(懷恩君) 이덕인(李德仁), 서장관 채유후 등이 사은표(謝恩表)를 가지고 심양(瀋陽)으로 간 1637년 5월 이후 상황이 달라졌다. 이성구는 자신의 아들을 1,500냥이나 주고 속환했다(1637년 인조실록 인조 15년 7월 7일). 『병자록』에도 김류가 자신의 서녀(庶女)의 속환을 위해 천금을 썼는데, 사람의 값이 터무니없이 오르게 된 것은 모두 김류의 이 한 마디 때문이었다고 비난하는 대목이 나온다.

그나마 속환에 관심이 있는 대신은 최명길이었다. "속환(贖還)하는 일은 오늘날의 급한 일입니다. 일찍이 정묘년 화친을 약속하였을 당시에는 한 사람의 값이 겨우 10여 필(匹)이었는데, …한두 명의 재물 있는 자가 많은 값을 아끼지 아니한 탓으로 수많은 사람을 끝내 이역에서 죽게 한다면, 이는 실로 심히 경중을 잃은 것입니다. …신의 생각에는, 조정에서 금제(禁制)를 설치하여 사람마다의 값을 노소와 귀천에 따라 다소의 차등을 두더라도 많은 자의 경우 1백

냥을 넘지 못하게 하고 …하니, 상이 따랐다."(1637년 인조실록 인조 15년 4월 21일) 심양 속환시장에서 벌어진 아비규환과 눈물, 절망과 한숨에 대해서는 따로 서술이 필요하지 않을 것이지만, 피로인의 수, 속환가, 속환자의 신분, 수, 시기 등에 대한 조선의 조사 및 기록 자료는 없다. 따지고 보면 관심이 없었던 것이다.

문제는 다른 곳에서 터진다. 포로 중에도 여성이 더 고통을 겪었을 것이라는 점은 명백하지만, 용케 환속돼도 마찬가지였다. 이들은 환향녀(還鄕女) 혹은 화냥년이라 불리며 돌아온 조국에서도 인간 취급을 받지 못했다. 1638년 3월 11일 신풍부원군(新豐府院君) 장유(張維)가 예조에 단자를 올리기를 "외아들 장선징(張善澂)이 있는데 강도(江都)의 변에 그의 처가 잡혀 갔다가 속환(贖還)되어 와 지금은 친정 부모 집에 가 있다. 그대로 배필로 삼아 함께 선조의 제사를 받들 수 없으니, 이혼하고 새로 장가들도록 허락해 달라."고 했다. 한편 전 승지 한이겸(韓履謙)은, 자기 딸이 사로잡혀 갔다가 속환됐는데 사위가 다시 장가를 들려고 한다는 이유로 그의 노복으로 하여금 격쟁(擊錚, 조선시대 원통한 일이 있는 사람이 임금에게 하소연하기 위해 거동하는 길가에서 징이나 꽹과리를 쳐서 하문을 기다리던 일)하여 원통함을 호소하게 했다. 두 사건은 각기 아들과 딸을 가진 자가 반대 입장을 대변하는 것 같아도 본질적으로는 여성의 정조를 문제 삼는 점에서 동일한 사안이다.

다소 길지만, 실록을 인용한다. 좌의정 최명길이 헌의하기를, "사로잡혀 갔던 부녀자에 관한 일에 대해서 지난해 비국의 계사 중에는 옛일을 인용하여 증명하면서 끊어버리기 어렵다는 뜻을 갖추어 진달(進達, 말이나 편지를 받아서 올림) 하였으며, 상께서도 별도의 전교가 계셨습니다. 신풍부원군 장유는 이를 모르지 않을 것인데, 장계를 올려 진달한 것이 이와 같으니, 반드시 소견이 있어서 말한 것입니다. 신이 고로(故老)들에게 들으니, 선조 조에 임진년 왜변이 있은 뒤에 전교가 있었는데, 지난해 성상의 전교와 서로 부합된다고 하였습니다. 그 말을 자세히 기억할 수는 없지만 여항에서 전하는 바로 말한다면, 그때 어떤 종실이 상소하여 이혼을 청하자 선조께서 허락하지 않으셨으며, 어떤 문관이 이미 다시 장가를 들었다가 아내가 쇄환되자 선조께서 후취 부인을 첩으로 삼으라고 명하였으며, 그 처가 죽은 뒤에야 비로소 정실부인으로 올렸다고 합니다. 이외에도 재상이나 조관(朝官)으로 사로잡혀 갔다가 돌아온 처를 그대로 데리고 살면서 자식을 낳고 손자를 낳아 명문거족이 된 사람도 왕왕 있습니다. 이 어찌 예는 정(情)에서 나오는 것이므로 때에 따라 마땅함을 달리 하는 것으로서 한 가지 예에 구애되어서는 안 되기 때문이 아니겠습니까. …신이 전에 심양에 갔을 때 출신(出身) 사족으로서 속환하기 위해 따라간 사람들이 매우 많았는데, 남편과 아내가 서로 만나자 부둥켜안고 통곡하기를 마치 저승에 있는 사람을 만난 듯이 하여, 길 가다 보는 사람들이 눈물을 흘리지 않는 사람이 없었습니다. …사로잡혀 간 부녀들을 모두 몸을 더럽혔다고 논할 수 없는 것이 이와 같습니다." 하니, 아뢴 대로 하라고 답하였다. 그러나 이 뒤로는 사대부집 자제는 모두 다시 장가를 들고, 다시 합하는 자가 없었다(1638년 인조실록 인조 16년 3월 11일).

여기에 붙인 사신(史臣)의 논평은 다음과 같다. "사신은 논한다. 충신은 두 임금을 섬기지 않고 열녀는 두 남편을 섬기지 않으니, 이는 절의가 국가에 관계되고 우주의 동량(棟樑)이 되기 때문이다. 사로잡혀 갔던 부녀들은, 비록 그녀들의 본심은 아니었다고 하더라도 변을 만나 죽지 않았으니, 절의를 잃지 않았다고 할 수 있겠는가.

이미 절개를 잃었으면 남편의 집과는 의리가 이미 끊어진 것이니, 억지로 다시 합하게 해서 사대부의 가풍을 더럽힐 수는 절대로 없는 것이다. 최명길은 비뚤어진 견해를 가지고 망령되게 선조(先朝) 때의 일을 인용하여 헌의하는 말에 끊어버리기 어렵다는 의견을 갖추어 진달하였으니, 잘못됨이 심하다. 당시의 전교가 사책(史冊)에 기록되어 있지 않아 이미 증거로 내세울 만한 것이 없다. 설령 이런 전교가 있었다고 하더라도 또한 본받을 만한 규례는 아니니, 선조 때 행한 것이라고 핑계하여 오늘에 다시 행할 수 있겠는가. 선정(先正)이 말하기를 "절의를 잃은 사람과 짝이 되면 이는 자신도 절의를 잃는 것이다 하였다. 절의를 잃은 부인을 다시 취해 부모를 섬기고 종사(宗祀)를 받들며 자손을 낳고 가세(家世)를 잇는다면, 어찌 이런 이치가 있겠는가. 아, 백 년 동안 내려온 나라의 풍속을 무너뜨리고, 삼한(三韓)을 들어 오랑캐로 만든 자는 명길이다. 통분함을 금할 수 있겠는가."

사신은 사로잡혀 갔던 부녀들은 본심이 아니었다 해도 변을 만나 죽지 않았으니 절의를 잃은 것과 다름없다는 논리로, 최명길을 비난한다. 여기에 난리를 불러들인 자신들의 과오에 대한 반성이나 피해자 여성에 대한 연민과 가련함은 존재하지 않는다. 병란을 만나 죽지 못한 자는 부녀자들이 아니라 그들이었다.

나라를 지키고 국토를 보전할 책임은 아녀자에게 있는 것이 아니라 정권을 담당한 위정자들에게 있다. 더구나 그들은 오랑캐에게 항복하는 것은 죽음보다 못 하다고 외치지 않았던가. 이런 유체이탈 화법은 바로 송시열이 이경석을 비난한 것과 같은 논리 위에 구축돼 있다. 자신이 그 자리에 없었다는 이유로 면죄부를 받았다는 맹목적인 확신은 타인에 대한 비난이 가열(苛烈)차면 찰수록 더 강해지게 마련이다. 백 년 동안 내려온 풍습이 무엇이기에 부부의 인연, 자녀와의 천륜보다 중요한가.

나는 이것을 이 시기에 오면 조선의 유교화 과정이 이미 완결되었다는 증명으로 본다. 고려 말 공식적으로 안향(安珦)이 성리학을 소개한 이래 지식계층의 머릿속에만 머물던 이론이 오랜 세월동안 우리나라 고유의 관습과 풍속의 완강한 거부를 극복하고 그 자체가 관습과 풍속으로서 사회 전반에 안착한 것이다. 개방적이던 남녀관계는 경직되고, 여성의 개가(改嫁)가 금지되면서 정절이 강조되었으며, 장자 상속이 자리를 잡는 등 관례(冠禮), 혼례(婚禮), 상례(喪禮), 제례(祭禮) 등 모든 면에서 중국화가 완성되었다.

척화신들이 나라의 패망에 상관없이 존주대의를 부르짖은 것도 이와 같은 맥락이며, 이는 사상이 현실을 개조하는 데 이른 세계 역사상 첫 사례에 해당되는 것이다. 그러나 '열녀는 두 남편을 섬기지 않으니, 이는 절의가 국가에 관계되고 우주의 동량(棟樑)이 되기 때문이다.'라는 주장은 이데올로기가 인간에 봉사하는 단계를 지나, 거꾸로 인간이 이데올로기에 봉사하는 지경에 도달했다는 선언과 같다. 절의 사수를 명하고, 이를 지켜내지 못하면 인간으로서의 존재가치를 부정하는 것은 본말이 전도된 것이다. 물론 이는 높은 곳에 인간의 가치를 택정해 놓음으로써 도덕적 긴장감을 유지하려는 전략일 수 있지만, 걸려 있는 가치가 인간의 진솔한 요구, 인간적 면모를 상실한다면 이미 허위의식에 지나지 않고, 현실에서 벗어나 적실성과 질박함을 잃어버렸다는 징표다.

최명길의 주장대로 임진란 때도 유사한 일이 있었을 것은 명백하다. 하지만 호란에 와서 유독 이슈화된 것은 임란과 호란 사이의 40년간의 의식변화와 사상의 역할을 대변한다고 본다. 소선은 쉬지 않고 주자학에 물들어갔고, 생활의 모든 방면에서 주자가례를 금과옥조로 삼게 됐다. 주자의 철학과 예법 이외에 진리는 존재하지 않으며, 진리에 의문을 품거나 실천을 거부하는 것은 어떤 이유로도 용서되지 않았다.

"그러나 이 뒤로는 사대부집 자제는 모두 다시 장가를 들고, 다시 합하는 자가 없었다."는 기사와, 장유도 일단 인조의 명에 따라 실절을 사유로 아들을 이혼시키지 못했지만, 결국 며느리를 칠거지악으로 몰아 이혼을 허락받은 점(1638년 인조실록 인조 18년 9월 22일)을 고려하면 중국 예법이 얼마나 광범위하고 철저하게 조선사회를 점령했는지 알 수 있다. 장유는 앞서 삼전도 비를 작성함에 있어 하자 있는 글을 써 탈락된 사람이었다. 그럼에도 사론의 평가는 냉정했다. 그의 졸기(卒記, 죽은 사람에 대한 마지막 평가)에 "거상(居喪) 중에 삼전도 비문(三田渡 碑文)을 지었는데, 사론이 그 점을 단점으로 여겼다."(1638년 인조실록 인조 16년 3월 17일)라고 돼 있다. 채택되지 않은 비문 작성만으로도 흠결이 되는 세상이었다. 그런 생각을 가진 사람들이 점령한 세상에서 정책의 우선순위는 되도록 청의 흔적을 지우는 것으로 귀결될 수밖에 없었다.

강화된 대명의리(對明義理)

조선은 청에 항복했지만 항복한 게 아니었다. 어떻게 하든 명과의 관계를 이어가려고 필사적이었다. 우선 조선은 삼전도-정축화약(丁丑和約)에 따라 청의 연호를 써야 하지만, 관이나 민간이나 모든 계층에서 거부감을 보였다.

"상이 궁정에다 자리를 설치해 놓고 서쪽으로 중국을 향해 곡하고 절을 하였는데, 명나라를 위해서였다. 이 당시 안팎의 문서에는 대부분 청나라 연호를 썼지만, 제향(祭享)의 축사(祝辭)에는 그대로 명나라 연호를 썼다. 사신은 논한다. 성상이 곡하고 절한 예는 조종의 정성에서 나온 것이다. 만약 이 마음을 잘 확충하여 처음부터 끝까지 게을리 하지 않는다면 나라의 치욕을 씻는 것도 기대할 수 있을 것이다. 오늘날의 굴욕이 어찌 흠이 되겠는가."(1638년 인조실록 인조 16년 1월 1일)

말하자면 조선은 아직도 의연히 척화의 나라였다. 청은 요구가 있으면 언제든지 보병(步兵), 기병(騎兵), 수군을 조발하기로 한 정묘화약에 따라 조선에 집요하게 명을 칠 군사의 동원을 요구했으며 신료들은 이에 대해 노골적으로 거부감을 표시하였다.

"…사신은 논한다. 본조(本朝)가 명나라와는 임금과 신하의 사이로 부자(父子)간과 같다. 2백여 년을 복종하여 섬기고 삼가기를 게을리 하지 않아, 본래 예의지방이라고 일컬어졌다. 임진왜란을 당하어 임금은 서쪽으로 몽진하고 팔도(八道)가 폐허가 되니, 신종 황제(神宗皇帝)가 천하의 병마를 동원하고 내고(內庫)의 재물을 내어 왜인들을 깨끗이 몰아내어 군사를 이끌고 돌아가게 하였으니, 국운이 지금까지 지탱된 것은 모두 황제의 힘이었다. 형세가 궁핍하고 힘이 약하여 비록 능히 절의를 지키지는 못하였으나 어찌 감히 군사를 일으켜 중국을 침범하겠는가."(1638년 인조실록 인조 16년 7월 28일)

그러나 이때도 나선 사람은 최명길이었다. 그는 자청하여 청에 사은사로 들어가기를 원했다. 그의 임무는 명의 정벌을 위한 군사 징발이 어렵다는 뜻을 청에 전달하는 것이었다(1637년 인조실록 인조 15년 6월 29일). 한편 최명길은 승려 독보(獨步)를 몰래 명에 보내어, 본국의 세력이 곤궁하여 청국의 통제를 받고 있는 이유, 정묘화약을 맺은 사연을 갖추어 주달했다. 독보가 받아온 칙서 중에 "이전의 허물은 거론치 않을 것이니 기어코 함께 협공하자."는 말이 있었다(1641년 인조실록 인조 19년 8월 25일).

그러나 이러한 내통 사건은 곧 발각되어 당시 영의정이었던 최명길은 1642년(인조 20년) 10월경 심양으로 압송되어 감옥에 갇혀 1645년 2월까지 3년간 고초를 겪게 된다.

이 사건은 다음과 같은 이중의 의미를 갖고 있다. 즉 청의 무리한 요구를 앞장서서 막아낸 인물은 청의 연호 사용과 명나라 정벌을 위한 군대 동원을 거부한 척화파가 아니라 실질적인 협상력을 보유한 주화파였다는 사실과 주화파의 핵심인물이라 할 수 있는 최명길마저도 명과의 단절을 비자발적이고 일시적으로 보고, 청에 완전히 복속한 것이 아니라는 사실이다. 즉 주화파도 명을 버린 것이 아니라는 점이다. 어떤 면으로 보던 조선은 대명의리에 사로잡힌 나라였고, 결국 조선중화론이라는 단절적이고 폐쇄적인 정신세계로 한

발씩 다가가고 있었다. 이런 대세는 쉽게 바뀔 수 있는 게 아니었다. 이런 상황에서 체계적인 전후 복구는 요원했다.

병란의 발발 원인에 대한 심층적인 반성과 국가의 약점을 극복하기 위한 체제 개혁은 사실상 전무했고, 단지 느슨하고 나태한 연명과 게으른 생존이 있을 뿐이었다. 임금은 만나기 어려웠고, 신하는 개인적인 사유로 관직을 기피했다.

"전하께서 남한산성에 계셨을 때는 흉금을 터놓고 간언을 받아들여 부지런히 자문을 구하시었으므로 미관말직도 모두 나아가 진달할 수 있었습니다. 그런데 환도한 뒤부터는 당폐(堂陛)가 저절로 높아져 신하를 만남이 드물어졌습니다. …그런데도 만물과 통하지 않고 상하가 교류하지 않는다면 삼백 년 종묘사직과 동방의 온 백성들이 다시 무슨 희망을 가질 수 있겠습니까."(1640년 인조실록 인조 18년 2월 10일)

"…형조판서 민형남(閔馨男)이 병으로 면직을 청하니 허락하였다. 당시 육경(六卿)으로 있던 자들은 아들을 인질로 보내는 것을 기피하여 체면(遞免, 직위를 교체하여 그 책임이나 의무를 지지 아니하게 함)되기를 원했다."(1639년 인조실록 인조 17년 11월 5일)

고위직의 경우 아들을 심양에 인질로 보내기 싫어 벼슬을 기피하는 풍조가 만연했던 것이다. 식자들이 벼슬하지 않는 것을 청에 항거하는 고상한 행동으로 자부하는 사이에 나라는 피폐하고 백성의 삶은 쇠퇴했다.

이를 상징적으로 보여주는 사건이 있다. 청에 끌려갔던 피로인중 27년 만에 탈출에 성공한 안추원(安秋元)이라는 인물이 있다.

"납치되었던 안추원이 심양에서 도망쳐 돌아왔다. 추원은 경기도 풍덕(豊德) 사람인데, 병자호란 때 나이 13세로 강도(江都)로 들어가 피난하다가 몽고인(蒙古人)에게 붙잡혀 심양으로 들어간 후, 한인(漢人) 야장(冶匠)의 집에 팔려갔다. 임인년(1662년 현종 3년)에 북경(北京)에서 도망쳐 돌아오다가 산해문장(山海門將)에게 붙잡혀 북경으로 압송되어 얼굴에 자자형을 받았었는데 이때에 이르러 탈출해 돌아온 것이다. 그가 부조(父祖)의 이름과 살았던 곳을 알고 있었다. 감사 이정영(李正英)이 의주부윤 강유후(姜裕後)로 하여금 추원을 단단히 가두고 기다리게 한 다음 치계하였다. 이 사실을 비국에 내리니, 비국이 아뢰기를, '추원을 의주에 그대로 두기에는 일이 몹시 불편하니, 내지(內地)로 이송하여 의식을 주어 그로 하여금 헐벗고 굶주리지 않게 하소서.' 하니, 상이 따랐다."(1664년 현종실록 현종 5년 8월 12일)라는 기사가 그것이다.

그러나 반전은 다음에 일어난다. 안추원은 정작 고향에 돌아왔지만, 경기지방은 거듭되는 흉년으로 굶어 죽기를 기다려야 할 정도로 살 길이 막막했다. 그는 다시 마음을 바꾸어 청으로 돌아간다. 하지만 청의 봉황성 수문장에게 발각되어 이 사건이 외교문제가 되었고, 조정에서는 이 사건을 무마하기 위해 청 사신에게 뇌물로 5천 냥을 주고 마무리하게 된다(『병자호란기 조선 被虜人의 胡地 체험과 삶』, 남미혜, 동양고전연구 제32집).

이는 어디에도 정착할 수 없는 피로인의 비애만이 아니라 반평생의 집념으로 돌아온 조국에서의 생활이 노예로 살던 중국보다 더 괴롭고 힘들었다는 아이러니를 대변하는 것이다. 그 27년간 인조가 죽고 효종의 시대가 지났으며, 현종이 즉위했지만, 조선은 어떻게 비교하더라도 병자호란 때보다 나아진 점이 없었다. 수많은 사신이 청에 연행사(燕行使)로 다녀오며, 청의 발전과 융성에 대해 보고를 했지만, 조선은 여전히 화이론(華夷論)을 고수하고 있었다.

만약 조선의 형편이 나아졌다면 전쟁의 아픈 기억도 쉽게 지워졌을 것이다. 그러나 거듭되는 재이(災異)와 기근과 한발은 그 모든 쓰라림과 고초가 청 때문이라는 원망을 정당화하고 강화시킬 따름이었다. 하지만 조선이 외부와 관계를 끊고 내부로 침잠하면 할수록 조선의 갱생과 번영의 기회는 줄어들었다. 조선중화론은 국가적 자폐증을 만든 원인이자, 국가적 자폐증의 결과물이었다.

봉림대군-효종은 소현세자와 함께 심양으로 끌려가 8년간 인질 생활을 하다가 귀국했다. 청의 기세등등한 모습을 가장 가까이서 목도한 그가 개혁과 개방을 택하지 않고 북벌(北伐)을 목표로 내건 이유는 무엇이었을까. 어린 딸이 역병으로 죽는 등 개인적으로 겪은 고초에 대한 원한 때문이었다는 추측은 너무 맥이 빠지는 진단이다. 많은 사람이 아쉬워한 대로 소현세자였다면 어떤 태도를 취했을 것인지, 효종의 북벌론은 과연 실현가능한 목표였는지 묻지 않을 수 없는 이유다.

5장 소현세자와 봉림대군-효종

소현세자가 즉위했다면

우리 역사에서 아쉬운 장면을 꼽자면 어떤 것을 들 수 있을까. 범위를 좁혀 기간을 조선에 한정해보자. 시각에 따라 다르겠지만, 아무래도 명치유신에 나선 일본처럼 자기주도의 근대화 기회를 놓친 것은 어떤 기준에 의하더라도 순위 내에 포함될 것이 분명하다. 김용덕은 서양문물에 호의와 관심을 가졌던 소현세자의 사망, 서양과학자를 초빙하자는 박제가(朴齊家)의 건의를 물리친 정조의 결정, 동학군의 정권 쟁취 실패를 들고 있으나(『소현세자 연구』, 사학연구 18), 시기로 보든, 개혁이 성공할 수 있는 사회적 분위기로 보든, 의미가 있는 사건은 소현세자의 죽음일 것이다.

그것은 병자호란 직후 조선후기를 규정한 사상 체제가 아직 굳어지기 전이어서 개혁이 보다 수월할 수 있었던 점, 조선과 같은 전제군주 하에서는 국왕이 이니셔티브를 쥐고 전면에 나서는 것이 아래로부터 시작되는 보텀업(bottom up) 방식보다 실패 확률이 적었을 것이라는 점, 청과 서양의 사정을 잘 아는 임금이 등극했다면 조선중화론과 같은 자아도취적 정신세계에 몰입되고, 외부세상과 단절되는 불행은 막을 수 있었을 것이라는 점 등에서 어떻게 판단하더라도 안타까운 일이기 때문이다.

소현세자가 즉위했다면 최소한 지금 우리가 알고 있는 조선후기와 양상이 달라졌을 것이라는 가정은 약하긴 하지만 몇 가지 사실적 근거에 기초한다.

소현세자(1612~1645)는 인조가 1623년 왕이 되면서 자연스레 대군(大君)이 됐다가, 1625년 13세 때 세자로 책봉됐다. 정묘호란 때는 분조(分朝)를 이끌고 전주로 내려가 전쟁을 독려했고, 병자호란 발발 시에는 인조와 함께 남한산성에 들어가 항전했다. 삼전도 항복과 함께 청의 인질이 되어 심양에서 8년 동안 머물렀다. 그가 심양으로 간 것이 25세인 1637년이고, 33세 때인 1645년 2월 속박에서 풀려나 귀국했으나 2달 만인 같은 해 4월 급서했다.

소현세자가 심양에 억류돼 있던 기간은 혈기왕성한 청년기로 그때의 경험과 인상은 당연히 인생관에 지대한 영향을 미쳤을 것이다. 비록 인질 신분이었지만 소현세자는 사실상 조선을 대표한 외교관으로서, 청과의 현안과 이견을 조율하고 처리하면서, 당시의 조선인, 특히 일방적으로 주자학에 함몰된 지식인들과는 전혀 다른 사상적 실천적 배경을 가진 사람들과 교유하면서 교감을 나누었고, 실무적으로도 조선조정에서는 마주칠 수 없는 역동적이고 구체적인 경험을 했다.

말하자면 대동법 도입이나 군정 개혁 논의에서 보여주는 바와 같이 자료와 사실에 근거하지 않은 막연한 추정과 대안 제시 없는 탁상공론이 아니라 제기된 문제는 어떻게든 해결해내지 않으면 안 되는 야전 체제와 같은 상황에서 행정을 직접 주재했다. 조선과 청의 요구를 절충하고 어쨌든 합의점을 찾아내야 하는 실전 상황을 몸소 체험했던 것이다.

특히 세자는 1644년 9월(인조 22년) 명을 멸망시킨 청의 도르곤을 따라 북경에 입성했고 약 70일 정도 머물면서 예수회 선교사이자 천문학자였던 아담 샬(Adam Schall·중국명 湯若望) 신부를 만나게 된다. 세자는 북경에서 자유롭게 행동할 수 있었으며 역학자를 대동하고 천문대를 찾아 서양역법을 도입하고자 하는가 하면, 심양에 돌아와서도 아담 샬로부터 천문, 지리, 수학, 지동설, 항해법, 화포제조법, 토목공사법 등 서양 문물을 전수받았다.

세자는 아담 샬에게 보낸 편지에서 "귀하가 주신 천주상과 지구의(輿地球)와 천문학과 서구과학에 관한 그 모든 저서는 저를 기쁘게 하였으며 그것으로 인하여 귀하에게 얼마나 감사드리고 있는지 귀하는 짐작조차 못하실 것입니다." "제가 저의 왕국에 돌아가는 즉시 그것을 궁중에서 사용할 뿐 아니라 출판하여 학자들에게 널리 알리고자 합니다. 그것들은 장차 사막을 박학의 전당으로 완전히 바꾸는 데 도움이 되리라고 확신합니다."라고 적고 있다(『소현세자 연구』, 김용덕, 사학연구 18호). 이로 미루어 보면 세자는 현실의 힘으로서 청을 인정하고, 먼지 덮인 숭명사상 대신 서양의 새로운 사상과 과학기술로 잠자고 있는 조선을 깨우려고 했던 것으로 보인다. 이런 이력은 강보에 쌓였을 때부터 왕실의 예법과 규범에 짓눌린 채 아침부터 저녁까지 공맹을 떠받드는 신하들의 눈길을 벗어나지 못했던 여타 군왕들의 그것과는 분명히 차원이 다르다.

그렇지만 냉정하게 생각해보면 조선은 왕권이 미약하여, 군왕이라도 신하와 양반계층의 의사를 거스르며 자신의 의지를 밀어붙일 절대 권력이 부족한 나라였기 때문에, 임금 한 사람이 바뀐다고 조선 전체가 바뀌었을 것이라는 가정은 침소봉대의 가능성이 있다. 조선국왕은 사대부의 바다에 고립된 외로운 섬과 같은 존재였다. 따라서 소현세자에게 실제적으로 양반계층의 집단적 반대를 극복하고 그들의 의사에 거슬리는 정책을 추진할 수 있는 역량이 있었는지, 보다 근본적으로 그 자신이 성리학적 통치 질서를 바꿀 의향을 가지고 있었던 것인지 미지수다.

봉림대군-효종은 소현세자와 함께 끌려가서 동일한 인질 체험을 했으나 즉위 후 우리의 눈으로 볼 때 그다지 개혁적 면모를 보이지 않은 것 같고, 북벌이라는 허황한 목표에 매달렸으며, 왕권 강화를 위해 나름대로 노력했지만 송시열을 상징으로 하는 산림세력의 발호, 그리하여 조선중화론과 같은 퇴행적 흐름을 막아내지 못했다. 같은 기간 같은 장소 같은 경험을 한 소현세자와 봉림대군의 차이-만약 차이가 있다면-를 만들어낸 요인은 무엇인지, 존주대의를 금과옥조처럼 떠받드는 나라에서 소현세자가 등극하였다면 모든 장애를 넘어 역사의 수레바퀴를 다른 방향으로 굴릴 수 있었을지, 무엇보다 조선의 주도적 주체적 개화가 가능한 사회적 기반을 만들 수 있었을지 궁금하다.

소현세자

소현세자가 역사에 등장한 시기는 심양 체류기간과 거의 일치한다. 이식(李植)은 정묘호란 때 세자가 분조를 이끌면서 "어린 나이에 군대를 이끌 때에는 스스로 명령을 내려 지휘하면서 대조(大朝, 인조)의 명령을 따랐다. 자신에게 바치는 물품을 절감하고 따르는 사람을 엄격히 단속했으며, 폐단을 줄이고 백성들을 여유롭게 해주기에 힘썼다."(『소현세자의 분조와 외교활동』, 김문식, 문헌과 해석 37호)라고 했고, 심양으로 끌려가는 도중에도 함께 포로로 끌려가는 백성 중 질병이나 곤경에 빠진 사람이 있으면 그때마다 힘을 다해 구제했다(『소현세자의 분조와 외교활동』, 저자명, 문헌과 해석 37호)는 등의 기록이 있어 그의 애민정신과 분별력을 가늠할 수 있다.

『심양일기』(瀋陽日記; 김종수 역주, 민속원), 『심양장계』(瀋陽狀啓; 정하영 역주, 창비) 및 『소현세자연구』(김용덕), 『심양일기연구-소현세자, 봉림대군의 심양체험을 중심으로』(남은경, 동양고전연구 제22집), 『소현세자의 분조와 외교활동』(김문식), 『소현세자의 인질생활 : 심양일기』(김남윤, 한국학중앙연구원 장서각) 등과 기타 자료를 종합하면, 소현세자는 인질이 놓인 수동적인 입장에서 벗어나 적극적인 자세로 주어진 임무를 이행했던 것으로 보인다.

세자는 1637년 2월 8일 서울을 출발하여 2달만인 4월 10일 심양에 도착했다. 일행은 세자와 빈, 봉림대군, 판서 남이웅 이하 관원이었고, 처음에는 조선 사신이 객관으로 사용하던 동관(東館)에서 묵다가 심양관(瀋陽館)이 완공되자 거처를 옮겼다. 심양관 상주인원은 세자 부부와 봉림대군 부부, 조선에서 인질로 간 대신의 아들들(質子), 시강원(侍講院, 조선시대 세자의 교육을 맡아보던 관청) 관리, 통역, 의관 등 200명에 달했다. 심양관의 경비는 조선과 청이 부담했지만, 조선 분담 부분이 더 많았다. 심양관 이주 후 청은 정기적이던 급료 지급을 중단하고 1641년부터는 사하보(沙河堡), 철령위(鐵嶺衛) 등의 토지를 제공해서, 세자 측에서 직접 식량을 마련하도록 했다. 세자는 둔소(屯所)를 두고 감관(監官)을 파견했으며, 피로인(被虜人) 중 속환인으로 하여금 농사를 짓게 했다. 조선 사신이나 관원, 청의 요청에 따른 파병 시에는 모두 심양관을 거쳐 갔고, 특히 1641년 겨울 김상헌 등 척화신들이 잡혀와 북관(北館)에 갇혀 있을 때, 세자는 청의 관계 아문(衙門)에 사정하여 이들의 옥바라지를 했다.

세자의 일상은 매달 1일과 15일에는 망궐례[望闕禮, 음력 초하루와 보름에 중국 황제를 상징한 '闕' 자를 새긴 위패 모양의 나무인 궐패(闕牌)에 절하던 의식], 대전과 중전의 탄신일에는 망배례(望拜禮), 모후인 인렬왕후 기일에는 망곡례를 행했다. 명절인 정초와 단오, 동지와 인조의 병환 소식이 있을 때는 관원을 보내 문안을 드렸다. 서연(書筵, 왕세자에게 경서를 강론하던 자리)도 계속됐는데, 다만 해가 갈수록 빈도가 줄었다. 이유는 청 황제의 명에 따라 궁중행사, 사냥, 서행(西行, 청의 명나라 정복 전쟁)에 참여해야 했고, 조선사신, 군병, 군량의 접수와 수발, 조청 간 현안 해결에 많은 시간을 할애했기 때문이다.

황제는 세자가 심양에 들어간 1637년 6월 21일 청 황실 종묘제사에 세자와 대군을 불러 여러 왕자, 왕족과 함께 말을 타고 갔다. 황제는 말 타는 일에 익숙지 않았던 세자를 위해 특별배려하기도 했고, 군사 원정에서 얻은 노획물을 나누어 주는 등 신경을 썼다(『심양장계』, 인조 15년 6월 21일). 이후 청은 친선도모의 목적으로 1637년 7월부터 매월 5일, 15일, 25일에 열린 조참(朝參)에 세자의 참여를 독려했고(『심양장계』, 인조 15년 7월 21일), 그 외에도 황제의 생일, 제례, 혼인, 장례, 황자의 탄생 등의 행사에 봉림대군과 함께 참석하도록 했다. 9왕 도르곤을 비롯한 왕족은 친교 목적으로 그들이 베푸는 각종 연회에 세자를 초빙했고, 그 밖의 제왕(諸王)이나 몽골왕도 여러 명목의 잔치에 부르는 일도 많았다. 청 황제는 세자에게 정성을 표하느라 애를 썼으며 세자가 아프다는 소식을 들으면 용골대를 보내 몇 차례나 안부를 묻거나, 참가한 제왕들을 돌려보낸 뒤에도 세자와 대군을 따로 불러 음식을 대접하기도 했다(『심양장계』, 인조 16년 4월 21일; 6월 21일).

세자는 또 황제의 사냥에도 참가했는데, 5일에서 20일 걸리는 일정에 따라 나가 하루 6~70리씩 말을 타고 달리는 환경에 힘들어 했다. 세자는 몸이 약해 청이 명을 상대로 벌이는 정복전쟁에 2번은 봉림대군이 대신 참여했지만, 또 다른 2회에 걸쳐 황제와 함께 갔다. 세자가 종군한 것은 1641년 금주위 전투, 1644년 산해관 전투였다. 특히 산해관 전투는 9왕 도르곤을 따라갔는데, 4월 22일 오삼계(吳三桂)가 도르곤에게 항복하는 것을 지켜봤고, 5월 2일에는 북경에 입관하여 24일까지 머물며 명청 교체의 역사적 현장을 목도했다.

청은 처음에는 엄중한 감시와 함께 출입을 제한했지만, 시간이 지남에 따라 심양관을 조선정부를 대리하는 현지기관으로 간주하여 조선정부에 대한 연락과 각종 요구 등 모든 교섭의 통로로 이용했다. 분쟁이 많은 것은 피로인의 속환 문제로 양반의 속환가는 급등하고, 평민은 탈출하는 자가 속출했는데 세자는 가격을 조정하고, 도망자의 추쇄 요구를 완화하는 일을 감당했다.

특히 조선은 삼전도협약(정축화약) 당시 명과 외교관계를 단절하고, 청이 명을 정벌할 때 지원군을 파병하겠다는 약속을 한 바 있었다. 청은 1638년 인조 16년 7월 정명군(征明軍)을 산해관 방면으로 진출시키면서 5천 병력을 요구하였고(『심양장계』, 인조 16년 7월 10일), 1640년 인조 18년 4월에는 조선 수군(水軍)의 지원을 요청했다(1640년 인조실록 인조 18년 4월 15일).

그런데 조선 내부에서는 날이 갈수록 숭명의식이 강화되는 추세에 있어 무슨 수단을 쓰든 이를 회피하고 모면하려 했다. 청의 조병 요구에 대해서는 성균관 유생들까지 명을 배반할 수 없다며 반대했다. 유림(柳淋)을 지휘관으로 삼아 동원한 병력도 약속장소에 늦게 도착하여 청이 그냥 돌려보냈고, 수군 상장(上將)으로 출정한 임경업은 극렬한 친명반청 인사로 명군과 조우해서는 고의로 발포하지 않는 등 눈에 보이지 않게 태업을 했다. 이와 같이 세자는 세폐 및 군사징발 요구를 당연하게 여기는 청과 명 정벌군의 동원을 거부하고 혐오하는 조선조정과의 중간에 끼어서 양측으로부터 상당한 압박과 질책을 받았다. 그러나 시간이 경과되면서 청과 조선이 세자를 대하는 태도에는 미묘한 변화가 감지됐다.

청과 조선의 다른 목표

먼저 청의 입장을 보자. 갖가지 요구와 견제에도 불구하고, 청은 조선이 명을 섬기고 사대하는 태도를 바꾸지 않을 것을 알고 있었다. 그러므로 조선이 명과 합동작전을 펴거나 배후를 위협함으로써 정벌 계획에 방해가 되는 일이 없도록 하는 것을 정책의 주요 목표로 삼았다. 청은 조선이 명과 내통한다는 소문을 들으면 심하게 질책하였고(예를 들어 인조 15년 7월 27일, 9월 6일, 『심양장계』), 이 점은 조선과의 접촉을 전담한 용골대, 마부대조차 황제에게 책임을 추궁받을까 심히 두려워한 데서도 나타난다(『심양장계』, 인조 15년 7월 27일). 또한 명과의 교역단절로 인한 군수품 및 생필품을 조선을 통해 조달하는 것도 그 다음으로 비중을 둔 목표였으므로 물품 요구도 빈번했다.

청은 시간 경과에 따라 세자에게 점차 많은 권한과 자유를 허용하고 심양관을 외교대표부로 인정, 일관된 교섭창구로 대했다. 청의 용골대는 정명군 징발에 대한 조선의 지연전술에 대해 1640년 인조 18년 10월 세자에게 ①전일 군사를 징발할 적에 기한을 어겨서 일을 그르쳤고, ②금년에 주사(舟師)가 바다에서 침몰하였다는 핑계로 일부러 늦게 돌아왔으며, ③상륙한 뒤에 군병이 탈 말을 15필만 보내오고 군량을 운반할 말도 즉시 보내지 않고 엄동이 되도록 지연시켜 결국 쓸모없는 물건이 되게 하였고, …⑨육경(六卿)의 자식을 볼모로 보냄에 있어서 서얼을 보내거나 먼 인척을 보내어 상국을 기만하였다는 등 12개 사유를 들어, 이미 부자간의 나라가 되고서도 일마다 기만하여 정성과 신의가 조금도 없는 것은 어찌된 일인가 하면서 압박하였고(1640년 인조실록 인조 18년 10월 15일), 곧이어 의주(義州)에 입국, 조정 중신들을 줄줄이 소환 신문한 뒤, 명의 연호를 계속 사용하는 등 반청 행위자로 지목된 김상헌, 조한영(曺漢英), 채이항(蔡以恒) 등을 심양으로 압송하여 투옥시켰다(1641년 인조실록 인조 19년 1월 20일 ; 1차 심옥瀋獄).

한편 조선에서는 청에 대한 복속이 자발적이 아니라는 사실, 즉 조선의 진심을 명에 전달하기 위해 부심했다. 그것이 나중에 승려 독보(獨步) 사건으로 귀착된다. 독보는 삼전도의 전말을 전하고 명으로부터 과거를 묻지 않는다는 답을 가지고 돌아온다. 청에서는 늘 한선(漢船, 명나라의 상선)이 평안도 인근의 조선 포구에 드나드는 것을 보고 조선과 명의 내통을 의심해 오다가 마침 명나라 병부상서 홍승주(洪承疇)가 투항하여 밀통 사실을 알게 되었으나 오히려 이를 거론하지 않았다.

그러나 전 선천부사 이계(李烓)가 명나라 상선과 잠상(潛商, 관청의 허가를 받지 않고 법령으로 금지된 물품을 몰래 매매하는 행위)을 해온 사건이 발각되자, 용골대는 세자를 데리고 봉황성[중국 요녕성 봉성진에 있던 성으로, 봉황성의 책문(柵門)은 조선 관리들이 청나라에 들어가기 전에 신고하던 오늘날의 세관과 같은 곳이었음]으로 나가 주둔하면서 추문하니, 이계가 독보 사건의 전말을 상세히 고변하였다. 이로 인해 영의정 최명길, 신익성, 허계 등이 심양으로 압송되어 투옥된다(1642년 인조실록 인조 20년 10월 13일 ; 2차 심옥瀋獄).

용골대는 세자가 이들을 비호한다고 강하게 비판했지만, 세자는 유화적으로 대응하면서 파문의 확산을 막으려고 노력했고, 투옥된 김상헌이나 최명길의 옥바라지에도 힘썼다. 대조선 외교를 전담한 용골대는 정치 군사적 재능이 뛰어나 홍타이지의 총애를 한 몸에 받은 무장이었다. 정묘호란과 병자호란에 참전하고 심양관과의 접촉도 주관하여 조선과 관계가 깊다. 조선에서는 침략 선봉으로 당연히 이미지가 그다지 좋지 않으나, 병자호란 직전에는 사신으로 왔다가 척화파들의 위협에 말을 타고 도주하기도 했지만 조선에 대한 이해가 깊은 편이었다. 용골대 본인은 당시의 청 관료나 무장들 중에서도 상당히 예의를 갖추어 조선을 대했던 인물이다. 조선이 청의 번국이 된 뒤에도 소현세자나 세자빈을 함부로 대하지 않았으며 또한 김상헌과 최명길을 심문할 때도 대답이 이치에 맞다 싶으면 오히려 수긍하고 넘어갔다. 용골대의 목표는 조선의 친명파에 타격을 가하고, 명과 조선의 연락을 끊어 명을 고립시키고자 하는데 있었기 때문에 그 이상을 요구하지는 않았다. 실제로 김상헌과 최명길 모두 적국에 끌려갔음에도 불구하고 생명을 잃지 않고 심한 고초를 겪거나 부당한 대우를 받지 않은 까닭이기도 하다(『역사평설 병자호란』, 한명기, 푸른역사). 그는 청의 명 정복 후에는 호부상서로 승진하여 전쟁 직후 물자부족 사태를 잘 해결해 제국 초기의 무질서를 원만히 수습하는 능력을 보이기도 했고, 특히 소현세자의 사망 소식을 듣고는 원손을 양자로 입양하고 싶다는 뜻을 밝히기도 했다 [1648년 인조실록 인조 26년 9월 18일, 원손은 이미 제주도로 귀양 가서 죽은 뒤였다. 용골대가 원손을 데려다 기르고 싶다는 말을 했기 때문에, 사람들은 모두 원손이 (인조에 의해) 죽을 줄 알았다는 내용의 기사가 있다].

청의 조선에 대한 중점 외교목표가 명을 정벌하는 전쟁에 있어 배후의 불안요인을 제거하는 것이었다는 점은 청이 오삼계의 인도로 1644년 4월 북경에 입성, 공식적으로 명을 멸망시킨 뒤에 행한 조치에서 드러난다. 청의 도르곤은 명의 잔당 처리가 상당 정도 진행된 1645년 2월 세자와 봉림대군 등 볼모와 김상헌, 최명길 등 심옥 사건으로 투옥되었던 대신들의 영구 귀국을 허락했다. 이는 정명전쟁(征明戰爭)이 완결됐다는 자신감과 함께 조선이 더 이상 위협이 되지 못한다는 전략적 판단에서 비롯된 것이라 하겠다.

일반 예측에 따르면, 조선은 멸망하여 지상에서 사라진 명에 대한 숭모의 정을 거두는 것이 마땅했다. 그러나 조선의 시계는 거꾸로 가고 있었다. 무엇보다 조선의 배청의식은 오히려 강화되고 있었고, 이는 청의 징병요구와 세폐, 무역수요를 맞추기가 버거울수록 견고해졌다.

현실적으로 병자호란 당시 청군이 오래 주둔했던 경기지역과 침략 및 철군 통로인 서북지역은 약탈과 포로로 붙잡혀간 사람이 많아 상황이 비참한 데다 청의 요구를 우선적으로 감당한 지역으로 이중의 어려움을 겪었고, 이념적으로 조선의 식자들은 현실이 어려우면 어려울수록 명에 대한 부채의식을 마음속 깊이 새겨 넣었다.

대표적 숭명주의자 조경(趙絅)은 인조에게 종묘신주(宗廟神主)의 치욕을 잊지 말고 복수하는 거사를 일으킬 것, 명의 은혜를 잊지 말아 조빙(朝聘, 명에 사신을 보내는 일)을 통할 것 등을 요구했고(1640년 인조실록 인조 18년 5월 9일), 전술한 바와 같이 정명군으로 출동한 수군 상장(上將) 임경업(林慶業)은 전진하라고 해도 전진하려 하지 않고, 쌀부대를 요하구(遼河口)에 내리라고 해도 가려고 하지 않으며 명군과 내통하여 교전을 피하는 등 고의로 항명하여 청의 비난을 받았다(1640년 인조실록 인조 18년 7월 11일, 『심양장계』 인조 18년 5월 22일, 7월 3일).

이와 같이 청에 대한 거부감은 문신과 무신을 막론했다. 조선은 청의 사소한 요구에도 어떡하든 시일을 끌었고(『심양장계』, 인조 16년 7월 8일), 군사 징발에 대해서는 더욱 심한 거부감을 보였다(『심양장계』 인조 16년 7월 10일). 이로 인하여 세자는 심하게 시달렸다(『심양장계』, 인조 16년 9월 8일). 조선의 분위기가 경직되면 경직될수록 국내에서의 세자의 위치는 애매해져, 세월이 갈수록 세자에 대한 소식과 이미지는 부정적인 프레임에 갇혀갔다. 결론적으로 인조와 소현세자의 부자 사이는 점차 소원해졌고, 인조는 세자가 이미 심양에 오래 머물렀기 때문에 청나라 사람과 같아져 수렵에 힘쓰고, 강학을 전폐하고, 오로지 재산 증식에 힘쓴다면서 못마땅하게 여겼다.

"세자가 심양에 있은 지 이미 오래되어서는 모든 행동을 일체 청나라 사람이 하는 대로만 따라서 하고 전렵(田獵)하는 군마(軍馬) 사이에 출입하다 보니, 가깝게 지내는 자는 모두가 무부(武夫)와 노비들이었다. 학문을 강론하는 일은 전혀 폐지하고 오직 화리(貨利)만을 일삼았으며, 또 토목공사와 구마(狗馬)나 애완(愛玩)하는 것을 일삼았기 때문에 적국(敵國)으로부터 비난을 받고 크게 인망을 잃었다. 이는 대체로 그때의 궁관(宮官) 무리 중에 혹 궁관답지 못한 자가 있어 보도하는 도리를 잃어서 그렇게 된 것이다." 소현세자 졸기(卒記)의 평가다(1645년 인조실록 인조 23년 4월 26일).

이로 미뤄볼 때, 당시의 사대부들이 자신들과 다른 행동을 보였다는 이유만으로 세자를 얼마나 못마땅하게 생각했는지 엿볼 수 있다. 삼전도에서 세자와 대군이 절하며 하직하고 떠날 때, 인조는 눈물을 흘리며 전송하기를, "힘쓰도록 하라. 지나치게 화를 내지도 말고 가볍게 보이지도 말라."고 다정하게 타일렀고(1637년 인조실록 인조 15년 2월 8일), 초기에는 그의 귀국을 요청하는 사신을 심양에 보내기도 했지만, 세자가 점점 친청(親淸)적으로 변했기 때문에 청의 군사적 경제적 요구를 막지 못한 것으로 생각했다. 특히 청은 봉납하는 것보다 하사받는 것이 많았던 명과의 조공외교와는 달리 일방적으로 낮은 물품가를 정하고 갖은 품목의 조달을 요구하여 경제적 부담이 상당했던 바 이에 대한 불만도 고스란히 세자의 몫으로 남았다(『소현세자연구』, 김용덕). 인조는, 심양관이 처리하는 업무의 범위와 내역이 확대되면서, 세자가 직접 평안감사, 의주부윤(義州府尹)에게 명하여 임기응변하는 등 세자의 권한이 늘어가자, 사람을 보내 비밀보고를 올리게 하는 등 심양관에 대한 감시를 강화했다.

인조의 의심에 기름을 부은 것은 청의 행동이었다. 용골대와 함께 조선외교를 전담한 마부대는 조선에서 청에 세자 책봉(冊封)을 주청(奏請)할 것을 요구하여(1639년 인조실록 인조 17년 1월 30일), 조선에서는 주청(奏請) 절차를 취하고(1639년 인조실록 인조 17년 7월 4일), 청은 1639년 9월 22일 아침 책봉례를 거행한다(1939년 인조실록 인조 17년 10월 2일). 세자는 이미 1634년 인조 12년 명의 숭정제(崇禎帝)로부터 세자 책봉을 받아, 인조가 교외에서 칙서를 맞이하여 오배삼고두의 예를 행하였던 것인데(1634년 인조실록 인조 12년 6월 20일), 청으로부터 다시 세자 책봉을 받게 되니, 인조가 청의 의도에 의문을 갖게 되는 것은 당연한 수순이었다. 또한 청의 사신은 조선에 정착한 한인(漢人) 쇄환(刷還, 원래 살던 곳으로 되돌려 보냄) 문제에 대한 불만을 토로하는 자리에서 "국왕이 만일 입조(入朝)하여 대면하고 말한다면 황제의 오해가 어찌 풀리지 않겠는가?"라고 언급하여 인조가 가장 두려워하는 시나리오의 실현 가능성을 현실화한다(1639년 인조실록 인조 17년 7월 2일). 이 일로 조선조정은 발칵 뒤집혀 울음을 터트리는 자도 있고, 인조는 언제든지 청이 지신을 심양으로 소환하여 퇴위시킬 수 있다는 불안에 시달리게 된다.

인조가 세자를 꺼린 사실은 세자가 영구 귀국 전 2차례 임시 귀국했을 때 드러난다. 세자는 삼전도 이후 3년 만인 1640년 1차 귀국한다. 이는 사은부사 이경헌(謝恩副使 李景憲)이 용골대에게 국왕의 병이 깊어 세자를 보고 싶어 하니 세자와 대군을 교체할 것을 요구하고, 청이 원손과 인평대군을 볼모로 보내는 것을 조건으로 승낙하여 성사된 것이다(1640년 인조실록 인조 18년 1월 17일). 인조는 이 일로 원손까지 인질로 가게 됐다면서 격분하여 마중도 하지 못하게 하고, 배종(陪從, 임금이나 높은 사람을 모시고 따라가는 일)도 하지 못하게 하는 등 격식을 갖춘 환영행사를 치르지 못하게 했고(1640년 인조실록 인조 18년 2월조), 사은부사 이경헌은 곤장을 쳐서 귀양을 보낸다(1640년 인조실록 인조 18년 윤1월 6일).

1643년 인조 21년 2차 임시귀국 때는 의심이 더욱 구체화되어 있었다. 2차 귀국은 조선에서 요청하지도 않았는데, 청에서 "세자가 여기 오래 있었으니 또 한 번 보내주겠다."고 하여 실행된다. 당시 청은 태종 홍타이지가 죽고, 9왕이던 도르곤이 섭정을 개시하였는데, 도르곤은 소현세자와 나이도 동갑이고 평소 사이가 좋았던 데다, 그해 6월 세자빈의 친정아버지(姜碩期)가 사망했다는 소식을 듣고 문상할 수 있도록 호의를 베푼 것이다. 그러나 인조는 "청인이 나에게 입조(入朝)하라고 요구한 것은 전한(前汗, 홍타이지) 때부터 그러하였으나 내가 병이 들었다는 것으로 이해시켰기 때문에 저들이 강요하지 못하였다. 그런데 이제 듣건대 구왕은 나이가 젊고 강퍅하다고 하니 그 뜻을 어찌 헤아릴 수 있겠는가. 전일에는 세자에 대한 대우를 지나치게 박하게 하다가 이제는 오히려 지나치게 후하게 한다 하니, 나는 의심이 없을 수 없다."고 하면서 내면의 불안을 드러냈고, 단지 조선의 환심을 사기 위한 조처일 것이라는 신하들의 덕담에 "저들이 만약 좋은 뜻으로 내보낸다면 세자와 대군을 다 돌려보낼 것인데, 중한 것은 포기하고 가벼운 것을 취하는 것(볼모 효과가 높은 세자는 돌려보내고, 대군은 붙잡고 있는 것)은 무슨 뜻인가?" "만약 그렇다면 저쪽에서 내보내면 그만인데 우리의 말을 기다릴 게 뭐가 있겠는가. 이와 같이 변수가 많으니 아무리 좋은 말을 들어도 도리어 의혹이 생긴다. 활에 한 번 상처를 받은 새는 으레 이런 법이다."라면서 역사에 회자되는 유명한 말을 남긴다(1643년 인조실록 인조 21년 10월 21일).

인조의 의구심은 세자빈이 빈소를 찾아 곡을 하게 해달라는 요구를 거절하는 것으로 표면화된다. 나중에 강빈의 사사를 주도했던 김자점을 비롯한 삼정승이 "빈궁이 부친상을 당해서 가보라고 청나라에서 보내줬는데, 빈소를 찾아 곡하고 모친을 찾아뵙지 못하게 하면 청나라 사람들이 의심하지 않겠습니까?"라고 진언해도 "과인이 지금 재변이 참혹하고 민심이 안정되지 않은 것을 걱정하느라 법 밖의 예나 외람한 거조는 생각이 미칠 틈이 없다."라면서 끝까지 허락하지 않았다(1644년 인조실록 인조 22년 2월 9일). 세자와 세자빈은 결국 문상하지 못했다.

인조의 변심, 세자의 독살

무엇이 인조의 변심을 불렀을까. 우선 인간 인조의 권력에 대한 집착, 직위에 걸맞지 않은 협량, 의심과 불안감을 꼽지 않을 수 없다. 인조는 병자호란 전부터 여론의 향배에 따라 친명과 친청을 오락가락했다. 아무런 준비 없이 청과의 대결을 선언하는가 하면 삼전도 이후에는 척화파를 비난하며 관직을 박탈하고 유배를 보내는 등 그들을 패전의 희생양으로 삼았다. 그에게는 국가의 치욕이나 황폐, 백성의 고초보다 왕권 유지의 여부가 더 중요했고, 그렇기 때문에 심양으로 끌려가는 입조(入朝)에 대해 병적반응을 보였다. 원나라 때 고려왕들의 예에 따라 입조는 곧 자신의 퇴위와 세자의 등극을 의미하는 것으로 인식했다.

인조에게 청은 세자의 정치적 자산이자 배경으로 언제든 자신에게 퇴위를 강제할 수 있는 절대 파워였던 바, 불안감은 명이 멸망하고 청의 국력이 강해질수록 증폭되었다. 세자가 귀국 직후 사망한 것에 대해 독살인지 본래 가지고 있던 질병 때문인지 논의가 있으나, 나는 여러 가지 정황이 전자를 향하고 있다고 본다. 뒤에 상술할 바와 같이 세자 사망 후의 장례절차 및 담당의관 처리에서 보인 행적, 며느리인 강빈과 손자의 사사에 이르기까지의 일련의 과정은 단순한 병사로 치부해서는 합리적 설명이 불가능하기 때문이다.

인조의 세자에 대한 혐오는 장인인 세자빈 부친의 문상도 허락하지 않을 정도의 수준이었고, 엎친 데 덮친 격으로 마침 당시 발생한 반란 음모가 이를 강화시켰다. 반정공신 심기원이 모반하여 회은군 이덕인(懷恩君 李德仁)을 추대하려 한 것이다. 심기원은 공초 과정에서 "저번에 세자가 심양에서 나왔을 때 상에게 억지로 권하여 전위하고 싶은 생각이 없지 않았으나, 아무리 세자를 받들어 세우더라도 별다른 수가 없다는 것을 알고 결국 실행하지 않았다."고 덧붙여 세자에 대한 의구심을 더욱 정당화시키는 구실을 준다(1644년 인조실록 인조 22년 3월 21일).

인조가 자신을 화살 맞은 새라고 표현한 부분은 내면의 불안감을 총체적으로 드러내는 것으로 상당히 흥미롭다. 그가 과거 화살을 맞았다고 생각했다면 그것은 삼전도 때일 것이다. 당시 남한산성의 농성이 길어질수록 청의 요구는 완강해졌고, 세자와 대군, 그리고 정승과 판서 자녀들의 입질(入質, 인질을 대신 보냄)을 조건으로 가까스로 인조의 입조를 막았다. 한 번 상처 입은 새가 다시 다친다는 건 바로 청이 재차 입조 요구를 하는 것을 의미했다. 인조는 홍타이지 때는 자신의 병을 핑계로 입조를 막아왔으나, 젊고 강퍅한 9왕 도르곤이 실권을 장악함으로써 문제가 예측 불가의 상황에 놓이게 됐다고 생각했다. 그런데 청이 조선의 요청도 없이 2차 임시 귀국에 이어 영구 귀국을 허락하니 인조의 좁은 속내로 볼 때 도르곤의 의도와 속셈을 의심하지 않을 수 없었을 것이다. 불안감을 잠재울 수 있는 가장 확실한 방법은 병의 근원, 근본 뿌리를 제거하는 것, 즉 세자의 죽음이 아니었을까.

조선이라는 좁은 우물을 통해서 바라보는 하늘은 작고 왜소할 수밖에 없었다. 심양은 정적인 조선과는 달리 역동적이고 활기찼다. 황제 및 많은 왕, 몽골왕과 귀족 등이 개최하는 각종 명목의 모임과 행사가 수시로 열렸고, 출정 및 전공에 따른 논공행상도 많았다. 각자는 국가지급의 급료보다 전리품과 약탈, 노획품으로 부를 축적하고 유지했다. 세자도 여러 교제에 반강제적으로 참석해야 했고, 답례를 위해 자신이 주최하는 연회도 베풀어야 했다(『심양장계』, 인조 18년 5월 22일).

청 황제는 세자를 몽골왕, 친왕들과 같은 급으로 대했으므로, 세자도 그들과의 교류에 소요되는 경비 충당을 위해 경제활동을 하지 않을 수 없었다. 청은 일찍부터 심양관에 토지를 제공하고 필요한 식량을 자급하도록 유도했던 바, 이를 주관한 사람은 세자빈-강빈이었다. 농업을 근본으로 보고 상공업을 멸시한 조선에서 왕가 그것도 장차 왕비가 될 여인이 집 밖에서 천한 장사를 한다는 것은 심각한 신분질서 문란 행위였다. 강빈은 심양 노예시장에서 조선인 노예들을 속환하여 그들과 함께 토지를 개간해 직접 농사를 지었고, 인삼, 종이, 담배, 수공예품 등 조선의 진기한 물품들을 들여와 청국 상인들에게 많은 이익을 남겨 팔아 속환과 경비에 충당했다. 당시 청은 인기 높은 조선 담배의 수입을 금지하느라 애를 쓰기도 했다(『심양장계』, 인조 17년 7월 2일). 세자와 대군은 필요하면 경비를 쪼개 본국에 금품을 보내기도 했다. "불의에 칙사의 행차가 있으니 서도(西道, 평안도와 황해도) 백성들의 일이 진실로 애처롭다. 예전에 황제가 하사한 은 1백 냥과 각종 비단 10필을 본도에 보내어 (칙사 대접에) 들어갈 비용을 도우라."(1639년 인조실록 인조 17년 7월 18일)

그러나 기본 소요액수가 워낙 많았기 때문에 이것으로 세자 일행이 풍족하게 생활한 것으로 오해하면 안 된다. 근본적으로는 심양관의 경비는 조선에서 충당해야 했으나, 본국에서는 인조의 명에 따라 예산을 넉넉하게 보내지 않았다. 세자 일행의 삶은 늘 쪼들리고 궁핍하게 마련이었다(『심양장계』, 인조 18년 7월 3일). 세자에게 비용을 보내자는 신하들의 말에 인조는 "비록 세자의 삭선[朔膳, 매달 초하룻날에 각 도(道)에서 나는 산물로 임금님께 차려 바치는 음식]으로 말하더라도, 전번에 20바리를 보내고 지금 40바리를 더 보내는 것은 자못 타당하지 못한 일이다. 옛말에 '용도를 절약하여 백성을 사랑한다.' 하였으니, 나라를 다스리는 큰 요점이 여기에서 벗어나지 않는다. 안면과 인정에 얽매여 이와 같이 낭비를 하니, 내가 경들의 뜻을 알 수 없다."(1644년 인조실록 인조 22년 8월 23일)거나, 빈객 임광(任絖)이 청의 북경 입성 후 "수십만의 군대가 여름 내내 주둔하였으므로, 이미 농사를 실패하여 가을에 받을 세금은 거둘 길이 없는데, 먹고 있는 묵은 쌀 또한 다 되었기 때문에, 세자의 관소(館所)에 소요되는 양식, 반찬, 땔나무, 숯 등의 물품을 줄이지 않을 수 없다 합니다."(1644년 인조실록 인조 22년 11월 3일)라고 하면서 물품 수송의 시급함을 치계(馳啓, 임금에게 급히 서면으로 상주함)해도 냉정하게 막아섰다.

이렇게 본다면 세자빈의 농사와 장사는, 본국의 몰이해와 비판적인 시각에도 불구하고, 부득이한 상황에서 생존을 위해 어쩔 수 없이 마련된 자구책이라 할 것이다. 그럼에도 조선, 특히 인조의 관점에서는 묵과될 수 없는 일탈행위로 간주됐고, 세자와 강빈의 행동이 전례와 관습, 법도와 신분질서를 어지러뜨리는 천하고 망측한 것으로 비춰질수록 삭선을 보내는 일은 제한됐다. 인질로 붙잡혀 있는 아들, 며느리를 안타까워하고 애처롭게 생각한 것이 아니라 날이 갈수록 부정적 평가를 내리고, 인색해진 것은 일반적 관념으로 볼 때 쉽게 납득이 되지 않는 대목이다. 반청기조가 강화되어 청에 관련된 모든 것이 부징직으로 비춰지고, 대청외교에 대한 신하들의 진언도 비판적 내용 일색이었기 때문에, 임금도 이런 인식 틀에서 벗어나기 어려웠을 것이라고 짐작할 수는 있다. 그러나 심양관의 경우 오히려 국왕은 신하들의 의견을 묵살하고 앞장서서 물자 공급을 막았고, 이로 인하여 세자 일행은 더욱 고초를 겪었다.

영구귀국 직후 세자를 죽음으로 몰고 간 것은 조정에 팽배했던 세자에 대한 반대 기류, 반청의식과 같은 추상적 무형적 요인이 아니었다. 이는 간접사인으로 거론될 수는 있어도 직접사인에 해당되지 않는다. 그러나 질병설과 같이 세자가 산증(疝症, 한의학, 생식기와 고환이 붓고 아픈 병증. 아랫배가 땅기며 통증이 있고 소변과 대변이 막히기도 한다.)으로 사망했다는 주장을 따른다면 그 뒤로 이어지는 인조의 행동에 대해서 납득할 만한 설명을 하기가 어려워진다. 인조의 조치는 불의에 아들을 잃은 사람의 대응이라고 보기 어렵기 때문이다. 독살을 단정하는 직접 증거는 없지만, 이는 독살 의심을 받는 조선 국왕 모두에게 해당되는 일이다. 다만 독살을 전제로 사건을 정리하면 전체적으로 사건의 조리와 아귀가 맞아떨어지기 때문에 독살설을 유력하게 주장하는 것이다. 세자의 죽음이 독살이었다면 의심이 가는 결정적 인물은 물론 인조다.

인조는 동기와 수단 모두를 가지고 있었고, 아들의 죽음을 대했던 태도가 강력한 증거로 작용한다. 세자에 대한 부정적 이미지를 키워온 인조는 청의 실권자 도르곤이 연거푸 호의를 베풀어 2차 귀국과 영구 귀국을 허락하니 숨겨진 의도를 의심하면서 자신을 화살 맞은 새에 비유했다. 화살 맞은 새는 화살만 보면 묵은 상처가 도지는 법. 세자의 귀환과 자신의 입조(入朝)를 동일시한 것은 결국 세자를 정적으로 보았다는 얘기다. 여기에 마침 귀국한 세자는 불과 2달 만에 몸이 아파 침을 맞아야 했다(1645년 인조실록 인조 23년 4월 25

일). 세자를 살해할 수 있는 기회가 저절로 굴러온 것이다.

세자의 영구 귀국 소식이 전해진 것은 1644년 인조 22년 12월 4일이었다.(인조실록) 인조의 반응은 미지근하다. 예조는 지난 번 2차 귀국 때 환영행사를 하지 않았던 것을 지적하며 "저번에는 '영원히 돌아오는 것이 아니니, 꼭 거행할 것이 없다.'는 말씀으로 전교하셨는데 지금은 세자가 영원히 본국으로 돌아오게 되었으니, 실로 전에 없던 온 나라의 막대한 경사입니다. 세자가 도성에 들어온 다음날에 묘사에 고하고 전을 올리고 하례를 드리는 등의 일을 관례에 따라 거행하시고, 방물과 물선도 봉진하도록 하소서."라고 진언하였음에도 행사 규모를 줄이라고 지시한다(1644년 인조실록 인조 22년 12월 6일).

세자가 청의 사신과 함께 실제 귀국한 것은 1645년 2월 18일이었고, 최명길, 이경여(李敬輿), 김상헌 등이 돌아온 것은 2월 23일이었다. 인조는 몸이 아프다는 핑계로 도성 경계로 나와 맞으라는 사신의 요구를 거부하고 신하들의 부축을 받아 대궐 뜰에서 그들을 접견한다(1645년 인조실록 인조 23년 2월 18일). 그리고 갑자기 환영행사를 멈출 것을 지시하며(1645년. 인조실록 인조 23년 2월 20일), 사신에 대한 접대도 등급을 낮추라고 명한다(1645년 인조실록 인조 23년 4월 19일).

그 뒤 세자가 발병한다. 어의(御醫) 박군(朴頵)이 학질이라고 진맥하고, 약방(藥房)에서 다음날 새벽에 이형익(李馨益)에게 침을 놓아서 열을 낮출 것을 청하자, 상이 따랐다(1645년 인조실록 인조 23년 4월 23일). 세자는 이틀에 걸쳐 침을 맞다가 3일 만인 1645년 4월 26일 돌연 창경궁(昌慶宮) 환경당(歡慶堂)에서 사망했다(1645년 인조실록 인조 23년 4월 26일). 향년 33세. 황당한 죽음이었다. 인조의 태도는 의외였다. 우선 시신의 상태가 괴이했다.

"온 몸이 전부 검은 빛이었고 이목구비의 일곱 구멍에서는 모두 선혈(鮮血)이 흘러나오므로, 검은 멱목(幎目, 보자기)으로 그 얼굴 반쪽만 덮어 놓았으나, 곁에 있는 사람도 그 얼굴빛을 분변할 수 없어서 마치 약물(藥物)에 중독되어 죽은 사람과 같았다."(1645년 인조실록 인조 23년 6월 27일)

이는 당시 종실 이세완(李世完)이 내척(內戚)으로서 세자의 염습(斂襲)에 참여했다가 보고 나와서 사람들에게 말해서 알려진 것이다. 시신의 상태, 즉 시신의 흑색, 눈, 귀, 코의 피는 중독 증상이지, 학질로 인한 사망 증세는 아니라 한다. 독살설이 있는 조선왕들 중에 이만큼 분명하게 증거가 적시된 경우는 없다.

그럼에도 질병 사망설을 주장하는 사람들은 시신의 검은 변색은 부패 때문이었을 것으로 추정한다. 그러나 이어지는 인조의 대처는 어떻게 설명해야 할까. 왕이나 세자가 승하하면 일단 의관에게 잘못이 있는지 국문하는 게 관례였지만, 인조는 이형익을 두둔했다. 양사에서 "왕세자의 증후(症候)가 하루아침에 갑자기 악화되어 끝내 이 지경에 이르렀으므로, 뭇사람의 생각이 모두 의원들의 진찰이 밝지 못했고 침놓고 약 쓴 것이 적당함을 잃은 소치라고 여깁니다. 이형익은 사람됨이 망령되어 괴이하여 …증세도 판단하지 못하고 날마다 침만 놓았으니, 국문하여 죄를 정하도록 하소서."(1645년 인조실록 인조 23년 4월 27일) 송준길과 대사헌 김광현(金光鉉)까지 나서서 고해도 인조는 꿈쩍하지 않았다. 졸지에 아들을 잃은 아버지 치고 냉정하고 단호했다.

이형익이 누구인가. 인조의 후궁에 소용(昭容) 조씨(趙氏)가 있다는 말은 이미 했다. 1630년 종4품 숙원(淑媛)으로 책봉되어 입궁하고, 1640년(인조 18년)에는 정3품 소용(昭容)이 됐다. 모사와 이간질에 능하여 1635년(인조 13년) 인렬왕후(仁烈王后)가 죽은 뒤, 1638년(인조 16년) 맞이한 계비(繼妃) 장렬왕후(莊烈王后)를 정궁에서 몰아내 평생 별거하게 만들 정도였다. 특히 그녀는 세자빈 강씨(姜氏)와의 불화가 심했는데, 소현세자가 왕위를 차지할 목적으로 청과 친밀하게 지내는 것이라고 인조의 의심을 부추겨서, 인조로 하여금 심양관을 감시하도록 만든 장본인이다. 이형익은 조씨의 주선으로 내의원에 들어온 자로 일찍이 병을 치료할 일로 조씨의 모친 집에 왕래하였는데, 인하여 추잡한 소문이 있었다(1645년 인조실록 인조 23년 1월 4일). 조씨와 그런 관계에 있는 이형익이 정적인 세자에게 독을 썼다 해도 이상할 것은 없다. 앞서 시신의 이상 상태를 전한 실록의 완전한 문장은 다음과 같다.

"상의 행희(幸姬) 조소용은 전일부터 세자 및 세자빈과 본디 서로 좋지 않았던 터라, 밤낮으로 상의 앞에서 참소하여 세자 내외에게 죄악을 얽어 만들어서, 저주를 했다느니 대역부도의 행위를 했다느니 하는 말로 빈궁을 무함하였다. 세자는 본국에 돌아온 지 얼마 안 되어 병을 얻었고 병이 난 지 수일 만에 죽었는데, 온 몸이 전부 검은 빛이었고 이목구비의 일곱 구멍에서는 모두 선혈(鮮血)이 흘러나오므로, 검은 멱목(幎目)으로 그 얼굴 반쪽만 덮어 놓았으나, 곁에 있는 사람도 그 얼굴빛을 분변할 수 없어서 마치 약물(藥物)에 중독되어 죽은 사람과 같았다."(1645년 인조실록 인조 23년 6월 27일)

조씨 참소와 시신 이상이라는 일견 필연적 연관관계가 없는 2개의 사건을 한 문장에 집어넣은 것은 특별한 의미가 있다고 봐야 한다. 무엇인가를 암시하려는 것이었다면 그것은 '마치 약물에 중독되어 죽은 사람과 같았다.'라는 부분을 강조하려는 의도가 아니었을까. 독을 시용한 장본인은 이형익, 사주한 자는 조씨 혹은 인소이고, 조씨의 경우라 해도 인조의 묵시적 승낙이 없이 시해가 이루어질 수 없었을 것이다. 인조의 내락 없는 독단적 범죄라면 적어도 이 형익에 대한 처리가 달라졌을 것이기 때문이다.

인조의 이상 행동은 연거푸 이어진다. 세자의 입관을 서두르고(인조 23년 4월 26), 장례의 격을 낮추었다(인조 23년 4월 27일). 능호의 격을 원(園)에서 묘(墓)로 낮추고(인조 23년 4월 27일), 여기에 3년간 입어야 할 자신의 상복 착용 기간을 7일로 줄이는가 하면, 1년간 입어야 할 신하들의 복제도 석 달로 단축시켰다. 사신(史臣)조차 이에 대해 "대신도 또한 예를 가지고 쟁론하지 않아서 드디어 막대한 상(喪)을 끝내 예에 어긋나게 치러지게 하였으니, 매우 한탄스럽다." 고 한 마디 남길 정도였다(1645년 인조실록 인조 23년 4월 28일). 장지(葬地)도 지관들이 제일로 친 홍제동을 굳이 마다하며(인조 23년 5월 9일), 원손에게 불길하다며 장례 날을 연기하자는 외삼촌 강문명의 건의에 크게 화를 낸다(인조 23년 5월 16일).

강문명이 "장사 지낼 날에 자오(子午)가 대충(對沖, 서로 맞섬)되어 원손에게 불리하다." 하니, 최남이 이 말을 김자점 등에게 바로 고하였다. 그러자 김자점 등은 후일 자기에게 죄가 돌아올까 염려하여 곧바로 빈청에 모여서 다른 산으로 바꾸어 자리 잡기를 청하니, 상이 노하여 그를 책망하였다. 그런데 제조[提調, 중앙에서 각 사(司) 또는 청(廳)의 우두머리가 아니면서 각 관아의 일을 다스리던 직책] 등이 또 날을 다시 가리자고 청하므로 상이 크게 노하여 최남을 불러 신문하니, 최남이 사실대로 대답하였다. 그 말을 듣고는 상이 하교하기를, "강문명으로 하여금 날을 가리게 하라." 하니, 김자점 등이 황공하여 물러나왔다. 이때 강문명이 궐문 밖에 와 있다가 김자점의 가마(轎) 앞에 나아가서 말하기를, "상공(相公)이 나를 살려 주시오." 하니,

듣는 자들이 해괴하게 여겼다. 강씨의 화가 실로 여기에서 싹텄다 (1645년 인조실록 인조 23년 5월 16일).

강문명이 인조의 반응을 듣고 김자점에게 살려 달라고 부탁한 것은 닥쳐올 비극을 예감했기 때문이었다.

강빈 사사(賜死)

강빈의 사사는 세자 죽음의 마침표를 찍는 인조의 최후 행사였다. 그동안 정사를 돌보지 못할 정도로 심한 병이 있다는 것을 입조 거부의 핑계로 삼아왔던 인조는 갑자기 잠에서 깬 사람처럼 나른하고 게으른 상태에서 벗어난다. 세자의 죽음은, 당연한 일이지만, 누구로 하여금 대를 잇게 할 것인가의 종통 문제를 남겼다. 종법에 따르자면 세손, 즉 세자의 큰아들에게 왕좌를 물려주는 것이 정당했다. 세자의 사망 약 한 달이 지난 인조 23년 5월 27일 전 필선 안시현(前 弼善 安時賢)이 상소하여 세손의 위호를 정할 것을 청했으나, 인조는 답하지 않았다. 그러면서 상(喪)을 마친 인조 23년 윤6월 2일 당상, 육경을 인견하여 "나에게 오래 묵은 병이 있어 이따금 심해지고 원손은 저렇듯 미약하니, 내가 오늘날의 형세를 보건대 원손이 성장하기를 기다릴 수가 없다. 경들의 뜻에는 어떻게 생각하는가?"라고 말을 꺼낸다. 이윽고 임금의 뜻에 철저히 영합한 김자점을 제외한 나머지 신하 전체의 반대의견을 억누르고 봉림대군을 세자로 삼는다(1645년 인조실록 인조 23년 윤6월 2일).

그리고 인조는 봉림대군의 책봉에 강빈의 형제들이 불만을 품고 있을 것이라 하며, 신하들의 반대에도 불구하고 문성(文星), 문명(文明), 문두(文斗), 문벽(文璧) 등 강빈 형제 4명을 정배 보냈다(1645년 인조실록 인조 23년 8월 26일).

여기에 조씨가 다시 등장한다. "숙원(淑媛) 조씨(趙氏)를 소의(昭儀)로 삼았다. 세자 책봉 후에 으레 있는 은전이다. 이때 중전 및 (다른 후궁인) 장숙의(張淑儀)가 모두 사랑을 받지 못하고 소의만이 더더욱 총애를 받았으며, 또 성품이 엉큼하고 교사스러워서 뜻에 거슬리는 자를 모함하기가 일쑤이므로, 궁중에서 두려워하지 않는 사람이 없었다. 그 중에서도 소현세자 빈 강씨(姜氏)가 가장 미움을 받아 참소와 이간질이 날이 갈수록 더 심하였는데, 강문성(姜文星)이 귀양을 가게 되자 사람들이 모두 강씨에게 화가 미칠 날이 멀지 않았음을 알았다."(1645년 인조실록 인조 23년 10월 2일)

먼저 조씨의 모함은 강빈의 궁인에게 미친다. 궁녀 애란을 무당과 통한 이유로 국문하여 귀양 보내게 하고(1645년 인조실록 인조 23년 7월 22일) 계향(戒香), 계환(戒還)이 자신을 저주하였다고 무고하여 내옥(內獄)에서 죽였다(1645년 인조실록 인조 23년 9월 10일). 이들은 다 강빈의 궁녀였는데, 저주의 일로 국문했으나 모두(강빈과의 관련성을) 자복하지 않고 죽었다.

마침내 강빈이다. 1646년 1월 3일 인조가 전복구이를 먹다가 독이 있는 것을 알았다. 하필이면 전복에서 독을 발견한 경위는 나오지 않는다. 그러나 인조는 강빈이 독을 넣었다고 의심하여 대대적으로 궁인과 나인을 처벌한다. 이에 대한 사관의 평가는 다음과 같다.

"이때에 강빈이 죄를 얻은 지 이미 오래 되었으므로 조소원(趙昭媛)이 더욱 참소를 자행하였다. 상이 궁중의 사람들에게 '감히 강씨와 말하는 자는 죄를 주겠다.'고 경계하였기 때문에 양궁(兩宮)의 왕래가 끊겼으므로 어선(御膳)에 독을 넣는 것은 형세 상으로 할 수 없는 일이다. 그런데도 상이 이와 같이 생각하므로, 사람들이 다 조씨가 모함한 데서 연유한 것으로 의심하였나."(1646년 인조실록 인조 24

년 1월 3일)

인조는 먼저 귀양을 갔던 강문성과 강문명을 죽이고(1646년 인조실록 인조 24년 2월 29일), 마침내 1646년 3월 소현세자 빈 강씨를 폐출하여 옛날의 집에서 사사하고 교명 죽책(敎命竹册, 왕비 또는 왕세자·왕세제·왕세손 및 그 빈을 책봉할 때에 임금이 내리던 문서), 인(印, 도장), 장복(章服, 공식적인 제복) 등을 거두어 불태웠다(1646년 인조실록 인조 24년 3월 15일). 남편인 세자의 죽음이 허무했다면 조선 최초의 신여성이었다는 강빈의 죽음은 비참했다. 유교질서에 찌든 세상에서 시대를 앞선 선각자적 경영자상을 보여준 것이 그녀가 미움을 받은 유일한 이유였다.

강빈 사사에 대한 반대는 격렬했다. 원손 폐지에 대해 소극적 저항을 했던 영의정 김류를 비롯한 모든 신하가 일치하여 그리고 집요하게 명령을 거둘 것을 청했지만, 인조는 요지부동이었다. 오히려 한걸음 더 나간다. 인조는 남아 있는 강빈의 궁인들을 모두 죽이고(1646년 인조실록 인조 24년 6월 3일), 강빈의 모친과 형제까지 깨끗하게 정리했다(1647년 인조실록 인조 25년 4월 25일). 잔존한 문제는 세자의 세 아들이었지만, 이들도 인조의 음험한 손길을 피해갈 수 없었다. 그는 자신의 친손자이기도 한 이석철(李石鐵), 이석린(李石麟), 이석견(李石堅)을 제주에 유배한다(1647년 인조실록 인조 25년 5월 13일). 실록에 의하면 이들은 불과 1년 정도 만에 풍토병으로 사망한다. 소현세자(昭顯世子)의 큰 아들 이석철(李石鐵)은 인조 26년 9월 18일, 둘째 아들 이석린(李石麟)은 같은 해 11월 26일 각기 제주의 배소(配所)에서 졸하였다(1648년 인조실록 인조 26년 12월 23일).

이들의 사인이 질병이었는지도 의문이다. 실록에 심상치 않은 기록이 있기 때문이다. 이들이 엄연히 살아 있던 1648년 인조 26년 3

월 4일 청의 사신과 함께 입국한 역관 정명수(鄭命壽)가 "소현(昭顯)의 세 아이는 어디에 있습니까? …아버지의 죄 때문에 연좌되었다는 말은 들었어도 어머니의 죄 때문에 연좌되었다는 말은 못 들었습니다."라고 물었을 때, 김자점 등이 "강적(姜賊)은 그 어미, 형제들과 함께 모역한 일이 발각되어 복주(伏誅, 형을 받아 죽음)됐습니다. 세 아이의 유모 등도 모의에 참여했다고 자복했기 때문에 조정에서 세 아이에게 죄를 줄 것을 청했으나, 상께서 차마 죽이지 못하고 섬으로 방축(放逐)시켰는데, 두 아이는 마마를 앓다가 죽었습니다."(1648년 인조실록 인조 26년 3월 4일)라고 답했기 때문이다.

전술한 바와 같이 당시 용골대가 원손 이석철을 양자로 데려가고 싶다고 해서 문제가 됐던 것인데, 인조는 세 명 모두 죽었다고 둘러대지 않은 것을 후회하며 "나의 생각에는 (사신이 세 아이의 행방을 물은 것은) 반드시 흉도가 사주한 것으로 여겨지는데 만일 이미 죽었다고 한다면 반드시 구실을 삼을 것이고, 죽지 않았다고 한다면 화가 장차 예측할 수 없게 될 것이니, 큰 아이도 죽었다고 말하지 않을 수 없다."(1648년 인조실록 인조 26년 3월 7일)라고 말하기 때문이다. 이는 용골대가 이석철의 입양을 강행하려 든다면 어떤 수를 쓰든 막아야 된다는 지침을 내린 것이라 할 수 있다. 김용덕은 인조에 영합한 김자점이 술수를 써서 살해한 것으로 추정한다(『소현세자 연구』, 김용덕).

세자 사망을 둘러싼 사건의 경과는 인조의 역할과 의도를 명확히 증거한다. 만약 세자가 아무도 예상하지 못한 가운데 돌연 질병으로 사망한 것이라면, 줄지어 이어진 인조의 광기는 어떻게 설명해야 할까. 뜻하지 않게 학질로 죽은 것이 괘씸해서 아비인 자신보다 먼저간 아들의 장례를 박하게 하고, 며느리의 모친과 형제자매, 그녀의 궁인, 그리고 며느리 본인과 손자까지 남기지 않고 제거했다는 것이 합리적인 해석이 될 수 있을지 반문해야 한다. 나는 이 사건을 권력은 아들과도 나눌 수 없다는 말의 무서움을 명확하게 보여주는 실례로 본다.

실록의 모호성에도 불구하고 인조의 내심은 여러 번 나타난다. 첫째, 인조의 왕위에 대한 집착을 보여주는 '화살 맞은 새'라는 표현이 있었다. 둘째, 강빈을 사사한 뒤 내심이 편치 않았던지 팔도에 반포한 교서에 다음과 같은 내용도 있다. "역부(逆婦) 강은 타고난 성품이 음험하고 간사하며 몸가짐이 거칠어서 오랫동안 대궐 안에 있으면서 윗사람을 섬기는 유순한 예의를 크게 상실했고, 심양(瀋陽)에 당도하여서는 곧바로 왕위를 바꾸려는 흉측한 꾀를 꾸몄으며, …무슨 짓인들 못 하겠는가. …수라에 독을 넣었으니 …역부(逆婦)인 강을 잡아 사사(賜死)했다."(1646년 인조실록 인조 24년 3월 19일) 여기서 주목할 점은 '심양에 도착해서 곧바로 왕위를 바꾸려는 흉측한 꾀를 꾸몄다.'는 대목이다. 심양에서의 어느 행동을 왕위 찬탈 음모로 간주했는지 분명하지 않지만, 세자가 인질로 있던 지난 8년을 어떻게 평가했는가는 분명하게 알 수 있다. 셋째, 원손 이석철의 입양을 결사적으로 막은 것도 있다. 조선이 그토록 떠받드는 종법상의 적통성이 있는 세손이 청으로 갈 경우, 청의 세력을 등에 업은 세손은 바로 살아있는 위협이기 때문이다.

결국 이런 일련의 자료들은 세자 살해의 주동자가 바로 인조로서, 조소용의 시기 질투와 김자점의 아첨과 아부는 보조 역할을 했을 뿐 모든 살인이 인조에 의해 기획되고 실행된 것이라는 점을 증명한다[조씨는 1651년(효종 2년) 김자점을 축출하는 과정에서 위기감을 느껴 국왕-효종을 저주하는 사건을 일으키고, 이로 인해 스스로 자결하도록 하는 형을 받아 죽는다. (효종실록 효종 2년 12월 14일)].

앞장에서 기재한 바와 같이 인조의 말년은 좋게 말해도 무사안일이거나 목적을 상실한 기생(寄生)적 삶이었다. 졸고 있던 그가 마치 홀린 듯이 깨어나 추악한 살해 쇼를 마무리하고 사라져간 것은 김용덕의 평가대로 우리 역사에서 아쉬운 장면이다. 편린(片鱗)이나마 소현세자가 보여주었던 적극적이고 능동적인 자세로 미루어 볼 때, 그 후 앉은 채로 석화(石化)되어간 병든 조선에 신선한 변혁과 개화를 가져와, 지금 우리가 알고 있는 역사와 다른 양상을 만들어낼 수도 있었을 것이라는 기대감이 허공으로 소실됐기 때문이다.

주자학 이데올로기의 퇴락과 효종

주자학은 조선의 국가이데올로기로 채택되어 고려 말 흐트러졌던 문물제도 정비의 추진력으로 작용했지만, 임진왜란 시기에 오면 이론적으로는 정점에 이르렀어도 내면적으로 활력과 생기를 잃어간다. 진취적 발전 동력은 사라지고 실생활과의 연결성을 상실해갔다. 이황과 기대승 간의 사칠논쟁(四七論爭)은 한국 성리학이 그 나름의 독자적인 경지를 획득한 중요한 계기였다고 평가받고 있지만, 내면적으로는 일부 이론가들에 국한된 고도로 추상적인 (심지어 공허한) 지적 유희의 장으로 고립되는 국면을 창출했을 뿐이다. 이후의 학문적 성과는 사회발전 및 변화 양상을 반영하지 못하고, 사칠논변에서 제출된 수준에 그대로 머문 채 답보상태를 면치 못했다. 사실상 초기의 신실하고 풋풋한 실사구시 정신을 대신한 것은 현실에 대한 치열한 고민을 담은 살아있는 사상이 아니라, 남루한 예절과 예법을 따지는 고루하고 소모적인 싸움이었다. 실용성과 실천성을 상실했다는 말이다. 실제로 조선유학의 주제는 내용면에서 정점에 도달했다고 하는 사칠논쟁 이후 사변적인 것에서 절차와 예법을 따지는 예학으로 중심 이동하여 내내 그것에 머문다.

전쟁은 국가적 재앙이다. 불과 40년 간격을 두고 벌어진 임란과 호란은 조선이 감당하기 어려울 정도의 충격이었다. 그러나 문명은 전쟁을 통해 발전한다는 말처럼 구(舊)체제를 옭아매던 낡은 틀과 규범은 파괴의 혼돈과 무질서를 통해 해체되고 유연해지면서 새로운 가능성이 열리게 된다. 소위 전쟁의 역설이다. 조선이 겪은 양대 전란 중에 특히 호란은 명이라는 중화질서의 몰락을 직접 목격했고, 화이(華夷)로 문명과 야만을 나누던 가치관의 허구성을 간파할 수 있는 절호의 기회였다.

그러나 조선의 대응은 뜻밖에도 조선이 중화문명의 유일한 적자요, 보존자라는 조선중화론이었다. 17세기 변방의 지식인이 자의식과 자존감을 드러낼 수 있는 방법으로 택한 것은 독립성, 독자성을 당당하게 펼쳐 보이는 것이 아니라, 한당송명(漢唐宋明)으로 이어지는 한족(漢族) 정통의 문화와 제도를 얼마나 완벽하게 소화하고 숙지했는가의 여부였다. 중화(中華)의 정수를 체득·통달했다는 만족감은 청(淸)이 상징한다고 본 야만에 대한 우월감을 충족시켜 주었을 것이다. 그러나 어떻게 포장하더라도 이것은 자기기만적 정신 승리에 지나지 않았고, 현실에 체현된 영광과 명예가 아니었다. 소중화(小中華)는, 아무리 자신이 중화의 본체로 고양됐다고 자부하더라도 본질적으로 대중화(大中華)에의 종속을 벗어날 길이 없는 구조다. 조상들이 무비판적으로 중국적인 것에 목을 맨 사실은 후세의 눈으로 볼 때 안타까운 일이지만, 이것으로 그 시대를 통과한 조선 지식계층 전체를 싸잡아서 비난할 수 없다. 다만 인간이 시대제약과 사회조건의 벽을 쉽게 넘어설 수 없는 존재인 점을 감안한다 해도 일본 명치유신과 같이 선각자의 의식적 노력이 역사 흐름을 바꿨던 경우를 알고 있는 우리로서는 재차 똑같은 역사를 반복하는 실수를 하지 말아야 할 의무를 지게 되는 것이다.

임란과 호란이라는 큰 전쟁은 정권 담당자를 포함한 지식인들에게 국(國)의 재건이라는 과제를 남겼지만, 그들은 원점에서부터 새로 시작한 것이 아니라 자기들이 믿고 있는 것, 지금까지 배우고 익혀온 것을 더욱 강화하고 선명히 하는 방향으로 나갔다.

조선후기를 한 줄로 정의하는 것은 무모한 일이지만, 나는 이를 '중화 프레임'에 갇혔던 시기라고 본다. 그것은 외부에서 강요된 것이 아니라 자발적으로 만들어낸 이데올로기라는 데 특징이 있다. 개혁적 군주이자 누구보다 총명했던 정조(正祖)조차 복고적인 문체반정[文體反正, 한문의 문장 체제를 순정고문(醇正古文)으로 회복하자는 주장]을 강조했던 데서 보이는 바와 같이 그들이 모범으로 삼은 것은 하상주(夏商周)로 표상되는 고대국가의 모범과 질서였다. 마무리 단계에 있던 지리상 발견과 막 태동되던 서양 산업혁명의 역동성과 비교하면 지나치게 한가로운 세계 인식이었다.

나는 이런 괴리의 시초를 인조라는 혼란스런 인물에서 찾는다. 이후의 왕들은 그의 직접 후손으로서, 반정의 기치였던 존주대의라는 이념에서 벗어나기 어려웠고, 또한 둘째 아들인 효종을 옹립함으로써 종법상 정통성 문제, 가령 예송논쟁과 같이 그가 남긴 정치적 유산을 두고 씨름해야 했다. 인조를 주목하는 것은 그에게 모든 책임을 지운다는 의미가 아니라, 방향 교정이 가능했던 원점에서 가장 가까운 거리에 있었다는 연유에서다. 더군다나 그는 쿠데타를 통해 집권한 사람이었다. 뚜렷한 목표를 지향했어야 한다는 말이다. 만약 그가 백성을 위해 봉사하겠다는 거사 목적을 잊지 않았다면 말년의 모습처럼 경연도 폐지하고 후원에서 궁녀들과 유락이나 즐기는 모습을 보이지는 않았을 것이다.

왕이 된 소이를 망각한 사람이 왕권에 집착해서 아들을 정적으로 취급하고, 며느리 손자를 죽음으로 몰고 간 것은 가벼이 면죄부를 줄 사안이 아니다. 인조는 집권 초기 아버지 정원군의 추숭 문제,

후반기 소현세자의 흔적 지우기에 과할 정도의 집착을 보임으로써, 권력과 권위 문제에 대해서는 양보하지 않는다는 점을 분명히 했다. 평범함과 권력욕의 불균형적 공존은 극복하기 어려운 부정적 유산을 남기면서 종료됐다.

하지만 이것으로 문제를 종결해서는 안 된다. 역사의 흐름을 파악함에 있어 인조의 개인적 성품, 특질에만 초점을 맞추면 나무만 보고 숲을 보지 못하는 우를 범하게 된다. 인조의 소인배 기질보다 더 중요한 요인은 그를 둘러싼 시대정신, 조건, 상황과 구조다. 인조 같은 소소한 인물은 시대를 이끌고 가기보다는 시대에 끌려 다녔다고 생각하는 것이 이치에 합당하기 때문이다. 주지하는 바와 같이 인조는 서인의 등에 업혀 정권 탈취에 성공했다. 인조 재위기간 동안 권력의 정점에 있던 인물은 일부 예외를 빼고 사실상 모두 서인(功西派)이었고, 재야의 지지층도 서인(淸西派)이었다. 공서파는 연로화에 따른 사망이나 심기원, 김자점의 예에서 보듯 반란 혐의로 인한 숙청 등으로 인조의 붕어와 함께 자연스럽게 도태되고, 재야 서인세력-청서파가 다음 세대의 정권 담당자가 된다. 그렇게 조선은 멸망에 이르기까지 서인 중심의 사실상 일당독재가 실시된다.

당시 김집, 송준길, 송시열 등으로 대표되는 서인의 차세대 인물들은 누구보다 선명하고 철저한 주자학 원칙주의자였고, 숭명배청(崇明排淸)주의자였다. 이들이 형성해가는 여론의 큰 물줄기는 임금도 함부로 좌우할 수 없었고, 도대체 이를 무시하고 정치를 하는 것 자체가 불가능했다. 효종과 송시열의 관계에 대해, 그리고 효종 대에 있어 송시열의 위상과 역할에 대해 논의가 분분하다. 물론 송시열이 효종 10년 재위기간 동안 특별하게 권력 중추에 있었던 것은 아니다. 그렇지만 이미 대세는 김장생, 김집, 송시열로 이어지는 기호-노론 세력이 설정한 방향으로 흘러가도록 굳어졌고, 국가이념, 현안의 제기 및 해결 등이 모두 그들이 인정하고 승인한 이데올로기의 틀 내에서 이루어졌다.

조선중화론이라는 논쟁 많은 세계관은 이들의 작품이고, 후대의 숙종은 송시열의 만동묘에 자극되어 궁내에 명의 만력제와 숭정제를 제사지내기 위한 대보단을 조성할 정도로 그들의 영향은 넓고도 깊은 것이었다. 그리고 여기에 무능하다고 할 수 없으나 성격이 급하고, 공동체의 대의와 합의를 이끌어낼 지도력과 포용력이 부족했던 효종이라는 인물 자체의 특징이 결합되어 효종 대의 정치적 지형이 결정되고 구성된 것이다.

소현세자를 제치고 등극한 효종은 소현세자에게 기대했던 진취적 면모를 보여주지 못했다는 점에서 부정적 평가를 받고 있다. 북벌은 허황된 꿈으로 평가 절하되고, 그의 시대는 계속된 재이(災異)와 초라한 성과로 기억될 뿐이다. 그러나 봉림대군-효종은 소현세자와 영욕을 같이 했고 때로 세자를 대신해 대명(對明)전쟁이나 청의 행사에 참여했다. 세자 지위는 아니었지만, 세자와 동일한 체험을 했으므로 세자가 개혁을 지향했더라면 그도 굳이 개혁을 거부할 까닭이 없었다. 인질 신분이었지만 조선의 국왕이 역사의 현장에서 명의 몰락과 청의 부상을 직접 몸으로 겪은 것은 무엇으로도 바꿀 수 없는 소중한 자산이었기 때문이다.

그러나 효종이 이런 교훈에도 불구하고 퇴영적인 인물로 비춰지는 것은 상당히 흥미로운 부분이다. 효종의 선택이 구태의 답습으로 보인다면, 소현세자 역시 기대와 달리 거꾸로 갔을 수도 있기 때문이다. 역사는 되돌릴 수 없고 후회와 탄식도 허락하지 않는다.

효종하면 떠오르는 북벌론은 실체적 기반을 결여한 정책으로 평가받고 있지만, 그가 청의 위세를 목격하고도 이를 추구한 이유에 대해서는 만족할 만큼 해명이 돼 있지 않다. 북벌론이라는 명제가 과연 알맹이 없는 허구인지, 아니면 일정 한도에서 근거가 있는 것인지 살펴보지 않을 수 없는 대목이다. 결론부터 얘기하면 나는 통설과는 달리 효종이 개혁을 방기한 것은 아니며, 군사역량 강화에 힘쓴 것은 그의 심양 경험이 반영된 대응이었다고 생각한다.

말하자면 국가의 힘은 무력에서 나온다는 것이 그의 결론이고, 그가 힘써 추진한 (그 나름대로의) 개혁이었다는 것이다. 북벌론은 집권 후반기 실정에 대한 비난이 고조되고 관료 사대부의 저항이 거세지는 와중에 그동안 자신의 정책에 대한 합리화, 변호의 일부로 나온 관념이라고 본다. 따라서 나는 그가 즉위 초부터 청에 대한 복수설치(復讐雪恥)를 노렸다고 단정한다면, 사정을 과대 포장한 것이고, 효종의 사망 직전에 독대하였던 사실을 가지고, 자신의 위상을 높이려 한 송시열의 노림수에 말려들어간 것이라고 판단한다. 물론 현실로 추구되고 지향된 개혁이 국가로 하여금 새로운 길로 들어서게 한 것이 아니라, 당시에도 국민에게 고통을 안겨준 것으로 평가된 군비 확충에 국한된 것은 안타까운 일이다.

효종이 근본적이고 완전한 국가대개조(國家大改造)에 도전하지 못한 것은 지도자로서 효종이 가진 그릇과 능력의 한계, 그리고 거기까지만 허락한 시대상황이 복합적으로 작용한 결과다. 소현세자라면 이와 달리 발전된 서양문물을 도입했을 것으로 기대되고 있으나, 아담 샬에게 보낸 편지에서 "보내주신 천주교 서적들과 성화(聖畵)를 고국으로 가져가고 싶은 마음이 간절하나 천주교에 대해 무지한 저의 왕국에서 이단사교로 몰려 혹시 천주를 모독하게 되지 않을까 싶어 두려워 …그 성화를 당신에게 돌려드립니다."라고 적어 소현세자 역시 서양문물의 도입에 신중한 반응을 보였다(『소현세자 연구』, 김용덕). 세자는 국내 상황의 엄중함을 알고 있었던 것이다.

따라서 나는 신문물에 유연한 태도를 보였던 소현세자라면 조선의 주자학 근본주의자들의 저항에 맞서 국가 이데올로기를 총체적으로 변화시키고, 서양의 신기술 도입과 실용적 자세를 장려하여 효종의 성취와 근본적으로 다른 성과를 냈을 것이라고 판단하는 것은 성급한 일이라고 본다. 조선은 국왕 한 사람의 뜻대로 움직일 수 없는 신하의 나라였기 때문이다. 효종 즉위와 더불어 김자점으로 대변되는 조정 내 친청파는 제거됐고, 따라서 만약 효종이 청-혹은 서양의 제도 문물을 도입하기로 마음먹은 내면적 묵시적 친청파였다면, 당장 그는 그를 지지하고 도움을 줄 사람이 주위에 아무도 없는 고립 무원한 상태에 놓인 것이다. 조정은 친명배청론자로 가득차 있었기 때문이다.

효종이 개척해야 할 조선의 신항로는 저절로 열리는 것이 아니었다. 효종은 본인의 성격에 관한 기사[효종은 성격이 급하기로 유명했다. "전하께서 영특함이 너무 지나쳐 기뻐하고 성냄이 온당함을 잃어 함부로 꾸짖음이 혹은 재상에게 더해지고 매질이 또한 대부에게 미쳤습니다."(1656년 효종실록 효종 7년 2월 5일)]가 있을 정도다. 효종은 성격, 능력과 같은 인간적 방해요소 외에도 수많은 시대적 인문지리적 상황적 장애를 극복해야 했다. 역사에서 사라진 명의 그림자를 붙들고 있던 신하들의 동조를 얻는 것이 가장 중요했지만, 나라의 경제사정, 그리고 유독 효종 연간에 집중된 자연재해도 거기에 해당됐다. 결과적으로 효종은 결국 그 앞에 놓였던 장벽을 넘어서지 못한 것으로 평가되나, 그 책임을 모두 그의 잘못만으로 돌릴 것은 아니다. 본서의 목적에 부합한다고 생각되는 군비강화 문제와 송시열과의 관계를 중점적으로 살펴본다.

효종의 공과

먼저 그의 치적을 조감해보자. 조선 제17대 왕 효종은 1649년에서 1659년까지 10년간 재위했다. 그는 즉위하자 인조 말년부터 세력을 떨치던 김자점(金自點)을 파직시키고 재야산림의 김집, 송준길, 송시열 등을 등용했다. 그러나 그들은 효종과 인조묘호 개정[인조의 묘호는 처음에는 열조(烈祖)로 논의되었으나, 인조로 개정하는 과정에서 반대하여 갈등을 빚었다], 권신 김자점의 탄핵 및 파직, 이이 및 성혼(成渾)의 문묘종사 문제 등으로 사이가 갈라져 이내 재야로 돌아갔다. 효종은 대응책으로 남인을 서용[敍用, 죄를 지어 면관(免官)되었던 사람을 다시 벼슬자리에 등용함]하고, 박서, 원두표를 병조판서, 무장 이완(李浣)을 훈련대장에 임명하여, 군사력 증강을 위해 노력했고, 1654년에는 한강변에서 1만 3,000명의 병사가 펼치는 대대적인 관병식을 거행하기도 했다. 이때 제주에 표류해온 네덜란드인 하멜과 그의 일행들에게 서양식 무기를 제조하게 하여 그 무기를 시험하기도 했다. 1654년 러시아와 청 사이에 충돌사건이 일어나자 청의 강요로 러시아 정벌에 출정했고(1차 나선정벌), 1658년에도 한 차례 더 출병했다(2차 나선정벌). 이 같은 무력중시, 무관우대 정책은 사대부의 반대로 위기에 봉착하였고, 특히 송시열은 군비확장으로 인한 백성의 생활고를 거론하며 비난했다.

정책 동력이 소실될 위기에 처하자, 효종은 1659년 송시열을 재기용하여 금기시된 독대(獨對)까지 하면서 사대부의 지지를 기반으로 군비확장 정책을 북벌론으로 확대, 추진하고자 했지만(己亥獨對), 초치된 이조판서 송시열과 병조판서 송준길(宋浚吉)이 의미한 북벌은 명분에 그쳤을 뿐이다. 1659년 5월 4일 급서(急逝)하자 소위 북벌정책도 소멸됐다. 재임기간 중 경기, 강원지역에 실시되던 대동법을 충청도 전역 및 전라지역 대부분으로 확대하고, 김육의 주장에 따라 상평통보(常平通寶)를 유통케 하였으며, 서양의 태양력을 가미한 신역법(新曆法)을 도입했다. 요약하자면 그가 지속적으로 힘써 추진한 사안은 군비확충이었고, 그 과정에서 문을 무시하고 무력만을 중시한다는 점에 불만을 가진 서인 산림세력과의 알력과 공조, 군사 및 군비확충을 재정적으로 뒷받침하기 위한 여러 정책들의 공과(功過) 등이 치세의 윤곽을 구성한다.

그는 소현세자가 사망한 1645년(인조 23년) 4월 26일에는 국내에 없었고, 며칠 뒤인 5월 7일 심양에서 돌아왔다(1645년 인조실록 인조 23년 5월 7일). 왕세자로 책봉된 것이 같은 해 9월 27일이고, 인조가 사망한 것이 1649년 5월 8일이었으므로 4년간 세자로 있었던 셈이다. 그는 심양에 있던 8년 동안 첫째 딸을 잃고 1남 3녀를 새로 얻었다. 그 아들이 조선 18대 현종(顯宗)으로 외국에서 태어난 최초의 조선국왕이자, 후궁을 두지 않은 왕으로 기록된다. 효종이 세자로 있던 4년은 심양 기억에 변이를 가져오거나, 조정의 기대대로 변형됐을 만큼 충분한 기간이었다. 말하자면 조선의 분위기가 심양과 상이하다는 것을 실감했을 것이다.

"왕-효종이 세자로 있은 4년 동안 양궁(兩宮) 사이에 화기가 넘쳤으며, 날마다 서연(書筵)을 열어 토론하였는데 게으른 기색이 없었다."(1649년 효종실록 효종 즉위년 5월 8일) 세자로 있는 동안 김류 등 고관 사망 시 문상을 가거나(1648년 인조실록 인조 26년 윤3월 23일), 청사(淸使)가 서울에 오면 접대하는 등의 부차적 업무를 담당했지만(1649년 인조실록 인조 27년 1월 21일), 다가올 즉위에 대한 구상이 없지 않았을 것이다.

실록이나 『심양장계』 등 기록에 따르면 봉림은 형인 소현과는 관계가 돈독했다. "정축년에 소현세자를 따라 인질로 심양(瀋陽)에 들어갔을 때 소현세자와 한 집에 거처하며 정성과 우애가 두루 지극했다."(1649년 효종실록 효종 즉위년 5월 8일) 따라서 친청파로 오해받을 만큼 청에 호의적이었던 소현세자와 달리, 효종이 청에 대해 깊은 원한을 가졌고, 이에 대한 복수수단으로 북벌을 준비했다고 보는 통설은 지나치게 고식적인 해석이라고 생각된다. 말하자면 북벌론이라는 결과를 가지고 거꾸로 원망과 복수라는 동기를 만들어낸 것으로 본다. 그는 청에 있는 동안 소현과 거의 동등한 대우를 받았고, 어떤 점에서는 외교 책임자인 소현과는 달리 부담이 상대적으로 적은 위치에 있었다. 그런 측면에서 오히려 청의 관리에게 더 많이 시달린 소현과 반대로 특별히 청에 대해 불만을 가졌을 까닭이 없다고 본다.

그는 취임 초기 국정쇄신책의 일환으로 대신들의 건의에 따라 서인 산림(山林) 김집(金集), 송준길(宋浚吉), 송시열(宋時烈) 등을 중앙정계로 불러들인다(1649년 효종실록 효종 즉위년 5월 14일). 인조가 반정 직후 재야의 김장생, 장현광, 박지계를 불러들였던 것과 같은 일종의 화합을 위한 제스처다. 그러나 그들은 위에서 말한 대로 곧 효종과 갈등을 빚고 낙향했다가 효종 말년에 다시 중용되어 정치의 중심에 서게 된다. 관직을 버릴수록 명망과 위신이 높아지는 역설이다. 재차 말하지만, 산림은 학덕이 뛰어나고 많은 문도를 거느린 재야학자를 일컫는 말로, 관직이 없음에도 인조 이후 중앙정계에 막대한 영향력을 행사했다.

산림의 등장은 성리학의 정착과 관련이 있다. 첫째, 성리학으로 무장한 인물이 중시되는 사회 분위기 속에서 학문이 높을수록 정치력도 높을 것이라는 (혼란된) 믿음과 둘째, 정권 기반이 취약했던 반정 세력이 폭넓은 지지를 끌어내기 위해 재야의 명망 있는 사람들을 불러들여 고위직에 임명함으로써 권위를 더해 간 데서 비롯됐다. 효종 때 재야산림의 징소(徵召)는 주로 김상헌, 이경석 등에 의해 이루어졌다(『조선후기 산림세력연구』, 우인수, 일조각). 인조 24년 1차 심옥으로 청에서 돌아온 김상헌이 좌의정에 보임되자, 세자의 보익(補益)을 강조하면서 "방정(方正)하고 학문에 독실하여 명성과 실상이 이미 드러난 사람을 널리 뽑을 것을 강력하게 주장하여 일단 김집, 송시열이 각 찬선, 익선에 임명됐고(1646년 인조실록 인조 24년 5월 22일), 우의정 이경석도 이를 적극 지지했다.

김상헌은 김집의 부친인 김장생과 친밀한 관계를 유지하고 있었고, 이경석은 김장생의 문도였으므로 주로 김장생의 제자가 산림으로 추천되었다. 아버지 김장생과 더불어 조선예학의 권위자인 김집은 김육(金堉), 정태화(鄭太和) 등 기성관료와의 마찰로 고향으로 돌아가지만, 이들 문하에서 송시열(宋時烈), 송준길(宋浚吉), 이유태(李惟泰), 윤순거(尹舜擧) 등등 비중 높은 명사들이 즐비하게 배출되어 소위 기호학파의 중심을 형성한다. 따라서 이들을 산림으로 초치하는 것은 이들의 불만을 잠재우면서도 권력기반인 서인의 지지를 확고히 하려는 의도였다.

그러나 김집, 송준길, 송시열은 주자학 근본주의자였고, 효종이 추구하려는 노선과 마찰을 빚는 것은 당연한 수순이었다. 그들의 영향권 하에 있는 대간들은 효종 취임 직후 김자점에 대한 탄핵으로 포문을 열었다(1649년 효종 즉위년 6월 16일). 효종은 선왕의 원로대신을 논핵할 수 없다며 버텼으나(김자점은 효종의 즉위를 적극 찬성하였음), 양사에서 합계하여 논하자 이에 따랐다(1649년 효종 즉위년 6월 22일). 집의(執義) 송준길은 한걸음 더 나아가 김자점과 친분이 있는 자들도 추고할 것을 간했다(1649년 효종 즉위년 9월 13일). 홍천에 유배됐던 김자점은 청에 몰래 사람을 보내 효종이 산림을 등용해 장차 청을 공격하려고 한다는 내용의 참소를 했다(『효종대의 정국과 북벌론』, 이희환, 전북사학). 이로 인해 청의 사신이 진상조사를 위해 입국하는 등 분란이 있었지만(1650년 효종실록 효종 1년 3월 4일), 결국 김자점은 역모를 논의했다는 죄목으로 정형(正刑: 죄인을 사형에 처함)에 처해진다(1651년 효종실록 효종 2년 12월 17일).

김자점 고변의 영향으로 청은 효종 즉위 초에 다양한 명목으로 사신을 보내 내정에 간섭했는데(예를 들어 조선이 왜국 정세를 빙자하여 군사증강을 기하려 한다는 의혹을 조사 : 1650년 효종실록 효종 1년 9월 9일), 효종 1년에 7회, 2년 초 4회나 됐고, 2년 후반기에 1회, 3년에는 1회에 그쳤다(『수양론과 북벌론의 불협화음; 송시열과 효종』, 박균섭, 교육철학). 이로 인해 효종 초기는 의도한 대로의 국정시행이 곤란한 상황이었고, 더군다나 군비강화는 꿈꾸기 어려웠다.

서인 산림은 또 효종 즉위년 12월부터 이이, 성혼의 문묘종사를 추진했는데, 이는 서인이라는 정파의 적통성(嫡統性), 정통성을 정립하는 것으로 정치적으로 매우 중요한 함의가 있는 현안이었다. 서인을 기반으로 한 정권이지만, 임금은 왕권 수호를 원했기 때문에, 서인의 지위를 공고히 해줄 문묘종사에 부정적 입장을 보일 수밖에 없었다. 인조도 10여 차례에 걸쳐 이를 거부했고(예를 들어 인조실록 인조 14년 10월 19일), 효종도 마찬가지였다(효종실록 효종 1년 9월 15일). 송시열 등은 일단 효종의 대우에 불만을 품고 관직을 버리고 물러갔다(1649년 효종실록 효종 즉위년 6월 26일). 효종은 서인 산림과 원만한 관계를 유지하지 못했다. 이조정랑 김수항은 다음과 같이 상소한다. "지난번 초야의 여러 선비는[김집(金集), 송준길(宋浚吉), 송시열(宋時烈), 이유태(李惟泰)를 말한다.] 전하께서 진실로 두터이 예우하고 신용하셨습니다. 불행하게 시세가 크게 잘못되어 그들로 하여금 낭패를 당하고 돌아가게 하여 전하께서 처음 가지셨던 뜻에 부응하지 못하게 되었습니다." (1656년 효종실록 효종 7년 2월 27일) 그것은 효종이 추구하는 목표와 산림의 지향하는 바가 서로 달랐기 때문이다.

산림이 물러갔다고 해도 인조, 효종 연간에 서인 산림의 세력 확장은 점차 명백해지고 확고해졌다. 서인은 남인과 붕당 간의 대립에 있어 뚜렷한 우위를 점하여 사실상 일당독재의 기초를 닦았고, 그들의 가치관과 세계관을 국가와 조정의 가치관과 세계관으로 삼는 기반을 만들었다. 서인 관료 뒤에는 서인 산림이 있었고, 그들은 산림의 그림자 속에 살고 있다고 할 정도로, 산림이 그들에게 미치는 영향력은 상상 이상이었다.

우의정 심지원(沈之源)이 "조익(趙翼), 김집(金集), 송준길(宋浚吉), 송시열(宋時烈) 등 여러 유신(儒臣)을 불러와 성덕(聖德)을 돕게 하소서." 라고 아뢰다(1654년 효종 5년 10월 7일). 또는 교리 민정중(閔鼎重)이 "일찍이 기축년(효종 즉위년)에 송준길과 송시열 등이 조정에 있으니 비록 눈앞의 단기적인 효과는 없었으나, 온 조정이 두려워하여 비록 자점(自點)처럼 흉악한 자도 자못 두려워하는 바가 있어 감히 불법적인 일을 멋대로 행하지 못하였습니다. …서울로 불러들여 직무로써 번거롭게 하지 말며 봉급을 후하게 주고 예우를 융숭히 하여 그들로 하여금 경연에 출입하게 하고 전석(前席)에 가까이 불러 치도(治道)를 자문하고 학문을 강마하면 그 효과가 어찌 적겠습니까?"라고 아뢰다(1656년 효종 7년 1월 26일). 등등

문제는 산림은 숭명배청의 정신세계에 살고 있었는데 반해, 효종은 나라의 강함은 군사에서 나온다는 시각과 정치철학을 가지고 있었다는 점이다. "…결국 큰 난리를 겪은 뒤로 인심이 날로 어지러워지고, 천변이 날로 일어났습니다. 전하께서 이 점을 깊이 생각하고 남몰래 근심하여 이를 위해 환란을 생각하고 미리 걱정하신 것이 어느 경우인들 이르지 않은 곳이 없을 것입니다. 용기 있고 힘있는 사람들을 뽑아 군비를 갖추시며 하루도 편안하게 마음을 가지지 않으셨으니, 이는 참으로 나라를 강하게 하는 큰일입니다."(1657년 효종실록 효종 8년 10월 11일) 나는 이것을 심양의 인질 경험이 효종에게 미친 영향이라고 생각하는데, 어떤 면에서 보면 청의 군사적 위용을 직접 목도한 데서 나온 당연한 귀결일 것이다.

이것이 성취 가능했던 목표였는지의 여부는 별론으로 하고 이를 왕권강화 또는 북벌론으로 이름 붙이는 것은 사태를 오도할 염려가 있다고 본다. 말하자면 효종의 개혁적인 면모를 무시하고 구태의연하게 왕권에 집착했거나 불가능을 꿈꾼 북벌 환상론자로 폄하되는 면이 있기 때문이다.

개혁 내역과 범위가 군사역량 확충에 그친 점은 아쉽지만, 한편 나는 소현이 집권했다고 해도 당시 조건에서 특별히 다른 수단방법, 다른 목표치가 있었을 것으로 장담할 수는 없다고 본다.

김육의 건의에 따른 것이긴 해도, 효종은 아담 샬이 개수한 신(新)역법을 도입하기도 했다는 점(1653년 효종실록 효종 4년 1월 6일)에서 소현과 아담 샬 간에 이이졌던 인연이 완전히 망실된 것은 아니었다.

러시아 피터 대제와 같은 근본적 대변혁을 위해서는 강력한 왕권과 책략, 추진력 이를 뒷받침할 인적·물적 요소가 필요할 것이다. 그러나 조정에는 주자학 근본주의자들이 가득 차 있었고, 유일한 친청파였던 김자점의 경우에서 보듯 왕이라 해도 이들이 합심해서 제거를 요구하면 들어줄 수밖에 없을 정도로 왕권이 미약했으므로, 당시 여건과 정황에서 개혁은 보통의 평범한 역량으로는 달성하기 어려운 표적이었다. 그래서 나는 소현도 같은 딜레마에 빠졌을 가능성이 높았을 것으로 보는 것이다.

효종은 김자점 옥사의 마무리로 청의 감시가 소홀해지는 등 대외적 여건이 좋아지는 1652년(효종 3년)부터 본격적으로 군비확장, 성곽보수, 무기정비, 훈련강화 정책을 추진한다. 어영군을 늘리고(1652년 효종실록 효종 3년 6월 29일), 금군(禁軍, 왕의 호위군)을 기병(騎兵)화했다(1652년 효종실록 효종 3년 9월 3일). 1655년에는 모든 금군을 내삼청(內三廳)에 통합하고 600여 명의 군액을 1,000명으로 증액했다(1652년 효종실록 효종 3년 8월 13일). 남한산성을 근거지로 하는 수어청을 재(再)강화하고(1651년 효종실록 효종 2년 6월 3일), 중앙군인 어영군과 훈련도감군을 증치했으며(1652년 효종실록 효종 3년 6월 29일), 지방군을 강화하기 위해 영장제도(營將制度)를 복설하였다(1654년 효종실록 효종 5년 2월 11일). 한편 인재양성 목적으로 그동안 중단됐던 관무재(觀武才, 무과시험)를 매년 시행했다(1652년 효종실록 효종 3년 8월 3일). 그리고 1654년에는 노량진에 거둥(擧動, 임금의 나들이)하여 대규모 군사훈련 광경을 열무(閱武, 임금이 몸소 군대를 사열함)하기도 했다(1654년 효종실록 효종 5년 3월 4일).

그러나 이에 대한 신하들의 입장은 일관된 반대였다. 부교리 남용익(南龍翼)은 봄철에 열무하는 것을 중지해야 한다고 주장하면서

"사람들이 모두 '전하께서 오랫동안 밖에서 고생하여 안마(鞍馬)에 익숙하시기 때문에 자못 구중궁궐에서 단정히 팔짱끼고 있는 것을 견디지 못하시고 이렇게 즐겁게 노는 행사가 있다.'고들 말합니다. 비록 매우 어리석은 필부의 말이지만 식자들의 걱정도 일찍이 여기에 있었습니다. 말을 달려 사냥하는 조짐이 이로부터 싹틀까 두렵습니다."라고 상소했다. 신하들은 왕이 궁중에 가만히 들어앉아 있기를 바랐는데, 왕이 말을 타는 것을 즐겁게 놀러 다니는 것으로 생각하여 못마땅하게 바라봤다. 문을 무시하고 무를 중시한 왕에 대한 불만이 이렇게 표현된 것이다.

왕의 호위군인 금군(禁軍)을 강화하려는 시도에 대하여는 지경연(知經筵) 이후원(李厚源)이 "근래 (군사를 기르는 데 대한) 뜬소문이… 있어 사대부의 집이 혹 피란을 가기도 하고 비단옷으로 짚신을 바꾸기까지 하는데, 대개 국가에서 금군(禁軍)을 정돈하기 때문에 이런 소요를 가져온 것입니다. 앞으로 군사를 쓸 일이 있을 것이라고 말하나, 국가에서는 결국 금군에게서 힘을 얻지는 못하고 (군대의) 교만하고 방자한 버릇만 길러줄 것입니다."(1652년 효종실록 효종 3년 11월 6일)라고 아뢰기도 하여, 무관을 무시하는 고질적 시각과 아예 군대를 기르는 일 자체에 대해 부정적 견해를 가지고 있음을 보여준다. 효종은 서인 산림을 물리친 상황에서 이완, 원두표 등 자신의 뜻을 추종하는 소수의 인물을 데리고 군비강화에 나섰지만, 위에서 본 바와 같이 관료들의 광범위한 반대와 노골적 저항에 부딪혔다.

효종의 정책에 결정적으로 물리적 타격을 안긴 것은 무엇보다 재정(財政) 문제였다. 효종 재위연간 유달리 가뭄 등 재이가 심하여 기근이 계속됐다(『효종대의 정국과 북벌론』, 이희환). "각도에 사신을 계속 내려 보내도 모든 농사는 흉년이 들어 국세와 민생이 이미 어떻게 할 수 없는 지경에 이르고 말았습니다."(1650년 효종실록 효종 1년 11월 21일) "더구나 지난해(효종 1년)의 기근은 근고(近古)에 없던 일인데 이제 또 여름철을 당하여 가뭄이 극심합니다. 삼가 듣건대, 양남(兩南)의 모를 심은 곳은 이미 어찌 해볼 가망이 없고 근기(近畿) 지방에도 오히려 비가 흡족하지 못하니, 올해의 농사 형편은 이미 알 만합니다."(1651년 효종실록 효종 2년 6월 6일) "게다가 지금은 삼남 지방에 계속 흉년이 들어 좀도둑들이 곳곳에 가득합니다."(1652년 효종실록 효종 3년 5월 16일) "불쌍하게도 우리 백성들의 고달픈 생활이 극도에 이르렀습니다. 게다가 거듭 흉년까지 들었으니 어떻게 살아갈 수 있겠습니까?"(1653년 효종실록 효종 4년 1월 6일) "근래 한재가 매우 참혹하여 민생이 장차 보존하지 못하게 되었으니, 절박한 근심이 이보다 더 심한 것이 없다. 어떻게 해야 비를 오게 할 수 있겠는가?"(1657년 효종실록 효종 8년 4월 30일) "북로에 해마다 흉년이 들어 경솔히 백성들을 동원할 수 없으니 풍년이 들기를 기다렸다가 형세를 보아 아뢰어 조처하도록 하소서."(1654년 효종실록 효종 5년 8월 24일) "금년의 흉년은 근고에 없었던 것인데, …이런 큰 흉년을 만나 지방의 궁한 백성들이 지금 어찌할 바를 몰라 절박한 속에 있으니 어루만져 안정하게 살 수 있도록 해주는 계책이 시급합니다."(1658년 효종실록 효종 9년 8월 24일) "지금 천재(天災)와 시변(時變)이 날마다 발생하여 굶어 죽고 떠돌아다니는 현상이 전국 팔도가 똑같은 형편입니다."라는 병조판서 송준길에 대해, 효종은 결국 "아, 예로부터 재이의 발생이 어느 시대인들 없었겠는가마는, 어찌 과인이 임금의 자리에 있는 이후만큼 많은 때가 있었던가?"(1659년 효종실록 효종 10년 3월 26일)라고 한탄할 정도였다.

이와 같이 실록에 연이은 재이와 기근에 관한 기록은 수없이 많다. 연이은 기상이변은 결국 국가재정의 약화를 불러올 수밖에 없다. "천재와 시변(時變)이 달마다 생겨 재정은 고갈되고 백성은 곤궁한데도 구제할 방책이 없으며, 안으로는 믿을 수 있는 형세가 없고 밖으로는 매우 위급한 근심이 있으니 국가가 장차 어느 지경에 이를지 모르겠습니다."(1654년 효종실록 효종 5년 10월 13일)

국가는 만성적 재정적자 상태에 있었다. "삼가 국가의 재정 상태를 듣건대 1년의 세입(稅入)이 1년의 지출을 공급하기에 부족하다고 했습니다."(1659년 효종실록 효종 10년 윤3월 4일) 1655년(효종 6년)경 국가 세입은 10만 석에 불과한데 지출은 12만 석에 달했다. "본조의 세입은 단지 전세(田稅)인 미두(米豆)뿐이고, 면포(綿布)는 본래 들어오는 길이 없었으므로 허다한 경비를 전적으로 사섬시(司贍寺)의 노비 공포(貢布)에 의존해 왔습니다. 그러나 1년에 납입되는 것이 1년의 비용에는 태반이 부족한 형편이었으므로 산군(山郡)의 전세를 면포로 바치게 하여 부족한 숫자를 보충시켜 왔습니다."(1653년 효종실록 효종 4년 6월 4일)

군비확장 사업을 뒷받침하려면 막대한 재원이 필요한 것은 당연하다. 그런데 여건이 위와 같이 열악한 상황에서 이를 뒷받침하는 수단은 양반에게도 부담을 지우는 대동법이나 균역법과 같은 근본적인 제도 개혁이었다. 하지만 세금부담이 커지고 기득권을 해칠 가능성이 있는 방안은 서인과 남인을 막론하고 지배층의 지지를 받지 못했다. 대안으로 떠오른 것이 노비추쇄 (奴婢推刷: 도망친 노비를 붙잡아 본래 소속처에 돌려주자는 법안)였다. 공노비는 신공[身貢, 노비가 신역(身役) 대신 납부하던 세]을 내야 하나, 세금 부담에서 벗어나기 위해 도망해서 공노비 숫자가 날로 감소하였다. 각사 노비안에 19만여 명이 등재되어 있으나 실제로 신공을 납부하는 노비는 2만 7,000

명에 지나지 않는 점에 착안한 것이다. 대사헌 김익희(金益熙)의 발의로 1655년 시작됐지만(1655년 효종실록 효종 6년 1월 27일), 양반 밑으로 숨어들어간 노비를 찾아내어 공공기관으로 되돌리는 것은, 결과적으로 자신의 소유 하에 굴러들어온 노비를 무상으로 빼앗기는 것이므로, 지배층의 경제적 고통으로 인식되었고, 결국 참담한 실패로 끝났다.

"추쇄(推刷)의 한 가지 일만 가지고 말하더라도 당초 성상께서 마음을 굳게 먹고 백 년간 폐지됐던 것을 한 번 진흥시키려고 하셨습니다. 그런데 지금 3년이 되었는데도 일은 실마리를 찾지 못하고 송사는 분분하여 그치지 않고 있으며 일을 담당한 여러 신하들도 느긋함을 면치 못하고 한결같이 뒤로 미루기만 하여 일을 완료할 기약이 아득하니, 성명께서 끝까지 견지하지 못하자 여러 신하들의 뜻도 따라서 해이해졌다는 것을 또한 볼 수 있습니다."(1657년 효종실록 효종 8년 5월 6일)

자신들은 조금도 희생하지 않으려는 관료들의 비난은 군비확장에 모아질 수밖에 없었다. 근본적으로 돈이 들어가는 군사강화책을 시행하지 말라는 것이었다. "금년의 흉년은 근고에 없었던 것인데, 훈국에서 군사를 늘리는 일을 마침 이때에 했습니다. 지금 듣건대 도감에서 하교를 받들어 각 도에 공문을 보냈는데 그 선발하는 수가 무려 1천여 명을 초과했다고 합니다. 이런 큰 흉년을 만나 지방의 궁한 백성들이 지금 어찌할 바를 몰라 절박한 속에 있으니 어루만져 안정하게 살 수 있도록 해주는 계책이 시급합니다. 그런데 구제하라는 명은 내리지 않고 군사를 늘리라는 전교를 먼저 내리니, 인심이 놀라 동요될 뿐만 아니라 식량을 싸 가지고 와야 하는 어려움과 거처를 옮기는 폐단에 이르러서는 이루 다 말할 수도 없습니

다."(1658년 효종실록 효종 9년 8월 24일)

"지난번 승호[陞戶, 중앙과 지방에서 공사천(公私賤) 노비를 양민(良民)으로 승격하여 훈련도감의 포수 정군(正軍)에 소속하게 하던 제도]시킨 것은 전하의 의도가 일이 닥치기 전에 미리 대비시키려는 데에 있는 것이긴 하였으나, 반드시 군량을 헤아린 뒤에 군대를 첨가시켜야 되는 것입니다. 삼가 국가의 재정 상태를 듣건대 1년의 세입(稅入)이 1년의 지출을 공급하기에 부족하다고 했습니다. 신의 의견에는 서울의 군대는 단지 숙위(宿衛)에만 대비할 뿐이니 첨가할 필요가 없다고 여겨집니다. 그리고 경외(京外)의 군졸이라도 정하게 가리고 후하게 배양한다면 유사시에 쓰기에 충분할 것인데, 무엇 때문에 도성에 모아놓고서 사람들로 하여금 고향을 떠나는 걱정을 품게 하고 나라에서는 늠료를 허비하는 일이 있게 할 필요가 있겠습니까."(1659년 효종실록 효종 10년 윤3월 4일)

결국 영의정 정태화(鄭太和), 이조판서 홍명하(洪命夏)를 비롯한 많은 신하들이 노비 추쇄, 군사 조련의 폐단을 지적하며 중단을 요구했고(1657년 효종실록 효종 8년 5월 5일), 효종이 그동안 공들여 오던 정책은 수포로 돌아가게 됐다. 효종은 미봉책으로 각도의 공물을 임시로 정지하거나, 영장제의 절목을 개정하기도 했으나, 현실은 현실이었다.

"한재의 참담함이 이 지경에 이르렀으니 금년 농사는 알 만하다. 각도의 방물(方物) 가격을 명년 가을까지 정지하라.", "영장을 혁파하기는 어렵다만 시월부터 정월까지 넉 달간 훈련하는 것은 과연 폐단이 있으니 절목을 조금 고치는 것이 좋을 것이다."(1657년 효종실록 효종 8년 5월 6일)

효종이 목표로 삼은 군비확장과 국가동원을 위해서는 보다 근원적 개혁, 잠자고 있는 잠재력을 깨울 수 있는 동기부여가 필요했고, 국가구성원의 이해와 참여가 필수적이었지만, 기득권을 빼앗기지 않으려는 지배층의 지능적 비협조로 모든 부담이 서민 백성에게만 돌아갔기 때문에 실패로 귀착된 것이다.

효종과 송시열

여기에 송시열이 등장한다. 효종 즉위 초인 1649년 잠시 출사했다가 낙향한 뒤 9년 만인 1658년 51세 때 이조판서로 복귀한다(1658년 효종실록 효종 9년 9월 18일). 1607년생인 송시열은 26세 때인 1633년(인조 11년) 생원시에 급제하였지만, 인조 연간에는 벼슬을 하지 않았다. 낙향했던 송시열의 재기용은 그동안 공들인 정책이 무위로 돌아갈 위기에 처하자 할 수 없이 꺼내든 효종의 고육지책이었다. 송시열은 첫 관직에 나간 인조 11년(1633년)부터 사망하는 숙종 15년(1689년)까지 56년간 인조, 효종, 현종, 숙종에 이르기까지 네 명의 임금이 167회에 걸쳐 불렀어도 이에 응한 것은 37회에 불과했다(『송시열과 그들의 나라』, 이덕일). 그는 벼슬을 거부하고 임금의 부름을 무시할수록 명망과 권위가 높아지는 산림의 전형이었다. 여기서는 송시열과 북벌론의 관계를 고려해보는 차원에 국한한다.

북벌을 바라보는 시각은 그나마 조선이 무력하게 당한 것만은 아니라는 위안감과 냉철함이 결여된 무모한 기도였다는 복합감정 때문에 착잡할 수밖에 없다. 그러나 나는 이미 밝힌 바와 같이 효종이 즉위 초부터 북벌을 목표로 삼았다는 통설에 대해 의문을 갖고 있다. 그는 청의 위세를 당시 조선의 누구보다 잘 알았기에 북벌을 위해 필요한 무력의 종류와 수준을 계상하고 있었을 것이다. 원정군을 조련하는 것은 한갓 임금 호위군(禁軍)의 숫자를 늘리거나, 중앙군, 지방군 체제를 갖추는 등 수비군 정비와 차원이 다르다. 청의 기병(騎兵)을 상대하려면 아군도 기병을 육성하고 여기에 맞춘 전투 기술의 제고가 기본이다. 그러나 효종의 관심은 열병식이나 관무재 정도였지, 그것을 넘어 공격전술, 격파전략을 훈련시킨 바 없고, 당시 중국 남부에 연명하던 남명(南明)정권과의 제휴, 협공을 위한 외교적 노력을 기울인 자료도 없다.

조선의 경제사정으로 기병 양성은 어려운 과제였고, 중국과 같은 개활지, 평원에서 기병공략에 효과적인 포병과 대포를 운반하기 위한 치중대(輜重隊)의 마련도 필수적이지만 이도 요원한 일이었다. 조선에 대한 감시를 게을리 하지 않았던 청도 북벌에 대해 달리 신경을 쓴 흔적도 없다. 그러므로 효종이 적어도 일반적 판단력의 소유자였다면, 그 정도의 무장과 채비로 정벌에 나서는 것은 경솔한 일이라는 것을 알았을 것이다. 따라서 나는 북벌보다는 군비강화 자체가 효종의 정책적 목표였다고 본다.

앞서 말한 바와 같이 효종은 청년기의 8년을 심양에서 보내며 국가의 위신은 군사역량에서 나온다는 사실을 절감했고, 이는 왕권강화와도 밀접한 관련이 있으므로 당연히 추진할 수 있는 범위 내에 있었다. 실제로 북벌이라는 말은 효종실록에 등장하지 않고, 김자점이 옥사할 때 청에 북벌계획을 고변했다는 자료가 연려실기술에 나타날 뿐이다[『연려실기술(燃藜室記述)』 권30 청사사문(淸使査問)·김자점옥(金自點獄); 1657년 효종실록 효종 8년 8월 19일 각주 참조]. 효종의 북벌을 언급한 역사자료는 1659년 3월 11일 효종의 사망을 앞두고 이루어진 효종과 송시열 간의 독대에 관해 송시열이 자술한 악대설화(幄對說話)가 거의 유일하다. 역사상 유명한 소위 기해독대(己亥獨對)다.

조선시대 신하가 홀로 임금을 만나 정치를 논하는 것을 뜻하는 독대는 엄격히 금지됐다. 특정 신하가 국왕을 독대하면 양자 간 비밀 음모를 논의한 것으로 간주되어 엄청난 비판을 받았으므로 금기였다. 그러므로 신하가 임금을 알현할 때 반드시 승지와 사관이 입회하여 양자의 대화내용을 기록하여 조보(朝報)에 올리고 사초(史草)로 남기는 것이 관례였다. 조선시대를 통틀어 독대는 몇 차례에 불과하다. 1717년(숙종 43년)에는 노론 좌의정 이이명(李頤命)이 숙종과 독대하였던 바, 항간에서 세자 교체를 논의했다는 의심을 받았다(1717년 숙종실록 숙종 43년 7월 19일). 노론 측은 숙종이 세자 교체 의사를 표명하였으나, 오히려 이이명이 만류하고 중신회의에서 논의할 것을 주장했다고 변호했으나, 숙종은 독대 다음날 대신들을 소집하여 세자의 대리청정을 결정했다. 결국 이로 인해 이이명은 큰 비판을 받았고, 신임사화 때 처형되는 빌미가 됐다. 그런데 송시열의 경우는 그 자신이 그날의 대화 내용을 남겼으니 특이한 경우다.

대화의 전개 방식, 내용, 양측의 주장과 대답 등에 관해 신뢰성을 부여할 수 있느냐의 여부는 전적으로 송시열의 몫이다. 다소 길지만 요지를 소개한다.

"기해년(1659년 효종 10년) 삼월 열하룻날 임금께서 부르시어 희정당(熙政堂)에서 만나 뵀다. (임금이 말했다) '저 오랑캐는 반드시 망할 형편에 있소. 지난번 칸(汗; 청 태종) 시절에는 형세가 매우 번성하였는데 지금의 칸(청 세조; 순치제)은 점점 쇠약해지고 있고, 지난번 칸 시절에는 인재가 심히 많았는데, 지금은 모두 용렬하고 약한 자들뿐이고, 지난번 칸 시절에는 오로지 군사를 존중하였는데, 지금은 군사가 점점 폐지되어 마치 명(明)의 일을 본받는 듯하오. 이것은 바로 경이 지난날에 말한 주자의 말 곧 '오랑캐가 중원을 얻으면 사람들이 중원의 제도를 가르쳐서 오랑캐가 점점 쇠약해진다.'는 것이

오. 지금의 칸은 비록 영웅이라고 하나 주색에 빠짐이 이미 깊어서 그 형세가 오래갈 것 같지 않소. 오랑캐의 일은 내가 그동안 깊이 궁리하였소. 여러 신하들은 모두 내가 군병에 관한 일을 감독하지 않기를 바라지만 내가 그렇게 할 수 없는 것은 천시와 인사에서 어느 날 좋은 기회가 올지 모르기 때문이오. 그래서 정예포병 10만을 길러 자식처럼 사랑하고 보듬어서 모두 죽음을 두려워하지 않는 병사를 만들고자 하는 것이오. 그런 다음 오랑캐가 틈이 있기를 기다려 발병하여 국경 밖으로 쳐들어가면 중원의 의사와 호걸이 어찌 호응하는 자가 없겠소. 국경 밖으로 쳐들어가는 것은 그리 어렵지 않소. 오랑캐는 군사준비에 힘쓰지 않아서 요동과 심양 천리에 활 쏘고 말달리는 군사들이 없으니 분명코 무인지경을 들어가는 것과 같을 것이오. 또 하늘의 뜻을 헤아려 보건대, 우리나라의 세폐를 오랑캐들이 모두 요동과 심양에 쌓아 두었으니 하늘의 뜻은 그것을 다시 우리가 쓰도록 하는 것 같소. 그리고 또 우리나라에서 잡혀간 사람이 몇 만 명이 되는지 알 수 없는데, 그들도 어찌 내응하지 않겠소. 오늘의 일은 우리가 실행에 옮기지 않는 것을 근심할 뿐, 성공하지 못할 것을 근심할 일은 아니오.' (신이 대답했다) '성의(聖意)가 이와 같으시니 비단 우리나라뿐만 아니라 실로 천하 만세에 다행스런 일입니다. 그러나 제갈량도 일찍이 능히 성공할 수 없는 것이 있다면서 말하기를 '완성키 어려운 것이 일이라.' 하셨으니 만일에 차질이 생겨 뒤집혀 (나라가) 멸망하는 화를 당하면 어찌하겠습니까?' (임금이 웃으며 말했다) '…재주가 미치지 못한다 하여 스스로 한계를 정해 일을 도모하지 않는 것이 옳은 것이겠소. …나의 성품은 그렇게 어둡고 용렬한 것은 아니고…. 하늘은 나로 하여금 일찍이 활 쏘고 말 타는 전쟁터의 일을 익히게 했으며, … 저들의 형세와 산천의 길과 마을을 잘 알게 했고… 하늘의 뜻이 나에게서 그렇게 멀리 떨어져 있지는 않은 듯하오. … 경이 당론을 모으지 않고 있는데 이것도 피차에 도움이 되지 않는 일이요. 내가 경과 뜻이 같고 생각이 일치하여 골육형제와 같으면 그 뜻과 기운에 점점 동화되어 우리의 뜻에 서로 호응하는 사람이 생길 것이오. 나는 앞으로 10년을 기약하오. …하늘이 내게 10년만 더 살게 해준다면 성패 간에 반드시 한 번 거사를 할 것이니, 경은 꼭 비밀리에 동지들과 함께 의논해 주시오."(『幄對說話』, 심재기 역)

뒤로 이어지는 다음 단락은 송시열이 임금에게 수양하고, 민심수습을 위해 이이와 성혼을 문묘 종사할 것, 양병과 양민 방책 등을 건의한 내용으로 북벌과 직접 관련이 없다.

이 문건에 대한 해석은 분분하다. 효종과 송시열의 북벌 합작의 증거라는 견해(『악대설화와 효종의 비밀편지』, 우경섭, 한국학연구 제50집)로부터, 송시열의 협력은 명목에 그친다는 설(『수양론과 북벌론의 불협화음』, 박균섭), 송시열은 반대의사를 분명히 했다는 설(『효종대의 정국과 북벌론』, 이희환)까지 다양한 편차가 존재한다. 내가 주목하는 것은 이 문건의 발표시기인 1675년(숙종 1년)이다. 숙종은 현종 연간의 예송논쟁에서 송시열이 임금을 우대하지 않고 적장자가 아닌 차자(次子)라는 논리를 적용하는 기년설(朞年說)을 제기하여 관철시킨 사실을 지적한다. 숙종은 즉위하자마자 "송시열은 효종의 예우를 입었는데도 보답하려고 생각하지 않고 도리어 서자(庶子)라는 폄칭(貶稱, 헐뜯음)을 가했으니, 어찌 죄가 없을 수 있겠는가?"라면서 처벌하려 했다(숙종실록 숙종 1년 1월 3일).

위 문건은 이때 발표된 것이다. 의도는 명백하다. 자신이 효종의 특별한 신하였고, 따라서 관계가 돈독했던 자신이 효종을 무시해서 기년설을 제시한 것이 아니라는 점을 부각시키기 위한 목적이었다. 효종은 독대의 내용을 함구할 것을 요구했고, 유지(遺旨)를 따르자면 세상에 알려져서는 안 되는 것이었다. 송시열이 정말 효종의 뜻을 받들기를 원했다면 은밀히 북벌 동지를 규합하고 대소간 행동에 나섰어야 했지만, 송시열이 실천에 옮겼다는 자료는 없고, 오직 궁지에서 벗어나기 위한 면피용으로 이용했을 뿐이다. 기해독대 2개월 뒤인 1659년(효종10년) 5월 4일 갑자기 효종이 사망한다. 얼굴에 난 종기를 침으로 다스리려다 혈관을 건드려 출혈을 멈출 수 없었다. 독살설이 나오는 이유다.

그런데 송시열은 효종의 사망으로 북벌이 틀어졌다고 판단했고, 그와 같은 경위로 북벌 계획이 무위로 돌아갔던 이유를 세상에 알리기 위해 악대설화를 공개하는 것이라는 부기(附記)를 적었다. 그러나 북벌이 효종만의 목표가 아닌 송시열 자신의 바람이기도 했다면, 위의 부기는 변명의 성격이 강하고 그런 면에서 옹색하다. 서인-노론은 효종과 송시열의 관계가 긴밀했음을 과시하기 위해 이를 선전했을 뿐 북벌에는 관심이 없었다.

돌이켜 효종의 발언을 고찰해보자. 효종은 북벌을 위해서는 앞으로 10년의 준비가 더 필요하다고 했다. 기해독대 당시인 1659년의 사정으로는 턱없이 부족하다는 자백이다. 적어도 정예포병 10만 명이 요구되지만, 당시의 군사는 금군과 어영청 군사를 전부 합쳐도 2~3만 명을 넘지 않았고, 기병도 금군(禁軍)의 300여 기(1656년 효종실록 효종 7년 7월 18일)에 불과했다. 홍타이지가 병자호란 때 조선에 데리고 온 병력도 12만인데, 그보다 적은 10만으로 중국을 공격한다는 것은 납득하기 어렵다. 또 효종이 말하는 청의 이번 칸은 도르곤인지, 순치제인지 분명치 않지만 누구라 하더라도 주색에 빠져 쇠약의 징조가 보인다는 것은 명백히 잘못된 정보다. 청태종 홍타이지의 사망으로 섭정이 된 도르곤은 오삼계의 인도로 북경에 입성한 뒤 중국 대부분을 무력으로 진압하여 접수한 장본인이며, 청의 제3대 황제 세조 순치제는 부친인 청태종 홍타이지의 사망으로 5세 때인 1643년 제위에 올라 23세 때인 1661년 아들인 강희제에게 황위를 물려준다. 즉위 초에는 숙부인 도르곤이 섭정했으나 1653년 도르곤이 사냥을 나섰다가 사망하자 이때부터 친정이 시작됐다. 15세의 순치제는 도르곤을 역모 혐의로 추벌(追罰)하고, 그와 동시에 제왕(諸王)의 6부 관리겸임을 금지시키는 등 제왕의 세력 억제를 꾀하였고 황제의 권한을 강화하는 정책을 취했다.

1659년 영명왕(永明王)을 윈난(雲南)으로부터 미얀마로 내몰아 명(明)나라의 잔존 세력을 대부분 평정했다. 청은 쇠퇴하기는커녕 욱일승천하고 있었다. 그리고 중국에 입경하면 중원의 의사(義士), 호걸과 병자호란 때 끌려간 피로인(被擄人)이 호응할 것이라는 기대도 따지고 보면 막연한 말씀이다. 문건의 진술대로 효종이 말 타고 활 쏘는 병법을 알고 있다면, 단순한 기대와 희망만으로 공격을 개시할 수 없다는 점을 알았을 것이다.

종합적으로 보면, 효종의 발언은 어떤 점에 기대어 분석하더라도 진심으로 침략전쟁을 염두에 두었던 사람의 발언이 아니다. 여러 가지 정황에 비추어 너무 허술하기 때문이다.

그렇다면 이를 어떻게 해석할 것인가. 효종은 그의 치세 말년에 이르러 그동안 역점을 뒀던 군비강화책이 연이은 재해, 불합리한 군정, 전정으로 인한 재정난, 신하들의 비협조와 반대로 총체적 실패위기에 처하자, 할 수 없이 그동안 내쳤던 송시열을 이조판서, 송준길을 병조판서라는 실직(實職)으로 불러들이고, 송시열과 독대한다. 그것은 송시열의 위상이 그만큼 높았다는 반증이자, 효종이 송시열을 설득하여 궁지에 몰린 자신을 이해시키는 것이 모든 신하의 지지를 획득하는 것이라는 점을 기대하고 벌인 고도의 정치행위였다. 북벌은 자기의 군사우선정책을 변호하고 신하들의 반대정서를 설득하는 과정에서 나온 다소 부풀린 발언이다.

그것은 10년이라는 기간을 더 달라고 한 점에서도 나타난다. 공격군을 조성하기 위해서는 10년이 더 필요하다는 점을 알고 있었다는 얘기다. 효종은 조선의 문약(文弱)에 문제가 있음을 알고, 숭무(崇武)의식을 고취하고 아울러 왕권 강화도 노렸지만, 재위 10년의 성과가 무위로 돌아갈 위기에 처하자, 신하들 중 가장 영향력 있는 자를 불러 협조를 당부하였다. 북벌은 군비증강을 설명하고 합리화할 수 있는 효과적 카드였다. 당시 조선의 지식인 중 숭명배청, 복수설치의 명분에 동조, 공감하지 않을 자는 아무도 없었기 때문이다.

나는 줄곧 북벌 프레임을 씌워서는 효종을 제대로 평가하기 어렵다는 점을 강조했다. 북벌론은 효종에게 청에 대한 개인적 원한을 풀기 위해 불가능한 목표를 좇은 다소 부족하고 분별력을 상실한 군주라는 이미지를 심어주었다. 그러나 그는 비록 구성원에게 동기를 부여하고 성취할 과녁을 향해 이끌고 나갈 동원력이 부족한 평범한 군주였지만 허황된 임금은 아니었다. 조선은 이미 보통 수준의 지도자 능력으로 진행 방향을 교정하기 어려울 정도로 조선중화론이라는 퇴영적 물결에 휩쓸리고 있었다. 임금 한 사람의 각성으로는 국가를 역방향으로 되돌리기 어려웠다는 말이다. 서두에서 김용덕이 조선사의 아쉬운 장면으로 소현세자의 죽음을 든 것에 수긍하면서도, 전적으로 동조할 수 없는 이유이기도 하다. 소현세자라 하더라도, 불굴의 의지와 불세출의 역량이 없다면 성공 가능성이

희박했을 것이라는 점이 내 생각이다.

1649년 효종 즉위년 송시열은 효종과의 마찰로 물러가면서 올린 기축봉사(己丑奉事, 奉事는 임금에게 비밀리에 올린 상소)에서 "공자가 춘추를 지어 대일통의 의리를 천하 후세에 밝힌 뒤로 의리가 있는 무리라면 모두 중국은 존중해야 하고 이적은 추하게 여겨야 할 것임을 알았다…. 군부의 원수는 한 하늘 아래 살 수가 없는 법이다…. 신종황제(만력제)의 은혜에 힘입어 종사가 다시 존재되고, 생민이 소생하였으니, 풀 한 포기, 머리털 하나까지…황은을 입은 것이니, 군신의 의리를 어찌 잊겠는가. 전하께서는 마음을 굳게 정하여 '이 오랑캐는 군부의 원수이니, 맹세코 차마 한 하늘 밑에 살 수 없다.'며 '분노를 더욱 새기고, …와신상담을 절실히 하여 …설치(雪恥)에는 내실이 있고 허명이 없어야 크게 이루어질 수 있다.'고 주장했다." 숭명배청의 기치를 높이 들고, 청에 대한 복수설치를 주장한 점이 외견상 북벌과 유사하지만, 이는 오히려 송시열이 사대부 유학자의 일반적 견해를 대표하였다는 점에 의의가 있는 것이지 실제 군사적 행동에 나설 것을 촉구한 것은 아니다.

효종과 송시열이 같은 의견이었다면 이후 9년간이나 쓰이지 않은 사실은 설명할 수 없기 때문이다.

한마디로 송시열은 효종의 총애를 받는 신하가 아니었고, 그의 복수 주장은 효종의 군비개혁 의도와 별로 관계가 없다. 그럼에도 그가 거론되는 이유는, 그가 저술과 학문을 통해 당대를 규정짓는 사상과 이념을 구성하고 요약했으며, 이로 인하여 모든 사람의 인정과 추앙을 받는 산림으로 군림했고, 역량이 뛰어나 정치판을 좌우하면서도 극단적인 당파성으로 인해 조선후기를 규정짓는 부정적 유산을 많이 남겼나는 점 등에서 중요하기 때문이다. 그가 올린 기축봉사, 정유봉사(丁酉奉事, 1657년 효종 8년)는 모두 주자와 주자학에 대한 맹목적 믿음과 절대적 태도가 정교하게 자리 잡고 있다. 이데올로기로서 주자학의 당부나 공과를 떠나, 주자를 제쳐 놓고 인조 이후 정치와 사상사를 논할 수 없는 것은 거의 송시열에서 비롯됐다고 해도 과언이 아니다. 그는 주자가 아니었다면 우리는 머리를 풀어헤치고 옷깃을 왼쪽으로 여미는 오랑캐가 됐을 것이니 주자의 가르침을 더욱 받들어야 한다고 강조했다. 도덕적으로도 '전하(효종)께서는 오랑캐들 속에 계실 때 날마다 술 마시고 노는 것만을 일삼고 학문에 종사하지 않았다고 하니, …그런 습관이 조금이라도 남아 있다면, …스스로 씻어내는 공부를 통렬히 하여 그것이 머물러 있지 않게 하라.'면서 임금을 준열히 꾸짖었으며, 병자호란 때 '실절(失節)한 여인(환향녀)을 배필로 삼으면 그것만으로 벌써 실절한 것이니 당시 실절한 부인을 남편으로 하여금 버리지 못하게 한 것은 실절을 가르친 것이므로 고쳐야 할 폐습'이라고 단정할 정도로 완고했다(기축봉사).

주자학 절대주의자인 그가 만들어간 세상은 과연 어떤 모습이었으며, 병자호란은 그의 작업을 통해 어떻게 기억되고 자리매김했는지 다음 장에서 살펴보지 않을 수 없는 까닭이다. 전쟁의 모습도 후세의 시각과 접근방식에 따라 모습이 바뀌기 때문에 송시열이 덮어씌운 주자학적 도구와 장치를 걷어내야만 진상에 도달할 수 있다는 것이 나의 생각이다.

6장 주자학과 조선유학

김상헌과 최명길

1647년(인조 25년) 5월 17일 최명길이 죽었다. 인조실록은 최명길 졸기(卒記)를 다음과 같이 적었다. "완성부원군(完城府院君) 최명길(崔鳴吉)이 졸하였다. 명길은 사람됨이 기민하고 권모술수가 많았는데, 자기의 재능에 대해 자부심을 가지고 일찍부터 세상일을 담당하겠다는 생각을 가졌다. 광해 때에 배척을 받아 쓰이지 않다가 반정할 때에 대계(大計)를 협찬하였는데 명길의 공이 많아 드디어 정사원훈(靖社元勳)에 녹훈되었고, 몇 년이 안 되어 차서(次序, 순서)를 뛰어 넘어 경상(卿相)의 지위에 이르렀다. 그러나 추숭(追崇)과 화의론을 힘써 주장함으로써 청의(淸議)에 버림을 받았다. 남한산성의 변란 때는 척화(斥和)를 주장한 대신을 협박하여 보냄으로써 사감(私感)을 풀었고 환도한 뒤에는 그른 사람들을 등용하여 사류와 알력이 생겼는데 모두들 소인으로 지목하였다. 그러나 위급한 경우를 만나면 앞장서서 피하지 않았고 일에 임하면 칼로 쪼개듯 분명히 처리하여 미칠 사람이 없었으니, 역시 한 시대를 구제한 재상이라 하겠다."(1647년 인조실록 인조 25년 5월 17일)

그보다 5년 뒤인 1652년(효종 3년) 6월 25일 김상헌이 죽었다. 효종실록 김상헌 졸기는 다음과 같다. 최명길의 그것에 비해 몇 배나 길고 자세하여 전체를 인용할 수 없다. "대광보국 숭록대부 의정부 좌의정 겸 영경연사 감춘추관사 세자부 김상헌(金尙憲)이 양주(楊州)

의 석실(石室) 별장에서 죽었다. …중략… 김상헌은 자는 숙도(叔度)이고, 청음(淸陰)이 그의 호이다. 사람됨이 바르고 강직했으며 남달리 주관이 뚜렷했다. 집안에서는 효도와 우애가 독실하였고, 안색을 바루고 조정에 선 것이 거의 오십 년이 되었는데 일이 있으면 반드시 말을 다하여 조금도 굽히지 않았으며 말이 쓰이지 않으면 번번이 사직하고 물러갔다. 악인을 보면 장차 자기 몸을 더럽힐까 여기듯이 했다. 사람들이 모두 공경하였고 어렵게 여겼다. 김류가 일찍이 사람들에게 말하기를 '숙도를 만날 때마다 나도 모르게 등이 땀에 젖는다.' 했다. …중략… 병자년 난리에 남한산성에 호종해 들어가, 죽음으로 지켜야 된다는 계책을 힘써 진계했는데, 여러 신료들이, 세자를 보내 청나라와 화해를 이루기를 청하니, 상헌이 통렬히 배척했다. 출성(出城)의 의논이 결정되자, 최명길(崔鳴吉)이 항복하는 글을 지었는데, 김상헌이 울며 찢어버리고, 들어가 상을 보고 아뢰기를, '군신(君臣)은 마땅히 맹세하고 죽음으로 성을 지켜야 합니다. 만에 하나 이루지 못하더라도 돌아가 선왕을 뵙기에 부끄러움이 없을 것입니다.' 하고는 물러나 엿새 동안 음식을 먹지 아니했다. 또 스스로 목을 매었는데 옆에 있던 사람이 구하여 죽지 않았다. 상이 산성을 내려간 뒤 상헌은 바로 안동(安東)의 학가산(鶴駕山) 아래로 돌아가 깊은 골짜기에 몇 칸 초옥을 지어놓고 숨어 목석헌(木石軒)이라 편액을 달아놓고 지냈다. 늘 절실히 개탄스러워하는 마음으로 한밤중까지 잠을 이루지 못했다. …중략… 묻기를 '대가(大駕)가 남한산성을 나갈 때에 그대가 따르지 않은 것은 어째서인가?' 하기에, 내가 응답하기를 '대의(大義)가 있는 곳에는 털끝만큼도 구차스러워서는 안 된다. 나라님이 사직에 죽으면, 따라 죽는 것이 신하의 의리이다. 간쟁하였는데 쓰이지 않으면 물러나 스스로 안성하는 것도 역시 신하의 의리이다. 옛 사람이 한 말에, 신하는 임금에 대해서 그 뜻을 따르지 그 명령을 따르는 것이 아니라고 하였다. 사군자(士君子)의 나가고 들어앉은 것이 어찌 일정함이 있겠는가. 오직 의를 따를 뿐이다. 예의를 돌보지 않고 오직 명령대로만 따르는 것은 바로 부녀자나 환관들이 하는 충성이지 신하가 임금을 섬기는 의리가 아니다.' 했다. 또 묻기를 '적이 물러간 뒤에 끝내 문안하지 아니하였으니, 이 뜻은 무엇인가?' 하기에, 내가 응답하기를 '변란 때에 초야에 낙오되어 호종하지 못했다면 적이 물러간 뒤에는 의리로 보아 마땅히 문안을 해야 하겠거니와, 나는 성 안에 함께 들어갔다가 말이 행해지지 않아 떠난 것이니, 날이 저물 때까지 기다릴 수 없었던 것이 당연하다. 어찌 조그마한 예절에 굳이 구애되겠는가.' ……중략… 흉인(兇人)이 유언비어로 청인에게 모함하여, 구속되어 심양으로 들어가게 되었는데, 길이 서울을 지나게 되자 상이 특별히 초구(貂裘:담비의 모피로 만든 갖옷)를 내려 위로했다. 심양에 이르러 청인이 심하게 힐문하니 상헌은 누워서 일어나지도 않고 말하기를, '내가 지키는 것은 나의 뜻이고 내가 고하는 분은 내 임금뿐이다. 물어도 소용없다.' 하니, 청인들이 서로 돌아보며 혀를 차고 말하기를, '정말 어려운 늙은이다. 정말 어려운 늙은이다.' …중략… 모두 6년 동안 (심양에) 있으면서 끝내 조금도 굽히지 않았다. 청인이 의롭게 여기고 칭찬해 말하기를 '김상헌은 감히 이름을 부를 수 없다.'고 하였다. …중략…죽을 때의 나이는 여든 셋이요 시호는 문정(文正)이다. 사신은 논한다. 옛 사람이 '문천상[文天祥, 13세기 남송(南宋)이 원나라에 항복하자 저항하다 체포되었고 쿠빌라이 칸이 그의 재능을 아껴 전향을 권유받았지만 거절하고 죽음을 택했다.]이 송(宋)나라 삼백 년의 정기(正氣)를 거두었다.'고 했는데, 세상의 논자들은 '문천상 뒤에 동방

에 오직 김상헌 한 사람이 있을 뿐이다.'라고 했다."(1652년 효종실록 효종 3년 6월 25일)

김상헌은 1570년 태어나 1652년 82세로 사망했고, 최명길은 1586년생으로 61세 때인 1647년 사망했다. 졸기에 나타난 그대로 최명길의 그것은 간략하면서도 야유조 문장 끝에 마지막에 '위급한 경우를 만나면 앞장서서 피하지 않았고 일에 임하면 칼로 쪼개듯 분명히 처리하여 미칠 사람이 없었으니, 역시 한 시대를 구한 재상이라 하겠다.'라고 덧붙인 반면, 김상헌은 칭찬과 일생동안 논란이 됐던 행동에 대한 완벽한 변호로 일관되어 있다. 왜 이런 차이가 생겼을까. 과연 두 인물 중 한 사람은 영민 간사하고, 다른 사람은 바르고 강직하여 인격적 높이와 가치가 달랐는가. 한 사람은 업적과 행적이 보잘 것 없는 반면 다른 사람은 출중하여 백성의 사표이자 귀감이었는가. 그 실상에 대해서는 독자들이 더 잘 알 것이다.

나는 이러한 불균형의 원인으로 두 가지를 든다. 첫째, 인물 평가는 평자의 가치관과 도덕관념에 따른다는 것. 둘째, 졸기(卒記)를 작성한 사관은 성리학적 세계관에 몰입되어 있었으므로, 주자학의 이상적 모델에 부합한 인물을 보다 긍정적으로 평가했다는 것이 그 요지다. 차례로 본다.

김상헌

우선 김상헌을 먼저 다룬다.

졸기에 상세히 기재된 변명은 그의 생전에 문제됐던 행위를 요약한다. 김상헌은 할 말이 있으면 반드시 하고 악인을 보면 자기 몸을 더럽힐까 두려워하듯 했다. 남한산성에서 최명길이 작성한 항복문서를 찢었으며, 항복이 정해지자 자살을 시도했다. 임금이 삼전도에 나갈 때 왕을 따르지 않고 하직인사도 없이 고향으로 돌아갔다. 후일 흉인의 참소로 심양으로 끌려갔으나 조금도 굽힘이 없이 당당하여 청인조차 칭찬했다는 게 그것이다. 김상헌의 강직함과 비타협성에 대해서는 실록에 자료가 많다.

"상헌은 정직하고 신념대로 행동하여 일을 당하면 과감하게 말하는 것이 옛사람에 부끄럽지 않으며, 종일 단정히 앉아서 나태한 모습을 보이지 않으니, 사람들이 모두 경외(敬畏)하여 당대 제일의 인물로 추대했다."(1627년 인조실록 인조 5년 12월 4일)

김상헌은 인조의 부친 추숭문제에 끝까지 반대하여 동료들의 신망을 얻었으며(1632 인조실록 인조 10년 2월 18일), 임금의 뜻에 거슬리는 언행을 많이 한 것도 후한 점수를 받았다[1632년 인조실록 인조 10년 9월 24일 ; 김상헌이 일을 논하면서 허다히 상의 뜻을 거스르니, 상이 좋아하지 않아 제배(除拜)할 경우와 말씀을 내릴 적에 번번이 불평스런 뜻을 보였다].

최명길은 김상헌에 대해 "상헌은 도량이 편협하고 기개가 강직하므로 좋은 곳에 들어가면 천 길 낭떠러지에 서 있는 기상이 있고 잘못 들어간 곳에서도 뜻을 굽혀 고칠 생각이 없으니, 식견이 모자라서인 듯합니다." "상헌이 종묘의 제관(祭官)이 되어서는 6월 혹서에도 흑단령(黑團領)을 착용하고 종일 재계했고, 내의원 제조가 되어 어약(御藥)을 조제할 때에는 반드시 관대(冠帶)를 갖추고 다른 일로 찾아와서 번거롭게 하지 못하게 한 뒤에 지어 올렸으며, 문안할 때에도 역시 '군부(君父)께서 병환이 있으신데 어떻게 사가에 물러가 편안히 있을 수 있겠는가.' 하고 반드시 궐문(闕門) 밖에서 유숙하고 일찍 들어와 문안했으니, 이 또한 사람들이 미치지 못할 점입니다."(1636년 인조실록 인조 14년 9월 19일)라고 했다.

이로 미루어 김상헌이 예법에 철저한 인물이었으며, 일순도 방심 없이 예법 책에 쓰인 대로 준수하고 실행했음을 알 수 있다. 병자호란 때 그는 당일 인조를 호종하지 않았으나, 이틀 뒤인 1636년 12월 16일 남한산성에 들어갔다. 이후 그는 외교를 담당한 예조판서로서 척화파 가운데 가장 직책이 높았으며 최명길의 항복문서를 찢어버린 일은 알고 있는 그대로다.

그가 기술한 『남한기략(南漢紀略)』은 척화의 정당성과 최명길에 대한 비난으로 점철돼 있다. "최명길은 통역으로 하여금 비밀리에 용골대에게 말하기를 '만일 힘껏 (화평을) 주선해주시기만 한다면 마땅히 많은 뇌물로써 사례하겠습니다.' 하니 사람들이 모두 비웃기를 …'창고에 저장한 재물은 모두 적의 수중에 들어가겠구나.' …그(최명길)가 교활한 체하나 도리어 어리석음이 이와 같았다." "수원방어사 구인후가 수하의 군병을 데리고 행궁 문밖에서 척화를 주장한 신하들을 찾아서 적에게 주라며 떠들어댔는데…그 근원은 실로 최명길이 척화하는 대신들을 죄에 얽어 넣으려는 계략에서 나온 것이었다." "윤집 등을 떠나보낼 때…최명길이 함께 갔다가 되돌아와… 윤집 등을 즉시 죽이지 않아…'신은 황제에게 절을 하고 왔다.' 하므로, 이를 들은 사람들은 통렬하게 미워하여 용골대의 소인배로 지목하고 같이 조정에 있는 것을 부끄러워했다."(『남한기략』, 김상헌, 신해진 역주, 도서출판 박이정)

삼전도 항복이 결정되자 그는 자살소동을 벌였는데 그 진정성에 대해서는 논의가 분분하다. 실록에는 다음과 같이 적혀 있다. "[정온(鄭蘊)이 자살 시도를 한 데 이어] 예조판서 김상헌도 여러 날 동안 음식을 끊고 있다가 이때에 이르러 스스로 목을 매었는데, 자손들이 구조하여 죽지 않았다. 이를 듣고 놀라며 탄식하지 않는 자가 없었다. 사신은 논한다. 강상(綱常)과 절의(節義)가 이 두 사람[정온(鄭蘊)과 김상헌] 덕분에 일으켜 세워졌다."(1637년 인조실록 인조 15년 1월 28일) 이에 대해 김상헌 본인은 "그 자리에서 나는 끈으로 목을 매어 자결코자 했으나 동오(아들)가 구원하여 풀어주었다."(『남한기략』)라고 썼지만, 최명길은 "그가 스스로 목을 매어 죽으려 할 때 그 아들이 옆에 있었습니다. 이러고도 죽을 수 있는 자가 있겠습니까."(1637년 인조실록 인조 15년 9월 6일)라는 냉정한 평가를 내리고 있다. 자식을 대기시킨 것은 사망 후 처리를 위한 것이라는 말에 대한 비평은 역시 시각에 따라 다를 것이다.

조선사회는 주자가 편찬한 『소학(小學)』에 특별한 의의를 두고 이 책에 적힌 바의 예를 실천하는 것을 선비의 의무이자 귀감으로 삼았다(『조선전기의 사림과 소학』, 윤인숙, 역사비평사). 정몽주-길재-김숙자-김종직-김굉필-조광조로 이어지는 조선의 도통(道統)에서 변함없이 강조된 책은 『소학』으로서 그 내용을 얼마나 빈틈없이 실천하는지의 여부가 학문의 높이를 가늠하는 표지로 기능했다. 『소학』을 통해 임금과 부모를 섬기는 바탕요소가 체득된 이후에야 다른 책을 읽을 자격이 생긴다고 본 것이다. 『소학』의 함양을 학문의 근본이자 자신을 수양하는 기본요소라고 간주했다.

사람의 본성은 세속에 의해 변할 수 있으므로 자신을 철저히 단속하여 흐트러진 순간에도 본연의 성(性), 내면의 도덕성이 현실에서 실현될 수 있도록 훈련해야 했다. 바꿔 말하면 아예 본성이 변하여 성인처럼 되도록 연마해야 했다.

"김종직(1431~1492)은 평상시에 첫닭이 울면 반드시 머리를 빗고 세수하고 의관을 정제하여 먼저 가묘(家廟)에 절하고 다음에 어머님께 문안드리고 서재에 나가 꿇어앉아 있기를 진흙으로 만든 인형처럼 하였다."(『조선전기 사림과 소학』) "김굉필(1454~1504)은 항상 초립을 쓰고 연밥으로 엮은 갓끈을 달고 있었는데 만년에 이르러서도 역시 그러하였다. 방안 한쪽 고요한 곳에 책상을 펴놓고 그 앞에서 글을 읽느라 깊은 밤에도 자지 않았다. 비록 한 집안 사람이나 자제들이라도 그의 하는 일을 엿볼 수 없었지만, 다만 이따금 연밥 갓끈이 책상에 부딪혀 달그락달그락 소리가 나는 것을 듣고서야 아직도 그가 글을 읽고 있음을 알 수 있었다."(『조선전기 사림과 소학』) "이때 조광조(趙光祖, 1482~1519) 등이 김굉필(金宏弼)의 학문을 전수(傳受)하여, 함부로 말하지 않고 관대(冠帶)를 벗지 않으며, 종일토록 단정하게 앉아서 빈객을 대하는 것처럼 하였는데, 그것을 본받는 자가 있어서 말이 자못 궤이(詭異)하였다."(1510년 중종실록 중종 5년 10월 10일) 시대를 내려오면서 이러한 태도를 숭상하는 경향은 더욱 강해졌다. "이이는 말하고 웃는 것이 화락하여 배우는 자들이 오히려 친근할 수 있었으나, 성혼(成渾, 1535~1598)은 배우는 사가 10년을 함께 해도 더욱 그 위엄만 볼 뿐이었다. 그(성혼)는 새벽에 일어나 사당에 들어가 배알하고, 저녁에도 똑같이 하면서, 춥고 더울 때와 바람 불고 비올 때도 그만두지 않았다. 물러나서는 해가 지도록 서실에 앉아 있었는데, 권태로운 모습은 조금도 보이지 않았다."(『우계학파연구』, 황의동, 서광사)

김상헌이 혹서에도 관원의 정복(正服)인 흑단령을 착용하고 미동 없이 앉아 있던 것도 역사적 모범이 있었기 때문이고, 이와 같이 근엄하고 철저하며, 흔들림 없고 가차 없는 공부 및 수행 자세를 높이 평가하는 선비사회의 지적풍토가 배경으로 작용했던 까닭이다. 주자학 소양이 있는 사대부에게 몸가짐의 우직 강고함은 바로 학문이 높고 건실하다는 표징이었던 바, 이로써 김상헌에 대한 신진관료들의 공경심을 일부 설명할 수 있다고 본다. 김상헌은 인조가 굴욕적인 항복의식을 위해 남문을 나설 때 수행한 다른 신하들과 달리 임금에게 알리지도 않고 북문을 통해 고향으로 돌아가 버렸다. 이 행동은 엄청난 논란을 불러왔으나, 그 자신은 졸기 기재와 같이 "묻기를 '적이 물러간 뒤에 끝내 문안하지 아니하였으니, 이 뜻은 무엇인가?' 하기에, 내가 응답하기를 '변란 때에 초야에 낙오되어 호종하지 못했다면 적이 물러간 뒤에는 의리로 보아 마땅히 문안을 해야 하겠거니와, 나는 성안에 함께 들어갔다가 말이 행해지지 않아 떠난 것이니, 날이 저물 때까지 기다릴 수 없었던 것이 당연하다. 어찌 조그마한 예절에 굳이 구애되겠는가."라고 했다. 인조는 "김상헌이 평소에 나라가 어지러우면 같이 죽겠다는 말을 하였으므로 나도 그렇게 여겼는데, 오늘날에 이르러서는 먼저 나를 버리고서 젊고 무식한 자의 앞장을 섰으니, 내가 매우 아까워한다."고 섭섭한 마음을 토로했다(1637년 인조실록 인조 15년 9월 6일).

유교(儒敎)는 사대부가 출사(出仕)하여 세상을 바로잡는 것을 당연한 의무로 보고 적극 권장했다. "(선비가) 나라에 출사하지 않는 것은 불의한 일이다. 장유(長幼)의 예절도 폐할 수 없는 것이지만, 임금과 신하 사이의 의리도 어떻게 폐하겠는가. 자기 몸만 깨끗이 하고자 하는 것은 큰 윤리를 어지럽히는 것이다. 군자가 출사하는 것은 의로움을 실천하는 것이다. 올바른 도가 행해지지 않고 있는 것은 이미 다 알고 있는 일이다(子路曰 不仕無義 長幼之節 不可廢也 君臣之義 如之何其廢之 欲潔其身而亂大倫 君子之仕也 行其義也 道之不行 已知之矣『논어』微子). 그러나 다른 한편 선비가 물러갈 구실도 마련했다. 군주가 자신을 써주면 출사하여 도를 행하고 버리면 은둔한다(用之則行 舍之則藏 논어 述而)거나, 도가 있으면 나가 벼슬하고 도가 없으면 은거하라. …바른 도가 서지 않는 나라에서 부하고 귀하게 되는 것은 수치(有道則見 無道則隱, 邦無道 富且貴焉, 恥也『논어』泰伯)라는 것이 그것이다. 말하자면 출사를 적극 권장하면서도 벼슬을 버리는 것도 중요하게 생각했다.

떠나는 행위를 처세의 방편에서 의리(義理) 수준으로 높인 사람이 주자다(『出處論 연구- 병자호란 직후 김상헌 처신논란을 중심으로』, 김준태, 철학사상문화 제27호). 주자는 선비가 출사하려면 첫째, 도를 실천하고자 하는 군주가 있어야 한다. 둘째, 그 군주가 선비를 예우하고 말을 받아들여 시행해 주어야 한다. 셋째, 그 선비도 의를 행하여 도를 추구해야 한다고 정리했다. 따라서 이러한 요건이 충족되지 않으면 헛되이 몸을 더럽히지 말고 물러나야 한다는 것이다. 소위 '출처론(出處論)'이다. 일견 요건이 명확한 듯해도 조금 들어가 보면 조건과 전제가 꽤 모호함을 알 수 있다. 우선 어떤 도를 도라 할 것인가. 누가(주체) 언제 어떻게(상황) 무엇(대상)을 근거로 도를 도라고 정의할지의 문제는 쉬운 일이 아니다. 다만 앞장에서 말한 바와 같이 척화론자들은 당대의 공론을 도(道)로 보았다. 그들에게 공론이자 도는 바로 공맹예법의 정수인 존주대의였다.

"예로부터 죽지 않는 사람이 없고 망하지 않는 나라가 없는데, 죽고 망하는 것은 참을 수 있어도 역리(逆理)를 따르는 것은 참을 수 없습니다. …강포한 이웃(청)의 일시적인 사나움만 두려워하고, 명나라에 대해 걱정하지 않는다면 원대한 계획이 아닙니다. …신은 명분과 의리야말로 지극히 중대한 것인 만큼 이를 범하면 반드시 재앙에 이를 것이라고 여깁니다. 의리를 저버리고도 끝내 망하는 것을 면치 못하기보다는 정도를 지키면서 하늘의 명을 기다리는 것이 더 낫지 않겠습니까?"(1639년 인조실록 인조 17년 12월 26일, 김상헌의 청나라의 조병 요청에 반대하는 상소), (『17세기 김상헌과 최명길의 양면적 역사의식』, 정성식, 동양고전연구 제45집) 김상헌에게 국가의 존망은 중요한 것이 아니었다. 조선이 청의 협박에 굴복해서 존주대의를 저버린다면 차라리 나라가 망하는 것이 떳떳했다. 삼전도항복은 이미 도가 행해지지 않는 표상이므로 김상헌이 "말이 행해지지 않아 떠났을 뿐이니… 어찌 (임금에게 하직인사를 하는) 조그만 예절에 구애되겠는가?"라고 되물을 수 있었던 것이다.

이와 같은 사례에서 볼 수 있듯이 (남한산성과 같은 상황에서) 무엇이 도인지, 도가 구현될 수 있는 여건인지의 판단은 신하의 몫이고, 그 판단의 정당성과 적합성도 당해 선비 이외에 개입할 사람이 없다. 출처의 결정은 고도의 책임윤리라는 견해도 있으나, 주관성 자의성을 면하기 어려운 것은 사실이다. 극단적인 경우 군주의 도가 자신의 도와 다르다면 군주의 도는 고려대상이 아니다. 자신의 도가 옳기 때문이다. 더구나 척화론자의 경우 자신은 공론을 대변한다고 믿고 있으므로 도의 객관성과 보편타당성에 관한 의심은 전혀 없었다. 임금이 나라를 지키고, 권좌를 보존하려는 것은 도가 아니었다. 그들이 당당할 수 있었던 이유다. 임금이 어려울 때 임금을 버리는 것은 불충이지만, 임금이 도를 대변하지 않을 때는 신하가 임금과 생사를 함께 하지 않아도 된다는 소견 자체가 왕권국가에서 신권의 성장을 대변하는 현상이다.

인조는 환도한 후 상당기간 김상헌에 대해 불만을 토로하며 못마땅하게 생각했으나, 척화론 편에 섰던 신하와 젊은 대간들이 김상헌의 행위를 옹호하고 나섰다. 1638년(인조 16년) 박계영(朴啓榮), 유석(柳碩), 이해창(李海昌) 등이 김상헌이 임금을 버리고 간 죄를 논할 것을 청하자(인조실록 인조 16년 7월 29일, 인조 16년 8월 1일), 이목(李楘), 홍명일(洪命一), 이행우(李行遇), 이현영(李顯英), 김반(金槃), 김영조(金榮祖), 서경우(徐景雨) 등 수많은 중신과 대간들이 그를 옹호하고 나섰다(인조실록 인조 16년 8월 1일, 8월 2일, 8월 5일).

사관은 덧붙여 "사신은 논한다. 두 신하(정온, 김상헌)는 평생 정도(正道)로 행하였는데, 조정이 뜻을 굽힌 조치는 이미 두 신하의 마음을 어긴 것이니(즉 항복을 한 것은 두 신하가 생각하는 도에 어긋난 행동이니), 두 신하가 어떻게 떠나가지 않겠는가. 천지의 위치가 뒤바뀌는 날을 당하여 두 신하는 죽음으로써 맹세하고 절의를 고치지 않았으니, 그 의리는 충분히 인륜을 선양했다 하겠다. …두 신하의 출처(出處)를 의심하는 자가 또 있으니, 인심의 흉악함이 이와 같도다."(인조실록 인조 16년 7월 29일)라면서 김상헌의 처벌을 주장하는 자를 맹비난하고, 오히려 이들을 파직할 것을 청했다.

인조의 속마음은 "이 사람(김상헌)은 다만 죽으려 한다는 명분만을 취하고 끝내 목숨을 버린 사실이 없으니, 내가 보건대 천진(天眞)을 지키는 데 이르지 못한 것이 분명한 듯하다. 위급한 조정을 버리고 편안한 곳에서 유유자적한 것은 눈물을 흘리며 임금의 수레를 따르고 자신을 잊고 마음을 다한 자와는 다른데, 경들은 지나치게 칭찬하니, 이는 공정성이 부족해서 그런 것이 아닌가?"라고 반문하면서도, 중론에 따라 오히려 관직을 제수하여 행부호군(行副護軍)으로 삼았고, 이후 거듭 벼슬을 제수했다(1639년 인조실록 인조 17년 12월 4일).

김상헌은 삼전도 화약조건에 따라 청나라가 조선에 대한 조병(助兵) 요구를 해오는 것에 극심한 반대의사를 표명하는 등 반청 분위기를 주도했다. 청의 용골대는 조선의 징병 지연전술에 격분하여 의주(義州)에 입국해서 각종 조사를 한 뒤, 조병 반대 주동과 명의 연호를 계속 사용하는 등 반청 행위자로 지목된 김상헌, 조한영(曺漢英), 채이항(蔡以恒) 등을 심양으로 압송하여 투옥시켰다[1641년 인조 19년 1월 20일, 1차 심옥(瀋獄)]. 당시 용골대가 의주에서 김상헌을 심문한 기록은 인조실록에 나오는데, 사관은 김상헌의 절의를 부각시키기 위해 꼼꼼한 장치를 이용한다. 예를 들어 "용호(용골대)가 말하기를, '정축년의 난(병자호란)에 국왕이 성을 나왔는데도 유독 청국을 섬길 수가 없다 하였고, 또 임금을 따라 성을 나오려 하지 않았는데, 그것은 무슨 의도였는가?' 하자, 상헌이 말하기를, '내 어찌 우리 임금을 따르려 하지 않았겠는가. 다만 노병으로 따르지 못하였을 뿐이다.' …또 '주사(선박)를 징발할 적에 어찌하여 저지하였는가?' 하자, 답하기를, '내가 내 뜻을 지키고, 내가 나의 임금에게 고하였는데, 국가에서 충언을 채용하지 않았다. 그 일이 다른 나라에 무슨 관계가 있기에 굳이 듣고자 하는가?'" 하는 식으로 답을 한 것으로 기재하여 그의 당당한 자세를 부각시켰다(1640년 인조실록 인조 18년 12월 19일). 이 같은 문답에 대해 청나라 사람 오목도(梧木道)가 말하기를, "조선 사람은 우물쭈물 말하는데 이 사람은 대답이 매우 명쾌하니 감당하기 어려운 사람이다." 하였는데, "여러 호인이 둘러서서 보고 감탄하였다."라는 말도 덧붙였다. 그런데 당시 청나라 사람의 말과 행동을 누가 듣고 이해하여 어떤 경위로 기재하게 되었는지 알 수 없다.

김상헌은 1641년 심양에 도착하여 억류됐다가 1645년 2월 소현세자와 함께 영구 귀국한다. 그러나 그간의 행적은 나중에 송시열에 의해 점점 미화되어 충절과 절의의 상징으로 신격화된다. 김상헌은 인조 말에 좌의정에 제수되었고(1646년 인조실록 인조 24년 3월 27일), 효종 즉위년에는 임금이 직접 나서서 김상헌이 가마를 타고 조정을 출입할 수 있도록 극진히 대접했으며(1649년 효종실록 효종 즉위년 6월 25일), 영의정 이경석은 "좌의정 김상헌은 신이 아동 시절부터 공경히 섬겨온 사람인데, 훌륭한 원로대신으로서 참으로 한 시대의 태산과도 같은 인물입니다. 그런데 지금 신은 …후배로서 윗자리를 차지하고 있으니, …마음이 편안하지 못합니다."라면서 사직을 청하는 일도 생긴다(1649년 효종실록 효종 즉위년 8월 5일).

이와 같이 김상헌의 권위는 높아 그를 비난하는 것은 거의 금기사항에 속하게 된다. 장응일(張應一)이 상소에서 그가 붕당을 조장한다고 비난한 데 대하여, 사헌부에서 "삼가 …상소를 보건대 주장하는 의도가 심상치 않고 말의 표현이 매우 간사한데, 이미 대로(大老)라고 해 놓고는 뒤따라 추악하게 헐뜯었습니다. 일월(日月)과 빛을 다툴 만한 절의와 태산북두와 같이 높은 덕망은 한 나라가 존경할 뿐만 아니라, 천하에서도 모두 경모(景慕)하고 있으니, 그를 헐뜯는 자가 있다면 결코 정인(正人)이 아닙니다."라면서 장응일의 파직을 청하는 지경에 이른다(1650년 효종실록 효종 1년 7월 12일).

김상헌은 임금에 대한 충절보다는 도에 대한 절의를 강조하는 사대부관의 변화와 병자호란 이후 각종 이유로 출사하지 않으려는 조류와 맞물리면서 시대의 아이콘으로 등극했다. 김상헌의 처신은 고비마다 논란이 됐지만 언제나 사대부들의 지지를 받고 도리어 권위와 존재감이 높아져 갔다. 그러나 그는 경세가가 아니었고 그렇다고 이론가도 아니었다. 관료로도 학자로도 뚜렷한 족적을 남긴 것이 없다. 냉정히 생각해보면 그가 존중받은 이유는 민생과 국가현안해결에 도움이 되는 실용적 실무적 실천보다는 고담준론의 말과 태도를 더욱 존중하는 사회분위기와 환경 덕분인 것을 알 수 있다. 전후 복구와 새로운 방향 제시라는 막중한 시대적 책무를 지고 있던 당시의 지도층이 현실의 개혁과 개선에 방점을 두지 않고 의리와 절의라는 먼 창공의 일에 강조점을 부여했던 것은 주자학이라는 사상과 이를 수용하여 그런 모습으로 구현해낸 조선 지식인의 어두운 단면이라 하겠다.

최명길

김상헌의 대척점에 최명길이 있다. 그를 야유한 사관조차 "위급한 경우를 만나면 앞장서서 피하지 않았고 일에 임하면 칼로 쪼개듯 분명히 처리하여 미칠 사람이 없었다."고 평한 바로 그 사람이다. 최명길의 평생 친구 이시백(李時白)은 "지천(遲川, 최명길의 호)의 사업 중에 큰 것을 들자면 반정(反正)하여 광복(匡復, 위태로운 나라를 회복함)의 업을 협찬한 것이 그 하나이고, 예를 논하여 부자의 윤리를 밝힌 것이 둘이고, 혼자 말을 달려 적의 공격을 늦춘 것이 셋이고, 비방을 무릅쓰고 강화를 주장하여 종사를 보존한 것이 넷이고, 재차 호랑이 입속으로 들어가 병력 요청을 극력 저지하면서 목숨을 버린 채 변하지 않은 것이 다섯이고, 명나라에 사신을 보냈다가 결국 위기를 당하여 죽음으로써 감당한 것이 여섯이다."라고 했다(『국조인물고; 최명길-인조반정의 주역이 주화를 역설한 까닭은?』, 정두영, 내일을 여는 역사 제60호).

첫째, 둘째는 인조반정과 정원군 추숭을 말하는 것이니 덧붙일 게 없고 셋째부터 살펴보자. 셋째는 병자호란 때 최명길이 홀로 적의 진격을 늦추어 인조에게 시간을 벌어준 것을 말한다. 청군의 예상치 못한 출현에 인조가 황망히 남한산성에 들어간 것은 1636년 12월 14일이었고, 다음날인 15일 새벽 강화로 가려고 성을 나섰지만 내린 눈에 길이 막혀 다시 성안으로 되돌아갔다. 그리고 칭의 선봉이 남한산성을 포위한 것은 15일 오후였다. 인조의 거동에 시간을 벌어준 것은 최명길이었다. 그는 강화로 가는 길이 끊겼다는 소식을 확인한 뒤 단신으로 홍제원(지금의 홍은동, 홍제동)에 있는 적군에게 가서 강화를 청하면서 진격을 늦췄다. 만약 최명길이 청군을 찾아가 맹약을 어긴 것을 항의하면서 시간을 벌지 않았으면, 인조는 14일 남한산성에 들어가기는커녕 길바닥에서 우왕좌왕하다가 청군에 붙잡혔을 것이고, 왕이 사로잡혔다면 남한산성에서 주화파를 상대로 펼쳤던 척화파의 준엄한 대명의리론은 펼쳐볼 기회도 없는 허공의 메아리로 끝났을 것이다.

넷째는 최명길이 거의 홀로 일관되게 주화를 주장하고 관철시킨 일을 말한다. 이미 기술한 대로 정묘와 병자 양란에 걸쳐 척화론은 압도적 공론이었고, 주화론은 이와 대등한 비중을 갖는 선택지가 아니었다. 심지어 인조와 김류 등 집권세력(攻西派) 대다수도 공론에 영합하여 척화론의 입장에 서 있다가 전황이 불리해지면서 주화론으로 기우는 양상을 보였다. 그러므로 당시 여건에서 주화를 언급하는 것은 공론의 공적(公敵)이 되는 것과 마찬가지였고 커다란 심리적 정신적 압박을 견뎌야 했다. 그러나 청군을 대응할 방법은 전쟁이냐 강화냐 두 가지뿐인데 누가 어떤 기준으로 판단해도 절대 우위에 있는 청군을 대처할 방안은 사실상 화친 이외에 없었다. 종묘사직을 보존하기 위해서는 그나마 가장 유리한 조건으로 조약을 맺는 것이 최선이라는 것이 최명길의 신념이었고 이를 관철했다. 개전 초기 최명길의 목을 치자고 주장하던 척화론자들이 강화도가 함락되고, 청의 황제가 참전한 사실을 알게 되면서 협상 진행을 더 이상 막지 못한 것은 칼이 지배하는 현실을 말로 다룰 수 없다는 사정을 인식하였기 때문이다.

실제 전쟁 전 침략에 대비하여 군사 감독 방안이나 수비대책 등 구체적 방비책을 제시하고 사신을 보내 청의 진의와 사정을 엿볼 것을 청한 사람은 최명길이 거의 유일했으나, 대간들로부터 뭇매만 맞은 것은 전술한 대로다(1635년 인조실록 인조 13년 9월 15일, 1636년 인조실록 인조 14년 9월 4일, 인조 14년 11월 15일). 최명길만 홀로 강화를 주장했기 때문에 조정에 들어가면 경연의 신하들이 번갈아 나무라고, 나가면 대간의 관료들이 번갈아 탄핵하는 지경이었다(『최명길–인조반정의 주역이 주화를 역설한 까닭은?』, 정두영). "국가가 보존된 뒤에야 바야흐로 와신상담(臥薪嘗膽)도 할 수 있는 것입니다."(1637년 인조실록 인조 15년 1월 2일) 하는 것이 최명길의 실용적 인식이었고 불퇴전의 의지로 이를 성사시켰다. 말로는 태산도 무너뜨려도 실무에는 무력한 언어 영웅들은 넘을 수 없는 장벽이었다.

다섯째는 병자호란 후 명을 침공하기 위해 조선군의 동원을 요청했던 청의 조병(助兵) 요구을 막아낸 것을 말한다. 삼전도 때 맺어진 정묘화약은 "짐이 만약 명나라를 정벌하기 위해 조칙을 내리고 사신을 보내어 그대 나라의 보병(步兵), 기병(騎兵), 수군을 조발하여, 혹 수만 명으로 하거나, 혹 기한과 모일 곳을 정하면 착오가 없도록 하라."는 문구가 들어가 있었다. 이를 근거로 청태종 홍타이지는 1637년 9월경 징병 요구를 한다. 당시 조선은 실정상 군대 동원 자체도 쉬운 일이 아니었으나, 더구나 이념상 명 토벌을 위한 군병을 보내는 것은 절대 불가한 일이었다.

이때 나선 사람은 좌의정 최명길이었다.

"이제 명나라를 토벌하는 징병을 거절하기 위한 특사가 되어 장차 한 몸의 죽음으로 온 나라의 재앙을 막으려 합니다."(최명길, 『遲川集』) 그는 청의 조병 요구를 철회하기 위해 직접 사은사(謝恩使)로 심양에 들어가 황제의 허락을 얻어낸다. "지원병을 보내는 한 가지 일로 온 나라가 정신이 없었는데, 경이 지금 허락을 받아 가지고 돌아오니, 얼마나 기쁘고 다행한지 모르겠다."(1638년 인조실록 인조 16년 2월 10일) 그의 노력으로 1차 조병 요청은 취소되었지만, 이후에도 청은 2차로 병력을 요망했다(1638년 인조실록 인조 16년 5월 11일). 이에 대해 최명길은 일단 평안병사 유림(柳琳)을 대장으로 하여 군병은 징발하되 되도록 행군 시기를 늦추어 실질적으로 거부와 같은 효과를 얻으려고 했다. 유림은 진흙탕인 도로 사정이나 군사들의 질병 등을 핑계로 고의로 진군을 늦추어 청이 원하는 시기를 맞추지 못했고 이에 격노한 청은 조선의 원병을 거부했다. "너희 나라 군사는 이제 쓸 데가 없으니, 도로 거느리고 가라."(1638년 인조실록 인조 16년 9월 18일) 이에 대한 변명과 추가 징병을 막기 위해 나선 사람도 역시 최명길이었다.

그는 1638년 9월 다시 사신으로 심양에 파견됐다(인조실록 인조 16년 9월 18일). 그럼에도 불구하고 결국 계속된 조병 요구를 영구히 피할 수는 없었다. "심양에 가는 어영군(御營軍)을 호궤할 것을 명하고, 이어 면포(綿布)를 하사하였다." 아래의 김상헌 상소 내용과 같이 반대 목소리만 드높이고 있던 조정의 신하들과 달리 문제 해결을 위해 직접 나선 사람은 최명길뿐이었다(『최명길의 주화론과 대명 의리』, 허태구, 한국사연구). "근래 또 떠도는 소문을 듣건대 조정에서 북사(北使)의 말에 따라 장차 5천 명의 군병을 징발하여 심양을 도와 대명(大明)을 침범한다고 합니다. …무릇 신하로서 군주에 대하여 따를 수 있는 일이 있고 따를 수 없는 일이 있습니다. …예로부터 죽지 않는 사람이 없고 망하지 않는 나라가 없는데, 죽고 망하는 것은 참을 수 있어도 반역을 따를 수는 없는 것입니다."(1639년 인조실록 인조

17년 12월 26일, 김상헌의 상소) 당시 정황에서 조병 요구에 무조건 응하지 않는 것은 가능한 선택지가 아니었다. 김상헌 역시 다른 대안이 없다는 사실 및 조병 조건을 완화하려면 누군가 나서서 청 정부와 협상을 해야 한다는 점도 숙지하고 있었지만 실무는 자신의 소관이 아니었다. 말로 충의를 나타내며 역할을 다했다.

여섯째는 삼전도 항복의 전말을 명나라에 설명하기 위해 승려 독보(獨步)를 보내 명(明) 관리와 접촉한 사실이 발각되자 모든 책임을 혼자 지고 청에 붙잡혀 가서 심양의 감옥에 있다가(2차 審獄), 나중에 소현세자와 함께 돌아온 사실을 가리킨다. 이 사건의 전말은 다음과 같다.

최명길은 종전 직후부터 병자호란의 시말을 명에 전달하여 조선의 항복이 불가항력이었고, 명과의 의리를 버린 것이 아니라는 사실을 알리고자 하였다. 이에 대해 처음 평가는 부정적이었다. "사신은 논한다. …최명길은 처음부터 끝까지 화친을 주장했는데, 지금에 와서 명나라에 주문(奏聞)을 해야 한다고 주장하니, 이것이 과연 진정(眞情)에서 나온 것인가?"(1637년 인조실록 인조 15년 2월 9일) 그러나 최명길은 신경진(申景禛), 임경업 등과 함께 명과 교통을 시도했다. 그는 1638년 독보를 통해 명의 숭정제에게 인조의 국서를 보냈고, 독보는 금주(錦州:지금의 다롄 근방:발해만에 있음)를 지키던 명 지휘관 홍승주(洪承疇)를 만나고, 1641년 귀국하면서 숭정제가 한림학사 주종예(朱宗藝)를 시켜서 작성한 비답(批答)을 받아왔다. 독보는 전후 세 차례나 명을 왕래했다. 그러나 홍승주가 청에 투항하면서 사건의 전말이 드러났다.

청의 용골대는 서해에 출현한 명나라 선박과 조선의 무역, 조선 조정과 명 정부의 내통사건을 조사하기 위해 최명길 등을 청으로 소환했다(1642년 인조실록 인조 20년 10월 12일). 인조는 이 사건의 여파로 자신이 청에 의해 폐위되지 않을까 염려하여 곧바로 최명길의 영의정직을 삭탈하는 조치를 취했다. 최명길은 실각하고 청으로 끌려갔다(『조선의 통치철학』, 한명기외. 푸른역사). 여기서 최명길은 모든 책임을 자기에게 돌리고 처벌을 요구했다. 이에 관하여 실록은 이례적으로 칭찬의 말을 전한다. "전에 명길이 정승으로 있을 적에 신경진(申景禛), 임경업(林慶業), 심기원(沈器遠) 등과 함께 명나라와 다시 통할 것을 의논하고 승려 한 사람을 몰래 보내어 편지를 왕복시키고, 또 평안도 연해의 모든 고을에 지시하여 중국에서 나온 배를 보거든 양식과 반찬을 주어서 후의를 보이라고 했다. 청나라에서 이 사실을 알고 임오년(1642년 인조 20년) 겨울에 명길을 데리고 가서 캐물었는데 명길이 모든 일을 자신이 했다고 하자 청나라 사람들이 그의 담대함을 극구 칭찬했다. 마침 유언비어가 떠돌아 상이 듣고는 진노하여 삭탈관직을 명했으며, 청나라 역시 명길을 억류해 두고 내보내지 않았다. 금년 봄에야 비로소 돌아왔는데, 이때 와서 상이 다시 서용하고 훈작을 되돌려주라고 명한 것이다."(1645년 인조실록 인조 23년 10월 13일)

국가운영은 학문과 이론, 철학의 실천과 다르다. 현안은 늘 다양한 모습으로 관심과 대처를 요구한다. 홍수와 한발, 전염병과 기근, 외적 침략과 내란 모의, 관리 부패와 풍속 퇴화, 군정 전정 환정 등 삼정의 문란, 법질서 쇠퇴와 형벌 불공정, 교육의 기회 불균등과 질적 저하, 빈부격차와 계급갈등 등 각종 문제는 천의 얼굴로 매분 매초 국정 책임자의 결정과 선택을 강요한다. 한 과제의 처리가 다른 숙제를 저절로 풀어주는 것이 아니다. 한 사안의 처리는 열 개의 사건을 초래할 수 있으며, 열 개의 논란은 백 개의 골칫거리를 생산할 수 있다. 주어진 여건과 상황 내에서 가능한 한 최적의 결과를 얻어내기 위해서는 말보다 행동이 필요하다. 원칙을 고수한다고 원칙이 지켜지거나, 명분에 방점을 둔다고 명분이 획득되는 게 아니므로, 교조와 독단보다는 실용과 실사구시의 자세가 요망된다. 최명길이 위치한 곳은 바로 여기였다. 다른 이들이 절의, 존주대의와 같은 추상적 문제로 현실을 도외시하는 동안 실제 눈앞에 닥친 문제와 직접 씨름한 거의 유일한 사람이었다.

그러나 전술한 대로 당대의 평가는 혹독하기 짝이 없었다. 졸기의 기재대로 "추숭(追崇)과 화의론을 주장함으로써 청의(淸議, 고결하고 공정한 언론)에 버림을 받았다. 남한산성 변란 때에는 척화(斥和)를 주장한 대신을 협박하여 보냄으로써 사감(私感)을 풀었고 환도한 뒤에는 그른 사람들을 등용하여 사류와 알력이 생겼는데 모두들 소인으로 지목하였다."는 것이다. 척화론 관련 외에도 실록에 최명길에 관한 비난은 셀 수 없이 많다. 예를 들어 환향녀 이혼 문제에 관해 최명길이 반대의견을 내자, "사신은 논한다. 충신은 두 임금을 섬기지 않고 열녀는 두 남편을 섬기지 않으니, 이는 절의가 국가에 관계되고 우주의 동량(棟樑)이 되기 때문이다. 사로잡혀 갔던 부녀들은, 비록 그녀들의 본심은 아니었다고 하더라도 변을 만나 죽지 않았으니, 절의를 잃지 않았다고 할 수 있겠는가. …최명길은 비뚤어진 견해를 가지고 망령되게 선조(先朝) 때의 일을 인용하여 …끊어버리기 어렵다는 의견을 …진달하였으니, 잘못됨이 심하다. …아, 백 년 동안 내려온 나라의 풍속을 무너뜨리고, 삼한(三韓)을 들어 오랑캐로 만든 자는 명길이다."(1638년 인조실록 인조 16년 3월 11일)라고 했다.

"병자호란 뒤에 최명길이 청의(淸議)에 용납되지 못하자 전조(銓曹, 이조)에 복심을 심어두고서 권병(權柄)을 마음대로 하려 했는데….”(1638년 인조실록 인조 16년 3월 8일) 또 2차 심옥(한선 및 명과의 통정사건)과 관련하여 평안감사가 올린 치계에 “당시 황제의 명이 나왔을 때 밖에서 온 자들이 명길도 끌어댄 사람이 많다고 말하였으므로, 신이 이 말을 세자(소현세자)에게 들어가 고하자, 세자가 정역(鄭譯, 역관 정명수)에게 물어보니, 정역이 하는 말이 ‘최상(崔相)은 비록 사지를 찢는다 해도 반드시 허튼 소리를 할 리가 없다.’고 했습니다. 그리하여 신은 비로소 사람들의 말이 사실이 아니라는 것을 알았습니다.”라는 언급이 나온다(1642년 인조실록 인조 20년 윤11월 1일). 따라서 당시 조정에는 심양으로 소환된 최명길이 궁지를 모면하기 위해 여러 사람을 공범으로 지목하였다는 소문이 있었음을 알 수 있다.

결국 생전에 최명길은 기민하고 권모술수에 능한 소인배라는 낙인에서 벗어나지 못했다. 그러나 현대에 이르러 이를 해명하고 변호하는 자료도 엄청나게 생산됐다(『지천 최명길의 주체성과 창조정신』, 김세정, 충남대 유학연구 제28집), (『지천 최명길의 경세관과 관제변통론』, 이재철, 조선사연구), (『지천 최명길의 문학과 사상에 대하여』, 심경호, 한국한문학연구 제42호), (『최명길과 김상헌』, 오수창, 역사비평 42호), (『지천 최명길의 학문관과 정치운영론』, 원재린, 한국사상사학 29호), (『최명길의 주화론과 대명의리』, 허태구, 한국사연구 162). 이런 자료에 의하면 최명길은 절의라는 명분보다는 국가와 백성의 수호라는 실천적 주체적 가치를 우선시했으며 그 배후에는 독자적으로 연구한 양명학(陽明學)이라는 지적 자산이 있다고 한다.

“최명길은 양명학의 사공(事功)의 영향을 받아 경세관에서 시세에 따른 변통론과 민생의 안정을 위한 균부(均賦)를 주장했다.”(『지천 최명길의 경세관과 관제변통론』, 이재철)

"최명길이 주자학을 벗어나 양명학으로 전변한 것은 아니었지만, 현실문제에 대한 대처방안을 고심하는 가운데, 주자학의 의리명분론으로 해결할 수 없는 부분에 대해서는 양명학적 사유를 끌어들여 해결하고자 하였다."(『최명길, 인정반정의 주역이 주화를 역설한 까닭은?』 정두영)

"김상헌의 입장이 명분과 의리를 추구하는 주자학적 사유체계에서 도출된 것이었음에 비해, 최명길의 입장은 실천적 주체의 확립과 주체적 판단을 중시하는 양명학적 사유체계에서 도출된 것이었다."(『17세기초 김상헌과 최명길의 양면적 역사인식』, 정성식)

참고할 만하지만 거기서 끝난다면 여전히 부족하다. 양명학이 과연 실천적 학문인지, 양명학을 공부한 자는 모두 최명길과 같이 실용적 인물이 되는지를 해명하지 않으면 충분하지 않기 때문이다. 양명학을 유연한 태도의 배경으로 지목한 뒤, 더 이상의 진행 없이 끝내고 마는 설명은 도식에 안주한다는 느낌을 준다. 실용적 태도가 양명학에서 자동적으로 도출되는 것이 아니기 때문이다. 오히려 삶에 대한 폭넓고 편견 없는 자세가 양명학과 같은 다른 학문도 섭렵하도록 만들었을 가능성이 있다.

주자학과 양명학은 모두 송대(宋代) 이학(理學)에서 기원했고, 의(義), 리(理), 기(氣), 심(心) 등 주요개념을 공유하고 있어, 서로 근본이 다른 철학이라고 할 수 없다. 다만 주자학은 수행방법에 있어, 개개 사물의 이치를 연구하여 지식을 완전히 한다는 의미에서 격물치지를 강조했던 바, 이런 주지주의(主知主義)적 경향이 후세로 오면서 공리공담으로 흐른 부작용을 보였다. 명대(明代)의 왕양명은 이런 병폐에 대한 치료책으로 행동주의적 지행합일(知行合一)을 주장하면서, 단순히 알기만 하는 것은 지식이라 할 수 없고, 행동으로 옮겨야 참다운 지식이 된다고 역설했다. 그러므로 주자학보다 양명학 쪽이 현실 문제에 관한 실천적 관심을 더 가졌을 가능성이 있다. 그러나 조선에서는 퇴계가 양명학을 이단시한 이래 주류의 위치에서 밀려나 있었다. 이는 주자가 양명학의 비조(鼻祖) 격인 육상산(陸象山)학을 비판한 것을 무조건적으로 답습한 결과다. 이후 조선에서 공공연히 자신이 양명학자임을 주장한 사람은 없었다. 관련 자료에 의하면, 최명길도 모든 면에서 주자학자임이 틀림없었고, 따라서 양명학을 읽었기 때문에 실사구시의 면모를 보였다고 단정하는 것은 성급한 일이다. 나는 당시와 같이 경직된 학문적 사상적 환경 속에서 최명길이 금기시된 양명학을 연구했다는 것 자체가 개방적이고 유연한 정신을 가졌다는 증거라고 본다. 이런 열린 자세가 국정 현안과 백성의 고초에 대해, 주자학에 기반을 둔 고식적 고답적 접근이 아니라, 사상과 논리에 관계없이 문제해결에 가장 적합한 방법과 수단을 찾도록 만들었을 것이다. 양명학에 대한 관심도 그런 과정에서 비롯되었다고 보는 것이 타당하다. 양명학 때문에 현실에 관심을 가진 게 아니라, 현실에 대한 관심이 양명학에도 눈을 돌리도록 만들었다는 말이다. 최명길은 이와 같이 모든 현안에서 인간과 백성을 중심에 두고, 사상이 원래 인간을 구제하기 위해 고안됐다 하더라도, 실제로는 삶에 고통과 질곡으로 작용할 뿐인 단계에 도달했다면, 제 아무리 권위가 확립된 사상이라도 과감하게 버릴 수 있는 독립성, 사상에 매몰되지 않는 융통성을 보여주었다. 어떤 사상도 인간보다 높은 위치를 차지할 수 없다는 최명길의 확신과 실천은 오늘날에도 여전히 지식인을 자처하는 사람들에게 시사점을 제시하는 부분이라 하겠다.

편향된 시각, 편향된 평가

우선 최명길에 대한 당대의 평가가 김상헌에 비해 그토록 현저하게 편파적이었던 이유를 해명해야 한다. 나는 그 연유를 사대부들이 주자학 세계관에 매몰됐기 때문이라고 했다. 그들에게 절의는 어떤 것보다 소중했다. 이 같은 가치관은 당파를 막론하고 스승을 통해서 제자로, 대간이나 상소와 같은 공론제도를 통해서 동료에서 동료로, 종적으로 횡적으로 확대 재생산되어 조선사회를 장악했다. 왜란 이후 조선지식인이 존주대의나 재조지은(再造之恩) 논리를 당론에 관계없이 높이 받든 것은 성리학 예법질서가 임진왜란 시기 이전에 이미 사대부의 정신세계에 확고히 뿌리내린 사실을 보여준다.

삼전도 뒤에 심양으로 끌려간 삼학사 중 오달제는 28세(1609년생), 윤집은 31세(1606년생)의 신진 기예였다(홍익한은 1586년생으로 51세). 임진왜란 후 태어나 조선에 참전했던 명나라 군대의 모습도 본 적 없는 젊은이들이 열정적으로 재조지은을 부르짖었다는 건 그들의 교육과정과 학과내용, 교육담당자의 사상, 전체적으로 조선사회의 분위기를 고려해야만 이해될 수 있는 부분이다(1607년생인 송시열의 경우도 마찬가지). 그렇지 않으면 그들이 아무런 거부감 없이 종교적 믿음 같은 신념과 열정을 가지고 절의-오직 절의만을 숭상한 이유를 설명할 수 없다. 그들에게 절의를 제외한 가치는 비루하고 사소했다. 절의를 지키는 것이 나라를 구하고 강토를 보선하는 것보다 중요했다. 절의를 고수하는 것이 호란 전까지 사이좋게 살아온 조강지처이자 자식들의 친모인 여인–환향녀를 용납하는 것보다 존중받았다. 환향녀를 만들어낸 주체가 누구이고 원인을 제공한 자가 누구인지–잘못된 정치로 그런 사단을 만든 자신들에게 돌아갈 비난에는 눈을 감았다. 그런 사람들에게 최명길이 종묘와 사직을 보존한 행위가 대단하게 보였을 리 없다. 이미 절의를 버린 사실 하나만 가지고 타기하고 혐오할 이유가 충분했기 때문이다. 그들이 김상헌과 관련해서는 깨알같이 비호하면서도 최명길에 대해서는 못마땅한 시선을 거두지 못한 소이다.

여기에 송시열이 등장한다. 송시열은 조선사회를 그 전과 그 후로 규정할 정도로 비중이 큰 인물이다. 조선후기 3백년 이상 최명길이 폄하되도록 하는 데 결정적 역할을 했다. 간과해서 안 되는 점은 송시열이 후기사회를 창작해내거나 존재하지 않던 사상과 이념을 만들어낸 게 아니라는 사실이다. 그는 뛰어난 역량으로 이미 사대부가 공유하던 세계관과 가치관을 종합하여 형상화함으로써 조선사회를 자신이 구성해낸 이데아의 포로로 만들었다. 이후 조선은 정치적으로 이데올로기적으로 그의 영향을 벗어나지 못했다.

송시열 사후 그의 유지대로 제자 권상하(權尙夏) 등이 주관하여 1704년(숙종 30년) 충북 괴산 화양동에 만동묘를 세웠다. 임진왜란 때 조선을 도와준 데 대한 보답으로 명나라 신종(神宗) 만력제를 제사지내기 위한 사당이었다. 나중에 마지막 황제 의종(毅宗) 숭정제가 병자호란 때 원군을 보내려 했다는 사실이 밝혀지자 그도 합사했다. 숙종은 창덕궁 후원에 같은 목적의 대보단(大報壇)을 세우고 두 황제에 대한 제사를 국가행사로 만들었다. 영조는 두 황제 이외에 명의 태조인 홍무제까지 세 황제를 대보단에서 모시기로 하고,

재위기간 동안 지극정성으로 행사를 주관했다(『조선 소중화 의식의 형성과 전개 ; 대보단 제사의 정비과정을 중심으로』, 구와노 에이지, 한일공동연구총서, 고려대 아세아문제연구소). 호학군주로 유명한 정조(正祖)는 직접 찬술한 양현전심록(兩賢傳心錄) 서문에서 "우리나라에 송시열이 있음은 송나라에 주자가 있음과 같다."고 하면서, 그의 문집을 『송자대전(宋子大全)』이라고 높였다(『양현전심록 ; 우암 송시열에 대한 후대인의 추숭과 평가』, 한기범). 송시열의 사상과 이념이 국가와 국왕을 움직인 바가 이와 같았다.

그렇다면 송시열의 학문은 어떤 점에 특장이 있을까. 한말(韓末) 간재(艮齋) 전우(田愚, 1841~1922)는 오현수언(五賢粹言) 서문에서 "정암(靜庵, 조광조)의 재지(材志), 퇴계의 덕학(德學), 율곡의 이기(理氣), 사계(沙溪, 김장생)의 예교(禮敎), 우암(尤庵, 송시열)의 의리(義理)라고 평한 바 있다(『우암 송시열의 춘추의리사상』, 오석원, 유학연구 제17집). 송시열의 학문은 의리로 요약될 수 있다는 말이다. 의리는 공자의 춘추의리에서 기원한다. 춘추의리란 공자가 편찬한 노(魯)나라 242년간의 역사서 춘추(春秋)에서 밝힌 대의(大義)를 말한다. 공자는 점차 도가 쇠퇴하여 하극상 풍조가 성행하게 되었기 때문에 춘추를 저술해서 난신적자에게 필주(筆誅, 남의 허물이나 죄를 글로 꾸짖음)를 가하고 역사를 빌어 포폄(褒貶, 시비선악을 판단하여 결정함)의 대의를 명백히 했다. 춘추는 불의를 극복하여 정도를 실현하려는 의도 하에 도덕을 개인을 넘어 사회와 역사 차원으로 확장한 것이다. 천하의 공리(公理)로 사리사욕을 질타하고 인류의 선덕(善德)으로 술수와 폭력을 추방하며 진위, 선악의 투쟁에서 물러서지 않고 끝까지 거짓과 악을 폭로하여 진리와 선에 굴복시키는 도덕의 힘을 천하에 과시한다(『우암 송시열의 춘추대의사상』, 조헌걸, 국제정치연구),(『우암 춘추내의 정신의 이론과 실천』, 김문준, 동양철학연구 13권).

말하자면 개인의 행위를 도덕의 관점에서 판단하여 사회적 역사적 올바름(正)을 선양하고 마지막 한 점까지 고수하는 이치라고 할 수 있다. 따라서 춘추의리는 올바른 사회건설을 위한 비판정신이라 할 수 있는 바, 이때 비판의 기준이 되는 가치는 명분(名分)이다. 공자의 정명(正名)은 명분을 바르게 한다는 의미로서 임금은 임금다워야 하고 신하는 신하다워야 하며 아버지는 아버지다워야 하고 아들은 아들다워야 한다(君君臣臣父父子子)라는 말에 집약돼 있다. 이는 인간은 각자의 위치에서 각자의 도리를 다해야 한다는 말로서, 구체적으로 충(忠)과 신(信)을 현실에서 마땅하게 실천하는 것이 바로 의리에 맞는 행동이라는 것이다. 국가 차원의 의리-인의(仁義)는 의리 개념의 내재적 필연성에 따라 덕치와 인정(仁政)-즉 왕도(王道)를 행하는 자를 높이는 존왕론(尊王論), 인도(仁道)의 높은 문화를 구현하는 중화를 높이고 미개한 이적을 물리치자는 화이론(華夷論)으로 외연이 넓어진다.

원래 화이의 구분은 종족이나 지역에 있지 않고 예의와 문화에 있던 것이나, 한대(漢代)에 이르러 중화의 개념이 한족국가 자체를 의미하는 개념으로 변전하였고, 송대(宋代)에 이르러 주자에 의해 한층 왜곡됐다. 송의 휘종(徽宗)과 흠종(欽宗) 두 황제가 금(金)에 납치되고, 송은 강남으로 밀려나 명맥을 유지하게 되자, 주자는 금의 침략에 대항하는 입장을 취했다. 평소 이적이라 부르던 타 민족에 의해 중국국가가 존폐의 위기에 몰리자, 문명으로 이적을 교화한다는 화이론을 사실상 복수와 배척의 논리로 변질시킨 것이다[주자는 당시 남송의 효종에게 올린 상소(壬午應詔封事)에서 "금나라 오랑캐는 우리와는 한 하늘 아래서 더불어 살 수 없는 원수입니다. 그러므로 그들과는 결코 화의를 할 수 없으며, 그래야만 의리가 명백하게 되는 것입니다."라고 한다.(『역사인물 송시열의 숭명배청론 재평가』, 정두희, 역사비평 제37호)]. 그렇지만 주자를 옹호하는 입장에서는 이적에 대한 반발이 아니라 무도한 침략세력에 대한 정당한 정도(正道)정신을 구현하려는 것이었다고 변호하기도 한다(『한국도학파의 의리정신』, 오석원, 성균관대 출판부).

그런데 주자의 의리정신은 성리학의 수용과 함께 조선에 심각한 영향을 주었으니, 바로 주자를 절대 성인으로 생각한 송시열의 역할이 지대했다. 송시열은 일생 주자를 배우고 그의 사상을 실천하는 것을 인생의 목표로 삼았는데, 주자가 공맹의 도통을 이은 성인이며, 성인의 모든 가르침이 주자에 의해 밝혀지고 드러났다고 믿었으므로, 주자를 벗어난 일체의 주장은 결코 용납하지 않았다(『우암 송시열』, 곽신환, 서광사). 그는 진퇴출처에 있어 항상 의(義)를 표준으로 삼았으며 평상시에도 오직 의리 여부만을 염두에 두고 이해득실에 대해서는 일체 마음에 두지 않았다(『우암 송시열의 춘추의리사상』, 오석원, 유학연구 17집). 그는 효종 즉위년에 올린 상소 기축봉사(己丑封事)에서 정사를 닦아 이적(청나라)을 물리칠 것을 주장하며(修政事以攘夷狄) "공자가 춘추를 지어 대일통의 의리를 후세에 밝혀서 무릇 혈기 있는 부류들은 모두 중화를 높이고 이적을 추하게 여겨야 할 것을 알았습니다. 주자가 또 인륜을 추리하고 천리를 깊이 따져 부끄러움을 씻는 의리를 밝혔습니다. '…인과 의를 놓아버리면 사람의 도를 세울 수가 없을 것이니, …군부(君父)의 원수와는 한 하늘 아래 살 수 없다' …신은 이 글을 읽을 때마다 이 한 글자 한 글귀가 혹시라도 세상에 드러나지 않으면 예악이 분양(糞壤, 썩고 더러운 흙)에 빠지고 인도가 금수에 들어가 구제할 수 없게 될 것이라고 생각했습니다."(『한국도학파의 의리정신』, 오석원)

결국 송시열이 숭명배청론, 북벌론, 복수설치론, 존주대의론을 주장한 바 있다면, 이는 공자의 춘추와 주자의 의리에 기반을 둔 것이고, 여기서 말하는 명은 멸망한 왕조인 현실의 명을 말하는 것이 아니라 명으로 상징된 성현의 도(道), 중화로 대변되는 문명을 의미하는 것이다. 그러므로 "내가 다투는 것은 오직 대의일 뿐, 승패존망 따위는 논할 바가 아니다(我等所爭者 惟大義而已 勝敗存亡 不須論也; 三學士傳, 송시열)."라는 말이 나온 것이다. 이로써 남한산성의 절박한 상황에서도 김상헌이나 정온을 비롯한 척화신들이 "나라가 망할지언정 도리를 잃으면 안 된다."라고 한 주장의 정당성이 후대에 와서 확고히 인증되고, 이후 해석과 평가의 표준으로 자리를 잡게 됐다.

송시열과 의리선양(義理宣揚)

송시열은, 다른 거유(巨儒)들과 비교되는 면모로, 방대한 인물전(傳), 비문(碑文) 등의 작성을 통하여 자신이 생각하는 춘추대의를 선양하고 현실정치에 직·간접으로 개입하는 행태를 보여 왔다. 전(傳)은 말 그대로 한 인물의 전기인데, 송시열의 경우 뚜렷한 목적 하에 주관적 독단적 인물 평가를 고수했고, 비문 등은 뒤에 볼 회니시비(懷尼是非)를 비롯하여 정치적 논쟁의 중심이 된 사안이 많았다. 그는 세상을 적과 동지로 나누어, 동지는 절의를 공유한 자, 적은 절의를 잃은 자로 몰아가는 방식을 선호했다. 전(傳)은 병자호란 때 심양으로 끌려간 삼학사전(三學士傳), 철저한 친명배청의 행보를 보였던 임장군경업전(林將軍慶業傳) 등이 대표적인데 모두 17편에 달한다(『우암 송시열의 전문학연구』, 최준하, 우리말글). 왜란 때 순국한 사람, 호란 때 절의를 지킨 사람, 손가락을 베어 어머니의 병을 구완한 사람, 60년 동안 조부와 부모의 상을 지극히 모신 사람 등등 주로 국가에 대한 충과 부모, 스승에 대한 효와 절의를 기림으로써, 양란으로 흐려진 유교적 가치를 선양하고 땅에 떨어진 정도(正道)를 세움으로써 교화의 수단으로 이용하고자 했다(『우암 송시열의 전문학연구』, 최준하).

그런데 삼학사라 불리는 홍익한, 윤집, 오달제 등은 사실상 병자호란의 종료와 함께 잊혀진 인물이었다. 심양으로 끌려갈 때 노모와 가족을 돌보아주겠다고 약속했던 인조는 약간의 물질적인 보상으로 체면치레했다. "그래서 윤집, 오달제, 홍익한 등의 늙은 어머니와 아내에게 월름(月廩, 월급으로 주는 곡식)을 내렸다."(1637년 인조실록 인조 15년 6월 8일) 전쟁이 끝난 후 대책 없이 전쟁을 부르짖은 척화파를 내심 못마땅하게 생각한 인조에게 그것이 전부였다. 실록에 홍익한과 오달제가 피살된 경위는 나오지만(1637년 인조실록 인조 15년 3월 5일, 인조 15년 4월 19일, 인조 15년 6월 8일), 피살된 정확한 날짜와 장소, 유골 행방에 대해 적시된 바 없다. 삼학사는 그렇게 잊혀졌다가 1653년 효종 4년에 이르러서야 시독관 김시진(侍讀官 金始振)이 "왕년에 홍익한 등이 오랑캐에게 잡혀가 죽었습니다. 선조(先朝) 때 그들의 집에 늠료(廩料)를 지급하게 했었습니다만, 관직을 추증하게 하는 은전(恩典)이 아직 없으니, 이는 충신을 기리는 방법이 아닌 것입니다."라고 건의해서야 관직이 추증됐을 뿐이다(1653년 효종실록 효종 4년 3월 3일). 오히려 사후 한동안은 이름 드러내기를 좋아한 사람이라는 평가를 받았다. 1668년 현종 9년 풍기군수(豊基郡守) 어상준(魚尙儁)이 세 사람의 사당을 세우자는 취지의 상소를 했다. 현종이 세 사람은 누구를 말하는 것이냐고 묻는다. 영의정 정태화(鄭太和)가 "홍익한(洪翼漢), 오달제(吳達濟), 윤집(尹集)입니다." 하고, 이조참판 민정중은, "이들은 병자년에 정도를 지키며 척화를 주장하다가 잡혀서 죽임을 당했습니다." "죽였다고는 하지만 우리나라에서는 끝내 일의 명백한 상황을 알지 못했습니다."라고 했다. 현종이 다시 "죽였다고 했다면서 무엇을 모른단 말인가?"라고 묻자, "죽였다고 하기도 하고 죽이지 않았다고 하기도 했는데, 끝내 거처를 알 수가 없었습니다. 죽인 것이 분명합니다." 했다. 정태화가 "그 당시에 화친을 반대했던 사람이 이 세 사람만이 아니었는데, 이들은 반드시 자기들의 뜻을 행하려고 했기 때문에 결국 화를 당하게 되었던 것입니다." 하고, 좌의정 허적은 "그 당시에 나라에 이로운지 해로운지는 생각지 아니하고 한갓 야단스럽게 다투어 과격한 일만을 힘썼습니다. 그 가운데 비록 절의를 지킨 사람이 있기는 하였습니다만, 대부분은 분위기에 휩쓸린 명분론이었습니다."(1668년 현종실록 현종 9년 7월 27일)

삼학사의 공적이 재평가되고 공인된 데는 송시열의 공로가 절대적이다. 그는 허적이 윤집 등에 대해 "경박하여 이름 내기를 좋아한다."고 평가한 데 대해 발분했다. 『임장군경업전』의 논평부에서 그는 "삼학사의 대절(大節)은 천하가 다 아는 것인데도, 허적은 의사(義士)가 아니라고 배척하였으니 유독 무슨 심술인가?"라고 적었다(『송시열의 춘추필법 실행양상; 비문과 전을 중심으로』, 이송희, 경희대 옥토피아 33권). 그는 1671년(현종 12년) 병자호란 당시 절개를 지켰던 김상헌, 정온을 조연으로 배치하고 홍익한, 윤집, 오달제의 순으로 약전(略傳)과 언행, 대청(對淸) 관계 및 그들이 올린 척화소(斥和疏)의 중요 부분과 심양에서의 심문 내용을 수록했다.

홍익한과 황제 홍타이지가 첨예하게 쟁론하는 장면은 삼학사전의 정점이라 할 수 있다. 가령 칸이 "너는 어찌 무릎을 꿇지 않고 이렇게 거만한 것이냐?"고 묻자, 홍익한이 "이 무릎을 어찌 네게 꿇을 수 있겠느냐?"라면서 …"내가 지키고자 하는 것은 오직 대의일 뿐, 이기고 지는 것, 살고 죽는 것은 말할 필요가 없다."면서 …"어서 죽여라." 하고 호통을 쳤다는 식이다. 그러나 홍익한이 말이 안 통해 문서로 그 뜻을 전했다는 기록은 있어도(1637년 인조실록 인조 15년 3월 5일), 칸이 홍익한을 직접 공초(供招, 죄인을 심문함)했는지 여부는 알 수 없다. 기록이 없기 때문이다(1637년 승정원일기 인조 15년 7월 4일).

또한 오달제, 윤집은 황제와 마주한 적이 없고, 용골대가 황제의 명에 따라 관용의 상징으로 회유하려 했으나 거부하여 피살된다. 그들에게 처자를 데리고 들어와 살도록 하였지만 두 사람이 응하지 않았다. 청은 반청의 상징인 이들의 시신을 수습하는 것을 허락하지 않았고, 훗날 뼈들이 쌓여 있는 형장에서 시신을 찾을 길이 없었다. 송시열이 이렇게 잊혀진 삼학사를 불러내 충과 의리의 상징으로 삼은 것은 그대로 인정할 수 있다. 그러나 그는 삼학사의 절의를 부각시키기 위해 최명길을 깎아내리는 것을 보조 장치로 삼았고, 최명길은 주화를 외친 것을 넘어 천하의 비열한으로 전락한다.

삼학사전에서 최명길은 주화파로서 반론을 제기하는 것을 싫어하여 그에 관한 일을 상달할 때는 승지와 사관을 물리쳤으며, …그의 간사하고 기만적인 의논은 진실로 가증스러운 것인데 임금만 믿고… 방자하게 굴었던 것으로 그려진다. 용골대를 영접한 이도, 용골대로부터 윤집, 오달제를 포박해온 일에 대해 칭찬받고, 상까지 하사받은 이도 모두 최명길이었다(『우암 송시열의 병자호란 제재 전기문학 연구』, 김미란, 한중인문학연구 제59집). 송시열은, 최명길이 홍익한에게 논척당한 것을 앙갚음하기 위해 홍익한을 평양서윤으로 좌천시켰으며, 척화신을 요구하자 논의를 주도하여 홍익한을 수괴로, 윤집과 오달제를 종범으로 지목했고, 척화신을 두세 명만 보내면 될 것이나 열 명이나 보내려고 했고, 본인이 직접 끌고 청진에 넘겼으며 충신을 팔아먹고 돌아와서는 그들이 자기 말대로 하지 않아 죽었다고 모함했다고 썼다. 가장 문제가 된 대목은 다음과 같다.

(오달제와 윤집이) 끌려가는 길에 양지바른 언덕에서 쉬는데, 최명길이 말했다. "그대들에게 죽음을 면할 길이 있소. 거기 도착하면 저들이 물을 것이오. 그대들은 척화한 사람이 우리만이 아니라고 하

면서, 그때 대각(臺閣)에 있던 사람들의 이름을 모두 알려주시오. 모두 죽일 수는 없을 것이니, 이 어찌 묘책이 아니겠소?" 두 사람은 대답하지 않고, 일어서서 가다가 서로 돌아보며, "저 사람은 우리 입을 빌어 명류(名流)들을 다 죽이려 하니, 간사한 놈의 꾀가 너무 교활하구려."(『고난의 역사를 기억하기; 삼학사전과 삼학사를 중심으로』, 김일환, 한국문학연구 26집)

이 부분은 사실이 아니었으므로 논란이 많아 삭제하기로 약조가 됐으나, 송시열은 나중에 다시 삽입하여 지금까지 전해진다. 객관성과 중립성을 기반으로 작성돼야 할 문학이 한 쪽을 선양하기 위해 다른 쪽을 폄하하는 형식으로 그려진 것이다.

주지하는 바와 같이 당시 청은 삼전도화약 조건으로 척화의 수괴를 잡아내라고 요구하였고, 묘당(廟堂, 朝廷을 달리 이르던 말)은 척화신 수십 명을 보내려 했지만, 당사자들이 서로 변명하여 며칠이 지나도록 미결이었다(1637년 인조실록 인조 15년 1월 22일). 홍익한을 보내기로 맨 처음 발설한 사람은 영의정 김류였다(1637년 인조실록 인조 15년 1월 22일). 결국 김상헌, 정온, 윤황(尹煌, 나중에 나올 윤선거의 부친) 등이 자수하고, 오달제와 윤집도 가겠다고 나섰다(1637년 인조실록 인조 15년 1월 23일). 이 중에서 가장 젊은이들이 선정됐다. 누가 봐도 이들은 척화파의 수괴가 아니었다. 자살소동까지 벌인 김상헌, 정온이 끝까지 자신들이 가겠다고 고집했다면 그렇게 안 되었을 이유가 없다. 연소자들을 보내기로 한 합의 가운데, 김상헌, 정온의 묵시적 동의는 아무런 비중이 없던 것일까. 더군다나 병자호란 당시 송시열은 남한산성에 있었다. 봉림대군을 가르치는 대군사부(大君師傅)라는 직책으로 왕실이 남한산성과 강화도로 갈라지는 바람에, 강화도에 못 가고 남한산성으로 가게 됐지만, 결과적으로 고난과 치욕의 현장을 똑똑히 목격했다(『송시열과 그들의 나라』, 이덕일). 아직 미관말직이었다 해도 그는 1607년생으로 1606년생인 윤집, 1609년생인 오달제와 비슷한 연배였다. 그러므로 춘추절의를 과시하고자 했다면 윤집, 오달제를 대신하지 못할 정도로 연소한 것도 아니었다. 역사의 현장에 있었던 것은 분명함에도 자신의 책임과 역할에 대해서는 일언반구도 없다. 이와 같이 자신도 관련성이 없다고 할 수 없는 일에 무관함을 가장하는 제3자적 태도는 계속된다.

삼전도 비문을 작성한 이경석이 있다. 이경석은 인조, 효종, 현종에 이르는 3대 50년의 명상(名相)이다. 문장을 잘했고 실무에 능했다. 종전 후 소현세자의 스승으로 심양에 머물면서 척화파 인물들의 구명환국 활동을 벌였다(『이경석의 국정운영과 대외시국 인식』, 이은순, 조선시대사학보). 1650년(효종 1년) 정치적 궁지에 몰린 김자점 일파가 "새 임금(효종)이 군사를 일으켜 청을 치려 한다."고 청에 무고했다. 청은 사신 6명을 잇달아 파견해서 샅샅이 조사했다. 효종과 조정은 패닉에 빠졌지만, 이경석이 "이런 소문이 생긴 것은 내 과실이고 임금은 알지 못하며 모든 책임이 나에게 있다."고 고집했다. 이로 인해 백마산성(평북 의주)에 위리안치(圍籬安置) 됐다. 청 사신들도 "동국(東國:조선)에는 오직 이 사람이 있을 뿐"이라며 감탄했다(『서계집』, 박세당); 『이경석의 국정운영과 대외시국 인식』, 이은순). 청렴하고 검소하여 신망이 두터웠으므로, 현종은 1668년(현종 9년) 74살 이경석에게 궤장(几杖)을 하사했다. 궤장은 임금이 나라에 공이 많은 70세 이상의 늙은 대신에게 하사하던 몸 받침대(几)와 지팡이(杖)를 말한다. 인조가 명재상인 이원익에 1623년 궤장을 내린 이래 45년만의 일이었다(1668년 현종실록 현종 9년 11월 27일). 현종은 궤장연에 풍악을 내렸고 조정대신들이 대부분 참석하여 축문을 지어 축하했다. 송시열도 서문[序文, (几杖宴序)]을 지었다.

"나라의 존망이 판가름 났을 때(병자호란) 영리한 자들은 팔짱을 끼고 물러섰지만…오직 공(이경석)만은 홀로 생사를 돌보지 않고… 나라가 무사하게 되었다. …공은 하늘의 보우를 받아 『오래 살고 편안했다(壽而康)』." 송시열이 현달(顯達, 벼슬이 높아서 이름이 세상에 드러남)한 것은, 이경석이 여러 차례 천거했던 덕분이므로, 모두 칭찬의 뜻만 담겨 있는 줄 알았다. 그러나 수이강이란 세 글자는 주자가 송 흠종(欽宗) 시절 금에 항복하는 표(表)를 작성한 뒤 금에 아첨하면서 오래 살았던 손적(孫覿)의 일을 기록할 적에 사용했던 말로서 사실은 이경석을 비웃은 것이었다. 여론이 송시열의 태도를 비판하는 방향으로 조성되자, 송시열은 한걸음 더 나가 "당시 부득이하게 궁지에 몰렸더라도 다른 방도를 찾아야" 했으며, "이경석이 터럭만큼도 사람의 성품이 있지 않기 때문에 삼전도비문을 지은 것"이라고 고집했다. 그러면서 "만일 경인년의 일(백마산성에 위리안치 된 일)이 아니라면, 개도 그 똥을 먹지 않을 것"이라고 극언했다(『17세기 관료학자 이경석의 현실인식과 정치활동』, 전다혜).

당시 이경석이 아무 대응을 하지 않아 이 사건은 넘어갔지만, 여기서 다시 35년이 지난 1703년(숙종 29년) 소론의 대표적 인물 박세당이 이경석의 신도비문(神道碑文, 묘지에 설치하는 비문)을 찬술하면서 이경석을 칭찬하고 송시열을 비판한 것이 문제됐다. 박세당은 이경석이 국가와 임금을 보호하기 위해 누군가 했어야 할 일을 한 것이므로 그 행위에 정당성과 명분이 있다고 평가했다. 그러나 송시열의 문도인 노론은 송시열이 지탄받았다는 이유만으로 이를 격렬히 비난했고, 숙종이 정치적 계산에 따라 노론 편을 들어줌으로써, 박세당은 사문난적으로 몰려 문집이 불태워지는 수보를 낭했다(『17세기 관료학자 이경석의 현실인식과 정치활동』, 전다혜). 난국을 극복한 탁월한 명상이었으며 청백리로 이름 높았던 이경석은 구한말까지 비석도 세우지 못한 채 잠든 처지에 놓였던 바, 이는 명분론이 현실론의 숨통을 조여 눌렀던 조선의 사상적 구도를 상징적으로 보여주는 표본으로 자리 잡았다.

춘추대의와 그 그늘

천하의 공리(公理)로 실덕과 불의를 준엄하게 꾸짖어 정도를 회복한다는 춘추대의는 어떤 대응논리와도 비교가 불가한 우월한 명분으로 일체의 비판과 대안을 배제했다. 춘추대의는 정의의 표상이자 도덕의 최고기준으로 그에 부합하는 행위는 곧바로 정의고 도덕이며, 배치되는 행위는 불의, 부도덕이었다. 그것은 금강대불처럼 단단하고 황금성 같이 또렷하여 오해 소지가 없었다. 아무도 감히 그 정당성에 의문을 품을 수 없었으므로 춘추대의의 칼날은 준엄하고 맹렬했다. 칼자루를 쥔 자는 정의를 외쳤고, 칼날을 잡은 자는 난신적자에 해당됐다. 변명의 여지는 없었다.

최명길, 이경석이 이미 춘추대의를 그르친 이상 그들의 수고와 노고로 사직과 국토가 보존된 것은 중요하지 않았다. 다투는 것은 대의일 뿐 승패존망은 문제가 아니었기 때문이다. 기왕에 주자학에 경도됐던 조선후기 사회에 춘추대의가 핵심 키워드로 부상하면서 국가 전반을 장악했다. 사상과 정치가 구분되지 않았던 조선에서 절의를 차지한 집단은 정치적 주도권도 행사했고, 절의를 잃은 사람들은 권력에서 밀려난 것도 모자라 부도덕한 자로 낙인찍혔다. 절의는 권력다툼이 치열할수록 범접할 수 없는 고귀한 가치로 높아졌다. 예송논쟁 이후 본격적으로 전개된 당파싸움에서 송시열이라는 걸출한 투사를 보유한 노론은 그렇게 정치의 중심축이 됐고, 여

타의 정파는 주변에 기생하거나 사문난적으로 찍혀 불명예스럽게 소멸됐다. 절의는 만동묘와 대보단 같은 기이한 시설과 장치를 만들어냈으며, 국왕을 비롯한 나라의 모든 뛰어난 인물들까지 진토(塵土)로 돌아간 명나라 황제를 200년 이상 극진히 모시도록 했다. 정조는 조선의 군왕가운데 가장 부지런하게 대보단에 나가 망배례를 거행했으며, 그 이유를 조선의 의리로 설명했다. 대보단 행사는 개항(1876년) 이후에도 빠짐없이 시행됐고, 청일전쟁 후에 일본이 서울을 무단 점령함으로써 1907년 비로소 중단됐다(『조선 속의 명나라를 통해서 본 조선지배층의 중화의식』, 계승범, 명청사연구 35집).

조선이 명의 적통을 승계하여 문명의 중심이 됐다는 조선중화론은 이런 환경에서 배태됐다. 송시열은 "중원사람이 서로 찬탈, 자립하는 것은 예사지만, 호로(胡虜, 오랑캐)가 중원을 빼앗아 버젓이 황제라 칭하는 것은 천지에 이보다 더 큰 변이 없다." "우리나라는 본디 기자(箕子)의 나라다. 기자가 시행한 8조는 다 홍범에 근거한 것이니, 큰 법도가 시행된 것은 실로 주나라와 같은 때다. 공자가 와서 살려고 한 것이 어찌 이 때문이 아니겠는가?"라면서 조선이 주나라와 같은 시기에 기자로부터 시작됐고, 공자도 와서 살려고 했을 만큼 정통 중국문화를 간직한 나라였다고 주장했다(『우암 송시열의 춘추대의사상』, 조현걸).

그렇게 조선은 최고의 문명국이 됐다.

그러나 이상하지 않은가. 중원을 차지하고 정통 중국인들의 충성을 받는 청나라를 제치고 문명국에 등극했다면 어떤 문명을 말하는 것일까. 여기에 함정이 있다. 이 문명은 문명이기는 하되, 조선의 문명이 아닌 중국문명을 말한다.

"주자 이후로는 일리(一理)도 밝혀지지 않은 게 없고, 일서(一書)도

명확해지지 않은 게 없는데, 윤휴가 감히 자기 의견을 내세워 억지를 부리니 진실로 사문난적이다."(『송시열과 그들의 나라』, 이덕일) 송시열과 그 당인(黨人)이 관념적 모델로 삼은 나라는 독자적 독립적 문화를 꽃피운 자주국가-조선이 아니라 스스로의 약점 때문에 야만족에 의해 무너진 중국-중국인의 중국이었다. 삼대의 예법과 질서를 간직하고 보전하며, 하늘과 천자, 중화와 이적, 문명과 야만, 책봉과 조공, 사대와 사소(事小)의 규범과 법도를 하나라도 훼손치 않고 완전하게 보존하는 나라-구체적으로 공자가 이상화했고, 주자가 정교화한 주나라의 문물제도를 유지하되, 야만족이 아닌 중국인이 세운 나라-그것이 그들이 원했던 참된 문명의 모습이었다.

그러나 이런 결과는 누가 보더라도 당혹스럽다. 주나라의 이상은 중국인의 이상이 될 수는 있어도 조선인의 이상으로 삼는 것은 어딘지 불편하다.

우리 학자들은 이런 딜레마를 해소하고 변호하기 위해 골몰한다. "우암이 주장하고 있는 소중화론은 조선을 중국의 아류로 본 것이 아니라 명의 멸망으로 인하여 중국에 이미 없어진 문화의식이 조선에 있다는 문화적 자긍의식이다." "이러한 주장 속에는 명의 멸망으로 중국에서 사라진 도학이 조선에 남아 있다는 민족의 문화적 자긍심과 함께 왕도를 구현하고자 하는 강한 신념이 담겨 있으므로 단순히 사대주의로 매도할 수 없다."(『우암 송시열의 춘추의리사상』, 오석원) "혹자는 이를 두고 망령이나 정신 승리라고 폄하하기도 하지만, 양란을 통해 무너지고 혼란해진 조선의 국가질서를 예(禮)와 의(義)의 확립을 통해서 재건하고자 했던 주자학자들의 현실적인 문제의식이었던 것이다."(『17세기 조선의 예질서의 재건과 송시열』, 방상근, 한국동양정치사상사연구 16) "우암 사상의 특징은 민족주의라고 보기 어렵다.

오히려 문화적 세계주의라고 할 수 있는 것이다. 여기서 문화라는 의미는 예의의 도덕 가치이므로 도덕적 세계주의라고 말할 수도 있겠다."(『우암 춘추대의 정신의 이론과 실천』, 김문준) 이런 자세의 연장선에 선 것이, 자주와 독립정신을 강조하기 위해, 한걸음 더 나가, 삼학사에 대해 "결국 이들 세 사람은 조선 사대부의 기개와 지조를 지키기 위해 스스로 죽음을 택한 것이다."라고 평가한 것과 같겠다(『병자호란 시 언관의 위상과 활동』, 정옥자, 한국문화 12).

우리는 역사학자들의 고충을 충분히 이해한다. 조선 사대부의 고뇌를 간단히 폄하하고 타기해버리는 것은 과거를 통째로 부정하고 결국 국가, 민족의 정체성을 흔드는 일이 될 것이기 때문이다. 그렇기 때문에 학자들은 가능한 한 조선 사대부의 정신세계로 들어가서 그들의 시공간 내에서 사건을 진단하려고 노력하고 있다. 십분 공감할 수 있다. 그렇다고 문제가 끝나는 건 아니다. 그런 노심초사에도 불구하고 채워지지 않는 간극(間隙)이 있기 때문이다. 절의를 중시한 조선 지식인의 자세를 이해할 수는 있지만, 최대한의 분별심과 성의를 가지고 그 시대를 조망하더라도, 그런 입장이 곧바로 조상의 업적에 대한 자긍심과 자부심으로 연결되지 않는다. 그 이유는 무엇일까. 이해와 평가는 별개의 영역이고, 이해했다고 곧바로 찬탄과 존경을 불러오는 것은 아니다. 이 경우 오히려 못마땅한 기분이 드는 것이 솔직한 심정이다.

나는 이런 원인을 두 가지로 들고 있다. 첫째, 춘추대의가 최고의 가치로 등장하면서 실용, 실리는 뒷전으로 물러나고 공리공담이 국가의 거대담론을 주도하게 된 점. 둘째, 춘추대의는 과거에의 집착을 가져와 미래를 향한 국가와 사회의 변증법적 발전을 방해한 점. 결과적으로 조선은 자폐적 정신세계에 갇힌 채 전진력(前進力)과 추동력을 상실한 무기력한 국가로 남게 됐다. 이 두 가지는 서로 원인과 결과의 관계에 있기도 하고, 동전의 양면처럼 실상 같은 내용의 다른 표현이기도 하다. 차례로 본다.

먼저 완전한 도덕성을 구현하기 위해 인간의 욕망을 억제하고 천리를 보존할 것을 요구한 성리학은 그 철학적 함의는 별도 논의의 대상으로 삼더라도 그 자체로 몇 가지 부정적 유산을 남기게 된다. 모든 것을 도덕의 관점에서 판단하는 극단적인 윤리주의는 정치를 도덕에 종속시켜 도덕 있는 자가 능력 있는 자보다 높고, 덕 있는 자가 지혜와 재주 있는 자보다 귀하게 인정받는 문화를 형성했다. 실무 해결 능력은 종일 미동 없이 독서하는 용맹정진에 눌렸고, 오히려 천하고 경박한 잔재주로 취급됐다.

"의리에 입각하여 자신을 바르게 하는 것이 목표일 뿐 이익을 도모하지 않으며, 도에 따라 자신을 밝히면 족하고 그 효과를 따지지 않는다."(『大學』, 박성규, 서울대철학사상연구소)는 유가(儒家) 원칙이 정치의 기본원칙이 되면서, "한 터럭이라도 이익을 추구하는 마음이 있으면 왕도(王道, 인의로 천하를 다스리는 도리)가 아니고, 패도[覇道, 무력이나 술수로써 공리(功利)만을 꾀하는 일]"로 경멸받았다.

이는 쾌락 추구를 죄악시하고, 농업을 높이고 상업을 억제하며, 이익을 경시하는 경향을 조성했고, 중국같이 재화가 풍부하고 상업이 발달한 국가와 달리 좁고 폐쇄적이며 물질이 부족한 조선에는 더욱 부조리한 결과를 낳았다.

이같이 기본적으로 실리보다 명분을 따지는 성리학을 바탕으로 삼은 데다, 앞서 살펴본 바와 같이, 조선 사대부는 실천적으로 주자의 여러 저작 중에서도 특히 『소학(小學)』과 밀접한 관련을 맺는다. 그것은 『소학』이 성리학적 행동지침과 규범을 소소할 만큼 자세하고도 구체적으로 많이 싣고 있기 때문이다. 주자는 경재잠(敬齋箴)에서 "의관을 바르게 하고, 눈매를 존엄하게 하고, 마음을 가라앉혀 마치 상제를 대하듯 하라. 발 가짐은 무겁게 할 것이며, 손가짐은 공손하게 하여야 하니, 땅은 가려서 밟아, 개미집도 밟지 않도록 돌아서 가라. 문을 나가면 손님을 대하듯이 하고, 일을 처리할 때는 제사를 모시듯 하며, 조심조심 두려워하며 감히 잠시도 안이하게 하지 마라. 입 다물기를 병마개 막듯이 하고, 잡념 막기를 성곽과 같이 하여, 성실하고 진실하여 조금도 경솔함이 없도록 하라(正其衣冠尊其瞻視, 潛心以居對越上帝, 足容必重手容必恭, 擇地而蹈折旋蟻封, 出門如賓承事如祭, 戰戰兢兢罔敢或易, 守口如甁防意如城, 洞洞屬屬罔敢或輕)."라고 수행의 기본을 제시했고, 『소학』은 이에 관한 구체적인 공부와 실천 방법을 많이 담고 있다.

김굉필은 평생 동안 『소학』을 공부하여 '소학동자(小學童子)'를 자처했고, 조광조, 김안국, 이황, 이이가 따랐으며, 특히 율곡은 『격몽요결(擊蒙要訣)』에서 『소학』을 필독서로 높임으로써 구한말에 이르기까지 우리나라의 유행이 됐다. 『소학』은 군주를 도덕질서의 권위 아래 편입시켜 정치를 사대부 중심으로 개편하고, 또한 지역에 있어서도 공동체 도덕질서 확립의 책임을 사대부에게 부여하여 그들의 영향력을 확대시킬 수 있게 했던 바, 이것이 조선 사대부의 이해와 맞아떨어졌다(『조선전기 사림과 소학』, 윤인숙, 역사비평사).

말하자면 『논어』 등 사서에 관한 『주자집주』가 세계의 철학적 해명이라면, 『소학』은 실천적 실무적 구체적 행위지침이라 할 수 있다. 주자는, 『소학』에서, 효의 보편성을 강조하여 천자, 사대부, 일반인을 구별하지 않음으로써 임금을 의도적으로 낮췄다. 또한 가(家)와 국가를 다르게 취급하여, 부모에 대한 자식의 입장과 군주에 대한 신하의 입장을 구분했다. 부모가 듣지 않아도 무조건 따라야 하지만, 군주는 도로써 섬기다가 간언을 듣지 않으면 그만두고 물러갈 것을 요구했다. 유학자에게 왕은 정치가나 행정가가 아니었다. 마음가짐만 제대로 하면 모든 정사(政事)가 도를 얻게 되어 기강과 법도가 저절로 세워질 것이었다.

그러므로 소학동자들은 고된 수련 끝에 소학 내용을 체득할수록 그 가르침에 충실하게 왕에게 끊임없이 근신과 성경(誠敬)을 요구하였고, 또한 거기에 적힌대로 공부하고 절하며, 제사지내고 군신 간, 부자 간, 부부 간, 붕우 간 예법예절에 관한 행위규범대로 빈틈없이 실천하며 의리를 중시하는 사람을 군자로 높이고, 이를 무시하고 이익을 추구하는 사람을 소인으로 낙인찍어, 소인에게 가차없는 공격을 가했다(『조선의 통치철학』, 백승종, 푸른역사).

이렇게 성리학적 도덕의 실천행동지침으로서의 『소학』과 탄핵과 비판, 간쟁 위주의 대간제도가 결합해서 만들어낸 것이 건설적 제안과 대안 제시보다 타인의 결점과 결함을 남김없이 드러내는 것을 목표로 삼는 조선의 독특한 정치적 지형도, 풍경이었다. 타인을 비난할 때는 조금이라도 남김없이 하고 싶은 말을 다하고, 대상에 대한 일체의 배려 없이 직설적으로 공격하는 전통이 세워졌다. 언사가 시원하고 극렬할수록 올곧고 강직한 선비라는 수식어가 붙었다. 말하는 자가 어떤 현안을 해결할 수 있는 능력이 있는지는 상관하지 않았다. 그러므로 병자호란 때 남한산성에서 참봉 심광수(沈光洙)가 "최명길의 목을 베어 백성에게 사과할 것"을 요구하고, 이조참판 정온이 "주판으로 최명길을 때리고 싶다."고 극언하며, 김상헌이 임금 앞에서 아무런 거리낌 없이 최명길이 작성한 항복문서를 찢어버릴 수 있었던 것이다. 성문 밖 청군은 고려 대상이 아니었다.

여기에 절의가 등장했다. 천하의 공론으로 불의와 부도덕을 질타한다는 절의의 파괴력은 이전의 도구와 장치에 견줄 것이 아니었다. 절의를 잃은 자는 난신적자로 죽여도 정당했고, 그만큼 나라의 도덕은 드높이 헌창될 것이기 때문이다. 이렇게 목숨이 왔다 갔다 하는 상황에서 명분 선점을 위한 투쟁 이외에 어떤 것도 중요하지 않았다. 여기에 실용주의가 뿌리내릴 여지는 없다. 박세당이 이경석의 삼전도비문 작성에 대해 정당성을 부여했다는 이유로 사문난적으로 몰린 것은 대표적이다. 도대체 어떻게 했어야 될까. 실무적 관점에서 보면 누군가 해야 할 일이었지만, 일단 내가 작성한 것은 아니고, 절의의 차원에서는 하지 말았어야 했으므로, 누군가 했다면 무조건 비난받아야 했다. 절의가 실무와 실용을 이긴 것이다. 절의를 잃는 것은 곧 공론에서 이탈하는 것과 같았던 바, 그들이 "백성들의 마음을 잃을지언정 사대부의 마음을 잃을 수 없다."는 말을 공공연히 할 수 있었던 배경이다.

대표적으로 조선후기 부동의 개혁가 김육[金堉, 1580(선조 13년)~1658(효종 9년)]의 졸기에서 양반들의 왜곡된 절의관을 엿볼 수 있다. "(김육은)…백성을 잘 다스리는 것을 자신의 임무로 여겼는데 정승이 되자 새로 시행한 것이 많았다. 양호(兩湖)의 대동법은 그가 건의한 것이다. 다만 자신감이 너무 지나쳐서 처음 대동법을 의논할 때 김집(金集)과 의견이 맞지 않자, 김육이 불평을 품고 여러 번 상소하여 김집을 공격하니 사람들이 단점으로 여겼다."(1658년 효종실록 효종 9년 9월 5일) 당시 김집은 사림의 총수로서 절대적 존경을 받고 있었는데 대동법 실시에 거세게 반대했다. 이로 인하여 김육과 의견 다툼이 있었던 바, 졸기에서조차 깨알같이 실용의 김육을 비난하고 절의의 김집을 편든 것이다. 김집은 조선 명신(名臣) 18현에 들어 문묘에 배향됐지만, 김육은 그런 영광을 누리지 못했다.

다음으로 절의가 과거에의 고착을 가져와 발전을 방해한다는 점을 살펴보자.

표면적으로 절의는 천하의 공리로서 만고불변의 보편타당성을 지닌 진리처럼 보이지만, 그 주요내용은 공자에게는 주나라의 제도문물, 주자에게는 공자의 시각을 통과한 주나라의 제도문물, 송시열에게는 공자와 주자의 시각을 통과한 주나라의 제도문물을 말했다. 이 문물이 상징하고 제시하는 정신과 예법, 규범을 그대로 받들어 봉행, 유지하는 것, 그것이 춘추대의-절의의 본체였다. 절의란 바로 천자를 정점으로 제후와 신하가 일정한 서열과 위치를 지키며, 각자에 합당한 권한과 의무, 예절, 예법을 준수하는 정연하고 균형 잡힌 봉건국가의 종법(宗法) 질서와 그 정신세계를 지칭한다. 거기에는 대종과 소종이 있고, 적자와 서자가 있으며, 임금과 사대부, 백성으로 이어지는 계급 신분이 존재하고, 군신, 부부, 부자관계를 통할하는 삼강오륜이 있다(대명의리는 부자의리에 해당됐다).

천하의 공리로 불의와 실덕을 비판한다고 할 때, 불의와 실덕은 바로 종법질서를 어지럽히고 폄훼하는 행위를 지칭한다. 마르티나 도이힐러가 그녀의 책 『한국의 유교화 과정(너머북스)』에서 치밀하게 추적한 것처럼 신유학 즉 성리학이 유학자들이 조선에 주입시키고자 한 지적 기초, 이데올로기였다면, 종법과 가문의 계승, 제사 등은 그 사회, 경제, 문화적 몸통에 해당됐다. 어떤 면에서 민중을 현실적으로 더 구속한 것은 성리학 이념보다 예법이라고 할 수 있다. 이로 인하여 조선은 양란을 기준으로 전기, 후기가 질적으로 다른 사회가 됐고, 이전과는 확연히 다른 장자 우위, 여성차별, 제사 및 상례, 장례법, 상속차별 및 중국화 된 씨족 종족집단의 출현을 보게 된다. 이런 의미에서 나는 이 책의 1장에서 "조선은 마르크스 이념에 기반을 두고 성사시킨 러시아의 사회주의 혁명보다 거의 300년 이상 앞서 사상을 현실에 적용시킨 첫 사례로서, 공산주의가 출현하기 전까지 이데올로기를 가지고 현실을 개조하고, 존재를 사상에 맞추려고 시도한 유일무이한 국가였다."라고 말한 바 있다.

성리학자들, 특히 서인 노론파가 모범으로 삼은 것은 중국 예법, 그 중에서도 『주자가례(家禮)』였다. 주자는 군신의 공치(共治)를 전제로, 공론을 중시하고, 붕당의 존재를 용인하며, 사대부와 서민의 신분 차이를 확고히 하였는데, 『주자가례』에는 이러한 이상이 완벽하게 반영되어 있었다. 유학자들은 가례를 사회 전반, 심지어 왕실에도 예외 없이 보편적으로 시행할 것을 주장하였던 바(『조선후기 왕위계승 연구』, 이영춘, 집문당), 왕과 사대부는 동일계급, 사대부와 백성은 절대 구별이라는 신분 질서를 고착시키고 영구화하려는 내심의 욕구를 피력했다고 봐야 할 것이다.

17세기 조선 유학자들이 12세기 남송의 주자가 제시한 예법-가례(여기서 예법은 도덕과 형법의 복합 형태에 가깝다)에 열광한 이유는 무엇일까. 그것은 주자가 제시한 12세기 송대 사회문제 해법이 17세기 조선 사회문제 해법으로서 적정한 것으로 간주됐기 때문이다. 그만큼 조선의 사회발전 양상이 중국에 비해 늦은 것을 의미한다. 일부 학자는 상대적으로 안정된 번영을 누린 영·정조 시대를 유통자본이 생산과정을 지배, 통제할 정도로 자본주의 맹아가 싹트고, 상업 발달을 가져온 시기로 윤색하고 있지만(『조선후기 상업자본의 발달』, 강만길, 창비), 구한말 성리학 질서를 수호하고 성리학 이외 일체의 이단을 배척했던 위정척사(衛正斥邪) 운동에서 보듯이, 17세기 확립된 예제질서가 기본구성의 변화 없이 나라 멸망 시까지 계속됐다면, 조선사회는 질적 변화나 성장 없는 정체사회였다고 파악하는 것이 옳다고 본다. 그렇지 않고는 마지막까지 성리학 질서에 매달린 이유를 설명할 수 없다.

공자가 무도와 문란으로 본 춘추전국시대는 제후들의 위상이 그만큼 높아진 것이며, 주자가 어지럽다고 본 남송 역시 황제의 권력에 맞선 사대부의 지위가 확고하게 진전된 결과로 파악할 수 있다. 따라서 공자와 주자가 사회의 질적 도약을 단순한 혼돈과 무질서로 규정한 것은 피상적 파악의 혐의가 있다. 사회발전은 신흥계층과 기득권층의 마찰을 동력으로 전개된다. 하지만 조선사회는 기본적으로 서구의 부르주아와 같은 신흥계급의 대두는 없었고, 기득권층 내의 헤게모니 쟁투만을 경험했을 뿐이다. 신흥계층은 족쇄로 작용하는 구(舊)체제를 대체할 새 질서와 새로운 예법을 요구하게 마련이다. 대체세력의 도발을 경험하지 못한 기존계급은 아무런 반성과 고민 없이 기존질서, 예법에 안주하면서 주어진 체제, 규칙 내에서 다투게 돼있다. 결국 조선은 구한말에 이르기까지 타 계급의 도전 없이 양반계급의 주도권 경쟁을 목도했을 뿐이다. 대표적인 것이 바로 인조의 부친 정원군 추숭과 현종 때 2번에 걸쳐 일어난 예송논쟁이다. 정원군은 인조반정을 계기로 대원군(大院君)이 되었다가, 약 10년에 걸친 논의를 거쳐 1632년(인조10년) 원종(元宗)으로 추존되고, 1635년(인조13년) 종묘에 부묘됐다.

그 과정에서 보여준 왕과 신하 간의 길고 지루한 길항(拮抗)이 백성과는 상관없는 추숭문제가 아니라 코앞에 닥친 청의 위협에 대한 군사적 대처방안에 관한 것이었다면 우리가 느끼는 무력감은 덜했을 것이다. 예송논쟁은 표면적으로 왕은 종법 위의 존재인지 아니면 예외 없이 종법을 적용해야 할 대상인지에 관한 논쟁이지만, 본질적으로는 붕당 간의 패권다툼이다.

그럼에도 "송시열의 예론은 의복제도(服制)에 관한 경전 해석의 문제를 넘어 무너진 예악 질서를 바로잡고 조선을 재건하기 위한 정치적 논리를 담고 있는 것"이라는 등등의 해석(『17세기 조선의 예(禮)질서의 재건과 송시열 - 현종 대 예송논쟁의 재해석』, 방상근, 한국동양정치사상사연구 제 16권)은, 춘추절의를 옹호하려는 태도의 연장선에 있는 것으로, 역시 흡족한 설명은 되지 못한다.

애초 논쟁이 자의대비(인조의 계비)가 아들(효종), 며느리(효종비)의 장례식에 어떤 옷을 입을 것인지에 관한 내용이 아니라, 예를 들어 대동법 실시에 따른 장단점, 계급 간의 이해득실, 실무상 애로사항 등에 대한 치열한 논리 경쟁이었다면, 예송논쟁에서 민족의 자긍심과 자주성을 드러내려는 학자들의 공교로운 주석이 마뜩치 못한 것으로 다가오지 않았을 것이다.

나는 조선후기를 이념으로서의 성리학이 국가 전반에 걸쳐 현실화, 육화(肉化)된 시기라고 규정하면서도, 지금까지와 같이 당시 시공간으로 들어가 사대부들의 동기와 의도, 지향점에 대해 가능한 한 긍정적 해석을 부여해 보려는 노력은 한계에 도달했다고 본다. 어떤 획기적인 연구가 나오더라도 질적으로 다른 성과가 창출되리라고 기대할 수 없기 때문이다.

"송시열에 대한 자료를 직접 대하면서 필자는 그가 열렬하고 순수하며 그의 위치에서 나라를 걱정하는 마음이 절실한 사람이었으며, 자신이 생각한 대로 말하고 행동한 사람이었다는 것을 알게 되었다. 그런 의미에서 그는 자신이 불의라고 생각하는 그 어느 것과도 타협하지 않았다."(『역사인물 송시열의 숭명배청론 재평가』, 정두희)라는 평가보다는 오히려 "한국의 도학사상이 인간의 순정성에 바탕을 둔 도덕주의적 의리론으로만 치우치게 되고, 현실과 유리된 이념 문제에만 집착하였다."(『한국도학파의 의리정신』, 오석원)라는 진단이 진솔하게 다가오는 것은 어쩔 수 없다. 어떤 언사로 포장하더라도 조선이 사상에 집중한 방식은 국가 미래를 발전적으로 전개하려는 다이내믹하고 동적인 과정에서 나온 것이 아니라, 양반이 장악한 사회를 존재하는 그대로 기존의 예법, 혹은 질서 틀과 잠금쇠에 채우려는 퇴영적이고 정적(靜的)인 편집증에서 파생된 것으로 보이기 때문이다.

절의(節義)가 만든 세상

송시열 류(流)의 순수 열정이 만들어낸 조선은 어떤 사회였던가. 이쯤에서 이기(理氣), 정명(正名), 절의(絕義) 등등에서 그것들이 만들어낸 결과물로 시선을 돌리는 것도 의미 있을 것이다. 이중환(李重煥, 1690~1752)은 『택리지(擇里志)』(안대희, 이승용 역, Humanist)에서 "우리나라의 관제는 먼 옛날과는 달라서 비록 삼정승과 육판서를 두어 모든 관청을 감독하고 통솔하기는 하지만, 대각(臺閣, 사헌부 등 三司를 말함)에 큰 무게를 두어서 풍문, 피혐, 처치의 법규를 만들어 오로지 옳고 그름을 따지는 의론의 정사를 맡게 했다. …삼정승과 육판서가 높기는 하지만 조금이라도 마음에 들지 않으면 …(이조전랑이) 곧잘 삼사의 여러 신하를 부추겨 탄핵을 하게 했다. …여기서 한 번 탄핵을 받으면 직책을 버리지 않을 수 없었다." "사대부가 사는 곳은 인심이 어그러지고 망가지지 않은 데가 없다. …신축년(1721), 임인년(1722) 이후로 조정에서는 노론과 소론, 남인 세 갈래 색목(色目)이 쌓아간 원한이 날이 갈수록 깊어져 서로에게 역적이라는 이름을 덮어씌웠다. 그런 행태와 소문이 파급되어 향촌에까지 뻗어가서 하나의 전쟁터를 만들었다. 서로 혼사를 통하지 않을 뿐 아니라, 다른 당색을 절대 용납하지 않는 데까지 이르렀다. 다른 색목과 친하게 지내면 지조를 잃었다거나 투항했다고 하면서 서로 배척한다. …당색이 처음 일어났을 때는 매우 미약했으나 자손들이 조상의 당론을 그대로 지키면서 200년이 흐르자 마침내 단단해서 깨뜨릴 수 없는 지경이 됐다." "개벽 이래로 천지간의 모든 나라 가운데 인심을 가장 심하게 어그러뜨리고 망가뜨리며 유혹에 빠져 떳떳한 본성을 잃어버리게 한 것은 무엇보다도 붕당의 폐단이다. 이보다 더 심한 환란은 없다. …우리나라는 비록 크기는 작아도 백성의 수가 백만이거늘, 본성을 다 잃어버리는 지경이 되어도 구원할 방법이 없으니 어찌 불쌍하지 아니한가!"(卜居論)

이건창(李建昌, 1852~1898)도 『당의통략(黨議通略)』(이덕일, 이준녕 역, 자유문고)에서 조선의 붕당 폐해의 원인으로 8가지를 거론하면서 "첫째가 도학(道學)이 지나치게 중한 것, 둘째 명분과 의리가 지나치게 엄한 것, 셋째 문사(文詞)가 지나치게 번잡한 것, 넷째 옥사와 형벌이 지나친 것, 다섯째 대각이 너무 높은 것, 여섯째 관직이 너무 많은 것, 일곱째는 문벌이 너무 성대한 것, 여덟째는 나라가 너무 오래 태평한 것."(『당의통략』 原論)을 들고 있다. 그리고 부연하여 "선(善)과 사람이 하나 되는 것(즉, 聖人이 되는 것)은 어려운데도 보통사람을 거느리고 도학의 당(黨)을 이루어 세상을 호령하니…그 화(禍)는 무궁할 것이다. …지금은 천하 사람들이 명분과 의리가 어떤 것인지 알지도 못하면서 유독 혼자 잘 아는 것처럼 떠든다. …그 사람의 어짊이 공자같이 된 후에나 가할 것인데 이들은 근처에도 가지 못하면서 스스로 성인이라 하여 세상을 속이려는 것이다. …(형벌이 지나쳐서)…서로 잔인하게 보복함이 …조금도 후회하지 않게 된다. 이러고도 나라가 망하지 않는 것도 다행인데, 인재가 많을 것을 바라겠는가. …대각을 설치한 것은 …옳고 그른 것을 논쟁하기 위한 것인데…미워하고 헐뜯을 일이 아닌데도 한 사람이 의논을 주창하면 수십 인이 따르며 따르지 않는 자를 공격하므로 …오늘날 당인들은 서로 공격하기 전에 반드시 같은 무리를 대각에 포진시켜… 자기와 다른 사람들을 배척한다. …그러므로 높은 의론이란 이름은 대각에서 비롯하였으나 마침내 자신의 당을 펀드는 도구가 되었다."라고 했다.

조선사회의 실상에 대해서는 여기서 더 이상 덧붙일 게 없다. 이중환과 이건창은 대략 150년의 차이가 나는 인물들임에도 그들이 진단하는 조선의 실상은 전혀 변화가 없다. 그들은 서로 헐뜯고 죽이고 배척하고 교통도 하지 않고 그렇게 살았다. 이중환 자신은 당쟁에서 패배하여 생존 위기에 몰렸고 유배를 벗어난 이후에도 만년까지 생계를 잇기 힘들 만큼 궁핍했다(『택리지』 해제). 섬뜩하지 않은가. 찬란히 빛나야 할 춘추대의의 기치가 억압과 질곡의 혼돈, 혐오와 비탄의 절망으로 끝났다. 마돈나의 이상이 현실의 소돔으로 나타난 것이다.

왜 이런 일이 발생했을까. 나는 장엄했던 춘추절의가 비루한 지리멸렬로 귀착된 것은 춘추대의 개념 자체에 내재해 있다고 본다. 상징적 사건 2개만 들어본다. 회니시비(懷尼是非)와 김창협(金昌協), 김창흡(金昌翕) 형제와 최석정(崔錫鼎) 간의 절교(絕交) 사건이다.

회니시비의 등장인물은 윤선거(尹宣擧), 윤증(尹拯) 부자와 송시열, 그리고 윤휴(尹鑴)다[이 사건의 주연인 송시열이 회덕(懷德), 윤증이 니산(尼山)에 살았으므로 회니시비라 한다]. 먼저 윤선거와 송시열은 김집(金集)의 제자로서 동문수학한 절친이고, 윤선거의 아들 윤증은 송시열의 제자이자 같은 서인이며, 윤휴는 남인이다. 윤선거는 극렬 척화파 윤황(尹煌)의 아들인데, 병자호란 때 아버지 윤황은 남한산성으로, 아들 윤선거는 강화로 피신했다. 강화가 함락되면서 작은 아버지 윤전, 윤선거의 처는 자결하였으나, 윤선거는 부친의 생사를 알지 못하는 상태에서 죽을 수 없다면서 평민으로 변장해 목숨을 부지했다. 윤선거는 이를 평생의 부끄러움으로 알고 출사도, 재혼도 않고 학문에 정진했다(『우계학파 연구』, 황의동, 서광사). 1669년(현종 10년) 윤선거가 사망하자, 아들인 윤증이 송시열을 찾아 묘갈명(墓碣銘, 무덤 앞에 세우는 비석에 새긴 글)을 부탁하면서 문제가 불거졌다. 이때 송시열은 무성의하면서도 윤선거에 관해 비판적인 내용을 적어 보냈다. 윤증이 수정을 요구했지만, 송시열이 거부함으로써 사제지간인 두 사람의 관계가 적대적으로 바뀌었고, 집권세력이었던 서인(西人)이 노론과 소론으로 갈라지는 계기가 됐다. 원인은 당대의 석학 윤휴(尹鑴)에 대해 윤선거와 송시열의 견해가 달랐기 때문이다. 송시열도 한때 윤휴를 높이 평가했으나, 윤휴가 원시유학의 중요성을 강조하고 『중용』, 『대학』 등 경서에 관한 주자의 주석을 비판하면서 다른 해석을 내놓자, 주자가 완벽하여 새 해석이 필요치 않다고 보는 송시열은 윤휴를 사문난적으로 극렬 비판했다. 반면 윤선거는 윤휴를 긍정적으로 받아들였고 그의 학문을 높이 평가했다. 생전에는 윤선거가 더 이상 거론하지 않아 일단락된 듯했으나, 윤증이 송시열에게 묘갈명을 부탁할 때 참고자료로 보낸 윤선거와 윤휴 간의 편지가 송시열에게 알려지면서 물의가 빚어졌다. 송시열은 윤선거의 생각이 자신과 동일한 것으로 알고 지내왔으나, 편지를 보고 윤휴를 높이 평가한 것을 알게 되자, 묘갈명을 무성의하게 짓고 병자호란 때 강화도에서 비겁하게 살아난 인물로 폄하해 버렸다. 윤증은 격노해 송시열을 비난했고(1681년, 辛酉疑書) 이로 인해 노론과 소론으로 정치색이 갈린 것은 이미 진술한 바와 같다.

여기서 절의를 찾기는 쉽지 않다. 회니시비 자체는 주자의 완벽성에 대한 논쟁도 아니고, 윤선거의 강화도 처신의 옳고 그름이나 윤휴에 대한 유화적 태도가 신뢰를 배신한 것인지의 여부에 관한 것도 아니다. 평생 잘 지냈던 친구가 실은 정적(政敵)에게 호의를 보였다는 사실이 밝혀지자 괘씸죄에 걸린 것이다. 당시에도 서인 사이에서는 송시열이 이미 죽은 사람인 윤선거에 대해서 잘잘못을 따져서 그 "이기기를 좋아하는 사심(好勝之心)을 이루려한 것"이라는 비판이 있었는데(『전쟁의 기억과 정치-병자호란과 회니시비』, 김용흠, 한국사상사학 제47권), 결국 윤선거가 자기편을 들지 않은 것에 대한 심통을 부린 것이라고 비난해도 전혀 틀린 말은 아니다. 강화도 처신이 못마땅했다면 처음부터 비난했어야 논리가 일관되기 때문이다. 절의가 절의로 존중받으려면 본래의 뜻 그대로 천하의 공론이라 할 수 있어야 한다. 특정인이나 세력이 일방적으로 선포하고 독점한 절의는 독단과 전횡에 다름 아니다. 회니시비는 하늘 높이 걸어 놓은 절의가, 이건창의 지적대로, 보통사람들이 휘두를 경우 의외로 쉽게 땅바닥에 뒹굴 수밖에 없다는 점을 보여준 사례라 하겠다.

다음으로 절교사건을 보자. 몇 가지 사전지식이 필요하다. 우선 때는 숙종 연간이다. 숙종은 집권정당을 단번에 바꾸는 소위 환국(換局)을 정치수단으로 사용한 임금이다(『숙종, 조선의 지존으로 서다』, 이한우, 해냄). 1674년 14세의 나이로 즉위했는데, 당쟁이 절정에 이른 시기였다. 숙종은 즉위 초기에는 서인을 배척하고 남인 정권을 수립했으나, 1680년 역모사건이 발각되자 남인을 일거에 축출하고 서인을 등용시키는 ①경신환국(庚申換局, 1680년)을 주도했다. 1688년에는 장희빈의 아들을 세자로 책봉하려 했으나, 서인이 극심하게 반대하자 이번에는 ②기사환국(己巳換局, 1688년)으로 서인을 단칼에 몰아내고 남인을 등용했다. 1694년 서인들 중 일부가 폐비가 된 인현왕후의 복위운동을 비밀리에 전개하는데 이것을 안 남인들이 이들을 몰아내려 하자, 오히려 ③갑술환국(甲戌換局, 1694년)을 단행해 인현왕후를 복위시키고 남인을 축출하고 서인을 재(再)발탁했다. 이렇게 숙종은 3번의 환국을 통해 집권정당을 송두리째 바꾸는 특유의 정치를 했는데, 그때마다 많은 선비가 죽어나가 서로의 원한이 쌓여 건잡을 수 없는 지경에 이르렀다.

그런데 처음 ①경신환국 때 위관(委官, 의정대신 가운데서 임시로 뽑아 임명한 재판장)으로 남인의 처벌을 주도한 사람이 영의정 김수항(金壽恒)이다. 김수항은 저 유명한 김상헌의 손자로, 절교사건의 주인공 김창협, 김창흡의 아버지다. 결국 김창협, 김창흡은 김상헌의 증손자가 된다. 당시 김수항은 소론(少論)의 반대에도 불구하고 역모 혐의와 관계없이 남인 우의정이던 오시수(吳始壽)를 처형했다. 그런데 8년 뒤 서인이 몰락한 ②기사환국이 발생했다. 이때 송시열은 사사(賜死)되고 김수항(金壽恒)도 오시수를 처형한 데 대한 보복으로 새로 집권한 남인들로부터 남인 명사를 남살하였다는 탄핵을 받고 진도로 유배, 위리안치 됐다가 사사됐다. 여기서 김수항 탄핵을 주도한 남인이 오시수의 친척인 오시복(吳始復)이다. 다시 ③갑술환국으로 남인은 몰락했고, 오시복도 유배를 갔다. 이상과 같이 숙종과 환국, 노론과 남인, 그리고 오시수, 김수항, 오시복의 서로 얽히고 엮인 인연이 사건의 배경이다. 간단히 요약하면, 서인인 김수항이 정권을 잡자 남인인 오시수를 처형했고, 남인이 다시 정권을 차지했을 때 오시복이 오시수를 죽인 일로 김수항을 사사했다는 것이다.

갑술환국으로부터 4년이 지난 1698년(숙종 24년) 탕평책의 일환으로 노론과 다른 당인이라도 능력이 있는 사람이라면 서용하자는 의견이 제출됐다. 기사년(기사환국)에 관계된 여러 사람의 죄를 말끔히 씻어주고 조화롭게 화합하여 거두어 쓰자는 취지였다. 당시 영의정 최석정(崔錫鼎, 소론)이 탕평을 위해 오시복 등의 서용을 적극 주장하면서 김창협(金昌協)에게 편지를 보내 의견을 물었다. 최석정은 최명길의 손자다. 그러므로 이 건으로 최명길의 손자와 김상헌의 증손자가 대를 이어 현안을 이어간 것이다. 먼저 김창협은 한 시대를 풍미한 명사답게 온화한 편지를 보낸다.

"…대저 살인자가 남의 어버이를 죽였는데, 어떤 사람이 살인자를 용서하고 또 그를 총애하기 위해, 피살자의 아들에게(살인자를 서용하는 것이) '옳은가, 옳지 않은가?' 하고 물었을 때, 피살자의 아들이 '옳지 않다.'고 대답한다면 사람들의 공언(公言)과 다르게 되고, '옳다.'고 대답한다면 또한 짐승만도 못하게 됩니다. 두 가지에 하나도 옳은 것이 없는데, 이를 묻는 것은 무엇 때문입니까? 혹시 우선 이것으로 사람을 시험해 보는 것입니까? 그렇다면 합하(閤下, 정일품관)의 사람 대함이 역시 매우 성실하지 못합니다.…"

그러나 그의 아우 김창흡의 편지는 매우 격렬하다.

"옛날 나의 증조부(金尙憲)는 청나라 황제(皇帝)에게 아첨하지 않는다 하여 귀하의 조부(崔鳴吉)에게 큰 미움을 받았고, …기필코 나의 증조부를 해치려 하였으나, 다행히도 …인묘(仁廟, 인조)께서 지극히 총명하시어 증조부께서 큰 화를 면하게 되었습니다. 비록 지천공(遲川公, 최명길)이 패합(捭闔, 술책)에 능숙하여 이를 죽이고 살리는 데 잘 이용하였음에도 그 계책이 또한 다 행하지 못한 것이 있었는데, 유독 그 자손에게 준 계책이 흉악한 무리의 기세를 배양해 왔으며, 오늘에 이르러서는 그 여파(餘波)가 한없이 넓고 크게 퍼졌습니다. …나의 선인(先人, 김수항)께서는 홀로 충직(忠直)한 길을 지키면서 그 가운데 서서 눈앞에 이해(利害)가 가득하다 하여 몸에 배이도록 익혀온 선대의 유훈을 조금도 바꾼 적이 없었으니, 어찌 갑자기 닥친

화를 면할 수 있었겠습니까? …오늘날 과연 (오시복 같이 과거에 죄지은 자를) 모두 씻고 털어서 끌어들이면 죄가 없다고 말할 뿐 아니라, 다시 그들의 공로를 무언중에 상찬(賞贊)할 것이니, 합하의 심술(心術)이 여기서 그 전모가 다 드러났습니다. …인후(仁厚)로써 군자를 대접하고 법제로써 간흉한 무리를 징계해야 하는데도 지금은 모든 것이 그 반대가 되었으니, …저 흉악한 무리(오시복)의 공적과 능력은 달리 보이지 않고, 특히 선인(先人, 김수항)을 해친 것에서만 드러났는데, 합하로부터 칭찬받고 기용되었다면, 선인을 해친 사람은 정(鄭)나라의 원수가 아니요 바로 자서(子西, 정나라를 어지럽힌 장본인)입니다. 그렇다면 당신이 바로 그 사람(자서)이니, 어찌 한 간(一間)의 차이뿐이겠습니까? …합하는 평소에 표리(表裏)가 다른 태도와 안색을 잘 지어서 사람을 부리곤 하였는데, …그러나 지금은 사세가 다시는 이와 같이 할 수 없게 되었으므로, 감히 먼저 짧은 서간으로 주목[朱穆, 후한(後漢) 때 사람. 당시 경박한 풍속에 격분하여 가슴을 치고 숭후론(崇厚論), 절교론(絕交論)을 제창하였음. 충간자(忠諫者)의 비유로 쓰임]의 고의(古義)에 붙일 뿐이며, 감히 합하가 회답을 번거롭게 보내시어 체면을 손상케 하는 것은 바라지 않습니다."(즉, 답장도 원하지 않음)라고 했다.

여기에 대해 노론이 작성한 숙종실록은 "세상 사람들은 '김창흡(金昌翕)의 편지가, 온화해서 핍박하지 아니하여 고약한 소리를 내지 않은 의(義)를 얻은 김창협만 못하지만, 그 골수(骨髓)를 깊이 찔러 소인의 심간(心肝)을 깎아낸 것은 명백하고도 정직하여 더욱 사람의 마음을 경계할 만하다.' 하였다."라고 평하였고(1698년 숙종실록 숙종 24년 4월 18일), 소론의 주도로 이루어진 숙종 보궐정오실록(肅宗補闕正誤實錄) 같은 날 항목에는 "…사사로운 원한으로 공기(公器)를 막을 수 없는 것이고(즉, 공익이 사감보다 중한데), …어찌 갑자기 거칠고 교만한 말로 회답한단 말인가? 김창흡을 세상에서 고사(高士)로 지목하나, 그의 적절하지 못함이 이와 같았다."(1698년 숙종보궐정오실록 숙종 24년 4월 18일)라고 썼다.

내가 여기서 주목하는 것은 사대부들이 내건 절의와 명분의 수준이다. 물론 김상헌, 최명길 사이의 대를 이은 애증, 당쟁의 폐단, 주고받는 원한의 중첩 등도 구성요소이긴 하지만, 당대 최고 명사들의 절교 명분은 "아버지의 원수를 옹호한 자와 함께 할 수 없음"이었다. 격의 있고 고상한 대의는 없다. 국가나 공익도 없다. 조금 앞선 송시열의 춘추대의 같은 것은 그런 대로 천하공론에 관한 것이었지만, 여기는 다수의 공감을 얻으려는 노력조차 없다. 그만큼 질적 수준이 저하된 것이다. 김창협 형제가 최석정에게 한 절교 선언은 가문의 은원만 중요할 뿐 탕평의 대의는 고려대상이 아니라는 공식적 표명이다.

내가 최석정을 두둔하려는 의도를 가진 것은 아니다. 하지만 이들이 고상하게 내건 명분과 필부의 사사로운 원한 감정이 어떤 질적 차이가 있는지 알 수 없다. 더욱이 "골수(骨髓)를 깊이 찔러 소인의 심간(心肝)을 깎아낸 것은 명백하고도 정직하다."는 평가에 이르러서는 다른 집단을 공격대상으로만 보는 패거리 문화의-후손인 우리에게도 현재 상황에서 너무 익숙한- 전형을 본다. 농암(農巖) 김창협은 저 유명한 ***인물성동이론(人物性同異論, 著者 註 참조)** 논쟁에 있어 노론 낙파(洛派)를 대표하는 이론가요, 조선의 문장가 9인 중 일인이고, 삼연(三淵) 김창흡도 노론을 대표하는 시인묵객이었다(『조선, 철학의 왕국 ; 호락논쟁이야기』, 이경구, 푸른역사). 말하자면 18세기 초를 대표하는 조선 최고 지성들이었다. 이들의 입에서 "아버지의 원수지만, 나라의 장래를 위해 용서하고 화합하겠다."고 했다면, 국가는 희망을 보았을 것이다. 그러나 그러지 않았다. 조선의 장래는 정해졌고 결말은 우리가 아는 대로다.

[著者 註]

***인물성동이론(人物性同異論)**

인간의 성(性)과 인간을 제외한 만물(특히, 금수 또는 동물)의 성(性)이 같은지, 다른 지를 두고 벌어진 논쟁. 같다는 주장이 인물성 동론(人物性同論)이고, 다르다는 주장이 인물성 이론(人物性異論)이다. 전자를 지지한 김창협 등이 서울과 경기지방을 지칭하는 낙하(洛下, 중국의 洛陽이 서울의 별칭으로 쓰인 데서 유래)에 살았으므로 낙론(洛論)이라 했고, 후자의 입장인 한원진 등이 호서지방에 살았으므로 호론(湖論)이라 했다. 이는 성에 대한 이해가 다른 데서 생긴 논쟁인데, 이렇게 '성'을 보는 입장에 차이가 생긴 것은, 근본적으로 주희가 맹자와 중용을 다르게 주석하여 생긴 성리학 체계의 비일관성 때문이다(『人物性同異論 연구 성과를 통해 본 '같음'과 '다름'의 의미』, 유영희, 한국사상과 문화 제58집).

논자에 따라서는, 당시의 혼탁하고 무도한 사회현실 앞에 인간으로서 인성과 양심을 되찾기 위한 사상사적 노력으로 평가하기도 한다(『人物性同異論과 湖洛論爭』, 김상곤, 유교사상문화연구 8). 논쟁과정에서 성의 본질, 개념, 기질과의 관계 등 인간성 전반에 관한 정교하고, 심층적이며, 정밀한 구별과 분석이 이루어짐으로써, 중국, 일본과도 다른, 조선 유학의 높은 경지를 보여주었다. 하지만 여기서의 관심은 논쟁의 주제나 내용이 아니라, 진행방식이다. 인간과 금수의 본성이 같은가에 관한 논쟁이 사상적 철학적으로 질적 수준과 가치가 있는 것이었는지의 여부와 실천적으로 이떤 효용이 있었는지의 여부는 별개의 문제다. 논쟁은 대략 18

영·정조 대를 문예부흥기 또는 진경시대라고 부르며 조선 성리학에 입각한 조선 고유문화가 꽃핀 시기로 규정하기도 하지만(『진경문화』 지두환 외, 한국민족미술연구소 엮음), 애초 바탕이 되고 배경이 돼야 할 정신의 높이는 이미 나락에 떨어진 뒤였다. 강희, 옹정, 건륭을

세기 초에 시작해서 19세기 초반까지 이어졌고, 이는 영·정조 시기와 맞물린다. 청 지배하의 중국은 전성기를 맞고 있었고, 에도 막부 하의 일본도 전에 없던 경제적 활력을 자랑했다(『못난 조선』, 문소영, 전략과 문화). 조선도 잠시나마 정치적 안정을 찾지만, 사회적 경제적으로 아무런 내용적 변화가 없고, 백성의 삶은 여전히 곤궁했다. 당시 상황에서 사상가가 땅에 떨어진 인성 회복을 위해 인성의 본질을 탐구하는 것은 당연하다. "국외에서 성장한 청과 국내에서 성장한 백성 등 제반 계층에 대한 유학자들의 인식과 태도가 호락논쟁을 통해 정리될 수 있었다"는 평가도 있지만(『조선, 철학의 왕국』, 이경구), 호락논쟁이 실제로 실천과 개혁으로 이어진 자료는 찾아보기 어렵다. 현안에 대한 대안과 모색을 위해 제시된 이론으로 보기에 미흡한 점이 있는 얘기다(『人物性同異論과 湖洛論爭』). 일부 학자들이 공리공담으로 평가하는 이유다.

오히려 호락논쟁의 실체는 정국 주도권을 잡은 노론 내 헤게모니 싸움이라는 데 본질이 있다. 학문이 학문으로 끝나는 것이 아니라, 학파가 정파로 연결되는 익숙한 모습을 보이는 것이다. "학문 시비가 감정 대립으로 불똥이 튀고 이해타산이 얽히자 풀기 힘든 실타래처럼 꼬였다. 김창협의 조카 김용겸은 이 논쟁은 도학의 근본을 알지 못하고 말꼬리만을 흉내내어 빚어진 일이라고 분석했다"(『철학의 왕국』). 논쟁의 극단에 이르러 홍대용 등 후세의 학자들에 의해 실질에 힘쓰자는 강조가 일어난 것은 오히려 당연한 일이라 하겠다.

관통하는 청의 번성에 따른 소강상태의 융성과 영화는 외면적 현상일 뿐 속으로는 착실히 곪으며 썩어가고 있었던 것이다. 조선주자학의 특성인 도덕규범주의와 윤리제일주의는, 조선의 제도, 통치기구가 사회경제관계의 발전에 따라 통제력을 잃은 위기상황에 이르렀어도, 정치세력 간의 통합을 방해하고 주체적 대응을 방해했다(『조선후기의 정치사상』, 유미림, 지식산업사).

내가 누차 언급한 대로 일부 세력이 독점한 절의와 도덕은 다른 집단에 대해서는 독단과 폭력으로 작용하고, 작용과 반작용을 거쳐 종내에는 사사로운 반감, 원한과 구분할 수 없는 지경에 도달한다. 평범한 사람에 지나지 않으면서, 도학을 운운하며 세상을 호령한다면, 몸에 걸친 옷이 성현의 옷이며, 읽는 것이 성현의 글이고, 행동도 성현의 행동이 아님이 없더라도, 결국 평범함을 벗어날 수 없다는 이건창의 통찰에 공감이 간다. 이렇게 하여 사상으로 현실을 개조하려는 조선 성리학자들의 실험은 실패로 귀결됐다. 사상의 실패인지 사상이 요구하는 기준을 맞추지 못한 인간의 실패인지는 중요하지 않다. 나는 사상이 인간에 봉사해야지, 인간이 사상을 위해 복무하면 언제나 똑같은 일이 발생할 것이라고 본다.

7장 우리는 조선을 극복할 수 있는가

몇 가지 질문

우리의 논의는 어느덧 마무리 지점에 다다랐다. 내가 이 책의 서장에서 얘기했듯이 역사속의 인물들을 이해하는 것과 역사에서 교훈을 얻는 것은 구별해야 한다. 과거를 과거의 맥락에서 바라보는 것은 공정한 자세이긴 하지만, 과거가 우리에게 유의미한 사건이 되려면 현재의 시각에서 끊임없이 재해석되고 평가되어야 한다는 것이 나의 생각이다. 지나간 역사는 되돌리거나 바로잡을 수 없지만, 익숙한 설명 대신 관점과 기준을 달리한 접근과 분석은 언제나 가능하다. 역사에서 배운다는 것은 과거의 실패를 되풀이하지 않는 것이고, 실책을 거듭하지 않기 위해서는 문제점과의 불편한 대결을 꺼리지 말아야 한다.

나는 그동안의 작업을 기초로 미뤄두었던 질문에 대한 답변을 요구해도 될 시간이 됐다고 본다. 첫째, 조선 유학자들에게 국(國) 혹은 국가(國家)는 무엇이었는지, 말하자면 그들에게 국가는 감정적 이성적으로 어떤 대상이었고, 국가는 그들에게, 그들은 국가에게 어떤 존재였는지 물어야 한다. 그리하여 그들이 물려준 국가의 모습은 우리 속에 어떻게 각인되고 반영되어 있는지 살펴야 한다. 둘째, 조선후기 성리학이 인간의 순정성에 기반을 둔 의리론에 집착하면서 현실과 유리된 독단적 성향을 보였다는 것은 일반적 진단이다. 빈 껍데기 이념에 대한 집착은 실재에 대한 왜곡된 인식을 만들어냈다. 중국인조차 기억하지 못할 숭정(崇禎, 명의 마지막 황제 숭정제) 연호를 수백 년간 사용한 결기는 찬탄 대신 씁쓸함을 준다. 한옥(韓屋) 수리 도중 발견된 대들보의 상량연대가 숭정(崇禎) 301년(1928년)으로 적혀 있다는 신문기사는 다음과 같은 실록 기사에 비추어 오히려 당연한 것이다.

"송시열은 언제나 크고 작은 문자(文字)에 반드시 숭정연호(崇禎年號)를 기록하여 존주지의(尊周之義)를 나타냈는데, 김수홍은 그의 조부(祖父) 문충공(文忠公) 김상용(金尙容)이 병자년 강도(江都, 강화도)의 난리에 순절(殉節)하였는데도 강희연월(康熙年月)을 써서 송시열과 서로 반대되는 뜻을 보였으므로 사람들이 모두 그를 더럽게 여겼다."(1681년 숙종실록 숙종 7년 8월 23일, 지돈녕부사 김수홍의 졸기, 김수홍은 김상헌의 재종손임) 이제 우리도 이런 전통을 이어받아 정의를 최후까지 드러내고, 도덕적으로 한 점 부끄럼 없는 떳떳함을 고수하고 장려할 것이냐 혹은 실용주의, 실사구시의 측면에도 눈을 돌릴 것이냐를 물어야 한다. 극단적인 경우 생존과 번영에 보탬이 된다면 비굴하다는 비난을 받더라도 실리 혹은 이익을 택할 수 있는가를 묻는 것이다. 셋째, 주자학, 보편적으로 유학은 어떤 함의를 갖는 철학이며, 여전히 현대인의 삶과 일상에 유용한 가치를 가지고 있는지, 많은 사람들이 작금의 도덕적 타락을 개탄하며 대안으로 공맹의 부활과 재해석을 언급하고 있는 바, 과연 이들의 주장과 같이 주자학 나아가 유학은 복잡다기한 현대사회를 통합, 유지할 내재적 역량과 미래의 비전을 전향적으로 제시할 능력을 가지고 있는지 물어야 한다. 차례로 본다.

국가란 무엇인가

먼저 우리는 남한산성에서 정온(鄭蘊)이 "천하의 국가가 길이 계속되기만 하고 망하지 않은 경우가 어디에 있습니까. 무릎을 꿇고 망하기보다는 차라리 정도(正道)를 지키며 사직을 위하여 죽는 것이 낫습니다."라고 했고, 김상헌이 "예로부터 죽지 않는 사람이 없고 망하지 않는 나라가 없는데, 죽고 망하는 것은 참을 수 있어도 역리(逆理)를 따르는 것은 참을 수 없습니다."라고 하며, 송시열이 "내가 다투는 것은 오직 대의일 뿐, 승패존망 따위는 논할 바가 아니다." 라고 한 것을 알고 있다.

일반상식에 따르면, 국가가 망해 소멸했다면 멸망 과정에 그 나라가 정도를 지켰거나, 역리를 따랐거나 아무 상관없다. 역사는 승자의 역사고 이긴 자의 기록일 뿐, 없어진 나라의 충절이나 배역(背逆)은 아무도 기억하지 않는다. 기억할 필요도 없다.

그럼에도 이들로 대표되는 조선 사대부들은 공맹의 도에서 벗어나기보다 차라리 국가를 포기하는 것이 낫다는 사상에 공감했고, 이는 절대적 가치로 높아진 상태에서 면면히 이어졌다. 조선말기 기정진(奇正鎭, 1798~1879)과 더불어 위정척사 운동의 정신적 중심에 섰던 이항로(李恒老, 1792~1868)는 "학자가 주자를 종주로 삼지 않으면 공자의 문정에 들어갈 수 없으며 송자(송시열)를 현창하지 않으면 주자학문의 통서(統緖, 계통)를 접할 수 없다."고 주장한 사람인데,

"오늘날 우리의 책무는 유교 성쇠에 있고 국가의 존망에 이르러는 오히려 두 번째 일에 속한다(今日吾輩之責, 在儒敎盛衰, 至於國家存亡, 猶屬第二件事)."라고 말해, 송시열로부터 200년의 시간이 흐른 뒤에도, 사대부들에게 여전히 국가보다 유교가 더 중요했음을 확인시킨 바 있다(『화서 李恒老의 위정척사사상-위정척사론의 기반 華夷論의 구조』, 이미림, 화서학논총5), (『일본의 본질』, 마에다 쓰토무, 이용수 옮김, 논형).

이는 일본의 저명한 주자학자 야마자키 안사이(山崎闇齋, 1618~1682)가 "우리나라를 침공해오는 자가 있거든, 비록 공자가 대장이고, 안자(晏子)가 선봉에 선다 해도, 나는 마땅히 이들을 적과 원수로 볼 것이다(有來侵吾國者, 雖孔子爲將, 晏子爲先鋒, 吾當以讐敵視之)" 라고 단언한 것(『일본의 본질』)과 확연히 대비되는 지점이다. 안사이는 적의 장수가 비록 공자, 맹자라도 나라를 침략해 온다면 맞서 싸우겠다는 의사를 분명히 했지만, 조선 유학자는 기자(箕子)가 조선에 봉해졌다는 미심쩍은 기록만 가지고도 감격했던 터이므로, 공자가 직접 군대를 이끌고 온다면 아마도 진심어린 환영과 자발적 항복 외에 다른 생각을 하지 않았을 것이다.

이에 대해 조선은 중화 질서의 영향권에 놓여 중화제국과 문명을 동일시했고, 중국인 중심의 화이론(華夷論)과 의리를 최고 가치로 높이면서, "고대의 모범과 자연적 질서의 명백한 이치로서의 보편문명"을 절대화하고, 국(國) 개념을 상대적으로 경시했다는 주목할 만한 연구가 있다(『문명과 제국 사이; 병자호란 전후 시기 주화 척화논쟁을 통해 본 조선 지식관료층의 '國' 표상』, 손애리, 한국동양정치사상사연구 제10권). 그러나 이는 본질적으로 기존연구와 내용 면에서 큰 차이가 있다고 할 수 없는 것으로, 역시 그들의 시각으로 그들을 평가한다는 내재적 접근법에 근거한 것이다.

다른 한편 소위 근대국가론을 가지고 조선 사대부의 국가관을 옹호할 수도 있다. 이는 국경선이라는 일정한 구획, 영토에 대한 강한 집착과 국민적 일체감, 자율성과 정체성에 기반을 둔 국민국가(國民國家, nation state) 개념은 근대의 산물로서, 남한산성 당시는 아직 국가관념 자체가 지금과 달리 구체적으로 정립된 것이 아니었기 때문에 국가관이 충분치 않을 수 있다고 본다. 그러나 조선과 일본은 서구제국과 달리 이미 일정한 국경선 내에서 언어, 인종, 신분, 국가의 연속성 등등 모든 방면에서 월등한 동질성과 통일감을 향유하고 있었고, 더군다나 송시열과 비슷한 시기에 안사이가 훨씬 분명한 국가 관념을 표하고 있는 것에 비교하더라도, 근대국가론을 그대로 적용하는 것은 문제의 초점을 흐릴 소지가 있다.

한편 김류는 "옛날부터 외복(外服)의 제후(諸侯)로서 상국(上國)을 위하여 절개를 지키다가 의리에 죽은 경우가 어디에 있습니까?"(1637년 인조실록 인조 15년 1월 20일)라고 반문하여 제후국이 의리 때문에 자멸을 택하는 것이 잘못이라는 취지로 말했고, 최명길은 한걸음 더 나아가 "조선의 신하가 조선의 군부(君父)를 생각지 않고 오로지 중국 조정만 위하는 것은 잘못이며, …조선의 신하가 명을 위하여 아국을 망하게 해서는 안 된다는 것이 당당한 의리"라고 명백히 주장한 바 있어(지천선생집 속집, 서찰 ; 『문명과 제국 사이』, 손애리), 당시 모든 인사들의 국가 관념이 상대화되었다거나 절의와 문명의 후순위에 놓였던 것은 아니었던 사정을 알 수 있다.

그러므로 나는 억지와 공교로운 해석을 통하여 그들을 이해하려고 노력하기보다, 이제는 솔직하게 절의를 최우선 가치로 놓는 사대부들에 의해 국가 관념이 왜곡됐고, 그렇게 불구화된 국가 이념하에서 국익 개념도 기형화됐음을 인정해야 된다고 생각한다. 그것이 사태 직시의 길이다.

국가는 구성원의 욕구와 필요의 효율적 실현을 목표로 하는 거대 조직이며, 국익은 정치, 경제, 군사, 문화적으로 국민 전체의 복리 증진에 도움이 되는 이해관계를 의미한다. 국가구성원은 공동운명체로서 동일 공간에서 동일한 역사와 생활을 영위하며, 시대와 주변상황에 맞추어 끊임없이 국가 목적과 국익을 재설정할 것을 요구받고 있다. 국가나 국익 관념은 평소 잠복해 있다가 위기 시 수면 위로 부상하여 국민의 취사선택을 강요한다.

다시 위정척사로 돌아가 보자. 주지하는 바와 같이 위정척사는 조선후기 제국주의 침탈에 맞서 이를 배척하고 전통을 지킬 것을 주장한 사회운동이자 사상이다. 위정(衛正)이란 바른 것, 즉 주자학과 주자학 질서를 수호하자는 것이고, 척사(斥邪)란 사악한 것, 즉 주자학 이외의 모든 종교, 사상을 배척하자는 것으로, 전통적 사회체제 고수를 목적으로 했기 때문에 개화사상에도 반대했다. 이들은 개화파 때문에 나라가 망했다는 개화망국론을 주장하며, 개화파 정부와 일본에 저항했다. 이항로의 문인인 최익현(崔益鉉, 1833~1906), 유인석(柳麟錫, 1842~1915)은 항일 의병전쟁을 이끌었으나, 유교 성쇠를 국가 존망보다 앞에 두는 가치관을 가진 집단과 일본군과의 강약을 비교하는 것은 애초부터 무리일 수 있다. 최익현은 대원군을 성토하여 실각시켰다. 만동묘와 서원을 철폐하고, 양반의 기득권을 뒤흔든 대원군의 개혁을 이해할 수 없었기에, 만동묘의 재설치를 강력히 주장했다.

나는 이런 정신세계에 머물렀던 의병의 한계는 분명하다고 본다. 그것은 애초부터 목표의 모호성에 내재해 있었다. 국가수호 및 방위와 유교 보존은 분명히 지향점이 다르며, 겉으로 같은 군복, 같은 무기를 보유한다 해도, 투쟁 방안과 양상은 현저히 달라질 수 있다. 가령 국가방위가 목적이면 외세에 저항하는 어떤 집단과도 연합, 제휴가 가능해도, 유교 보존이 과제라면 유교를 거부하는 구성원과는 힘을 합칠 수 없고, 그보다 먼저 의병활동 참여에 대한 동기부여부터 곤란할 것이다. 국가 관념이 부재한 자리에 정상적 국익 개념이 자랄 수 없다. 근대일본의 선각자들이 부국강병이라는 명확한 국가목표 아래 일사불란한 움직임을 보였던 것과 달리 조선말기 의병이나 일제 침탈기 항일 독립운동이 파벌의 이해에 따라 분열과 반목 양상을 보였던 것은 구성원들의 자발적 전폭적 참여 하에 국(國)이나 국익 개념을 고민해본 역사경험이 없었을 뿐더러, 국이나 국익 개념에 대해 공감할 만한 이념형(Ideal type)이 부재했기 때문이다. 일제 때 몰락한 왕조의 재생 또는 자유민주국가나 사회주의 국가 건설 등 각기 다른 꿈을 꾸는 혁명가들-독립운동가들에게 잠시나마 반목을 뒤로 하고 선(先)연합하는 통일전선전술조차 힘들었던 사실은 이미 알려진 대로다.

어두운 유산의 망령은 쉽게 사라지지 않는다.

우리가 선조들과 달리 국가와 국익 관념에 관해 국민 대다수가 공감할 수 있는 이념 모형을 가지고 있는지, 아니 고민이나마 해본 바 있는지 자문해야 한다. 잠정적일지라도 국가의 역할과 장래에 대해 전반적 공유와 묵시적 합의를 갖는 노력을 게을리 한다면, 언제든 국가는 위기에 빠질 수 있다. 한반도의 지정학적 위치는 불변 상수로서 숙명 같은 요소이고, 시대와 상황, 조건 변동에 따라 척화론과 주화론은 자주와 동맹과 같은 다른 명칭과 다른 포장으로, 우리에게 선택을 강요할 것이다.

척화론은 강상과 절의를 다른 어떤 가치보다 우선시 했지만, 도덕적 경지의 높음이 살아남음 그 자체보다 비교불가한 중요성을 갖는 것인지 끊임없이 되물어야 한다. 언제든 위기의 순간이 오면, 우리가 원하는 국가는 어떤 모습이며, 어떤 방법과 수단으로 국익을 지키고 생존과 번영을 달성할 것인지 물을 것이고, 이번에는 거기에 답할 준비가 돼 있어야 한다.

실용 혹은 명분

이제 실용이냐 명분이냐를 묻는 두 번째 질문에 대해 살핀다. 이는 표면적으로 가볍게 생각될 수 있다. 단어의 부정적 이미지를 고려할 때 누구도 명분이라는 현대판 절의가 중요하다고 고집하지 않을 것이기 때문이다. 그러나 상황은 그다지 녹녹치 않다. 나는 부지불식간 우리가 명분 중시 성향에 침잠되어 있다고 본다. 일본인 오구라 기조는 한국을 도덕 지향의 사회로 본다. 주의할 것은 도덕 지향의 사회이지 도덕적 사회가 아니라는 점이다.

"(한국은) 주자학 도입 이후 '리(理)'라는 하나의 철학이 지배해온 국가로서, …인간, 사회, 우주의 모든 영역에서 리를 …좀 더 논리정연한 체계로 설명할 수 있는 세력만이 정권을 장악해 왔고, …비뚤어진 것에는 올곧은 것으로 맞서고, 올곧은 것을 상대할 때는 서로의 올곧음을 겨룬다. 자신이 상대방보다 올곧으면 상대방의 정신적 주인이 되고, 그 반대의 경우 상대방에게 동화되려고 한다." "유교의 도덕이 권력 및 부와의 관계 아래 성립되어 있고, …도덕이 권력과 부와 어떻게 결합되어 있느냐에 따라 도덕의 허점이 드러나기 때문에, 그곳을 노리고 다른 세력이 굶주린 늑대처럼 도덕 지향의 공격을 해온다. …도덕 내용이 다양하기 때문에 공격하는 내용도 다양하며, 지칠 줄 모르고 파상적으로 계속된다. 바로 이것 때문에 한국의 도덕은 영원히 풋풋한 것이다."라고 쓰고 있다(『한국은 하나의 철학이다 ; 리와 기로 해석한 한국사회』, 오구라 기조, 조성환 역, 도서출판 모시는 사람들). 여기서 도덕이 풋풋하다는 것은 앞으로도 언제나 한국사회에서 도덕이 싸움의 주제이자 수단으로 작동할 것이라는 예측을 완곡어법으로 표현한 것이다. 곤혹스러운 부분은 이런 진단을 완전한 오류라고 무시할 여지가 많지 않다는 점이다.

나는 선조(宣祖) 연간 발전의 정점에 섰던 주자학이 납세, 국방, 노동 등 당연한 국민의 기본의무를 스스로 면제한 양반 우위의 신분질서, 양반 중심의 토지분배 및 소유관계, 상업자본과 산업자본의 성장을 막는 노비 형 농업경제, 그리고 서얼차별, 지역차별과 같이 지배세력에 대한 도전을 원천적으로 봉쇄하는 후진적 봉건체제에 고착되면서, 동력을 잃고 나른하고 고리타분한 예학(禮學)과 실천적 내용 없는 절의론으로 내려앉았다고 주장했다. 한마디로 양반 사대부는 더 이상 얻어낼 것이 없는 완벽한 정치 경제 사회적 독점 환경이 만들어지자 현실에 안주하게 됐다. 그들이 일체의 변화가 동결된 안정된 시스템 내에서, 자기들 간에 서로 헤게모니를 차지하기 위해 싸운 것은 외부 도전이 전무한 평온한 삶을 누리는 유한계급이 걸어갈 예정된 행보라 하겠다.

예(禮)의 중시는 현실 고착의 의도에서 비롯됐다. 조선 사대부가 국가와 사회에 강요한 예는 원활하고 유연한 사회질서, 공서양속의 전향적 발전을 위한 실천규칙으로서의 예가 아니라, 엄격한 신분구별과 계급별 행동규범의 강제를 통해 양반의 통제권을 지켜내고 사회변동을 불허하려는 목적에서 도입된 것이다. 그러므로 근본적으로 획일적 반동적인 규범체제에 해당된다. 예가 강조될수록 사회의 보수성은 강화될 수밖에 없었다. 각자 정해진 위치와 행동규칙을 벗어나는 것은 예에 부합되지 않는 일이기 때문이다.

경제 독점권과 사회 통제권을 확보한 양반들이 서로에게 총구를 돌리자 양보 없는 냉혹한 투쟁이 벌어졌다. 여기에 정책 비판과 대안 제시는 애초부터 관심항목이 아니었고, 당해 인물의 실무능력이나 업무 적합성에 대한 평가와 감시도 해당사항이 아니었으며, 오직 관료의 언행이 성리학적 이상에 일치하는지의 여부만을 문제 삼는 대간의 탄핵제도와 같은 비실용적 언론이 더해져 상대방에 대한 가차 없는 공격과 비난 전통이 자리 잡았다. 잠깐 방심하면 단순한 실각이 아니라 운이 좋아야 유배, 잘못하면 죽임을 당하는 무자비한 정쟁 속에서 타인의 흠집을 찾아내 선공을 가하는 것이 방어를 위한 최선의 길이었다.

이같이 치열한 경쟁 환경에서 누구라도 실용과 실사구시에 관심을 돌리기 어려웠을 것이다. 우리는 병자호란 직전 청에 사신을 보내 적군의 사정을 알아보라는 명의 감군(監軍) 황손무(黃孫茂)의 충고에 대해 "감군의 행차는 …척화(斥和)했다는 소리가 …들리니, 황상(皇上)이 가상히 여겨 포장(褒奬, 칭찬하여 장려함)하신 것인데… 그 먹물이 미처 마르기도 전에 …이런 거조가 있으니 …후세에 어떻게 할 말이 있겠습니까. 설사 이 일(사신을 보내는 일)로 4~5년간 (나라가) 무사하더라도 신의가 없으면 어떻게 나라를 다스리겠습니까. 더구나 제후의 나라로서 황제의 나라를 배반하니, 거조가 잘못된 것이고 의리에도 해롭습니다."(1636년 인조실록 인조 14년 11월 21일, 이조참판 정온의 차자)라면서 결사적으로 사신의 파견을 막은 사대부들의 행적을 알고 있다.

일반적으로 타국과 전쟁이 임박하면 전쟁 불사론도 화평론도 제기될 수 있다. 최종적으로 양국의 이해 득실과 군사력을 비교하여 결정될 일이지만, 어느 쪽이든 간첩을 보내 적정을 알아보는 것은 병법의 기본이다. 그럼에도 전투능력과 준비상태, 적의 의도, 전쟁 가능성에 대한 검토 없이 존주대의라는 사상을 내걸며 무조건 척화를 주장하는 것은 이미 나라의 의론이 정상적으로 형성 소통되지 못하고 있다는 반증이다. 사신을 보내면 혹시 청과의 화친이 이루어질지도 모른다는 의구심이 이렇게 고루하고 편벽된 주장으로 표출된 것이다. 이런 정신세계에 실용과 융통성, 실사구시가 자리 잡기 어려운 것은 물을 필요도 없다.

정작 황손무는 조선 사대부에 대해 "경학(經學)을 연구하는 것은 장차 이용(利用)을 제공하기 위한 것인데 …저는 귀국의 학사, 대부가 송독(誦讀)하는 것이 무슨 책이며 경제(經濟)하는 것이 무슨 일인지 이해할 수가 없었소. 뜻도 모르고 웅얼거리고 의관(衣冠)이나 갖추고 영화를 누리고 있으니 국도(國都)를 건설하고 군현(郡縣)을 구획하며 군대를 강하게 만들고 세금을 경리하는 것을 왕의 신하 중 누가 처리할 수 있겠소."(1636년 인조실록 인조 14년 10월 24일)라면서 조선 관료의 구름 잡는 현실 의식과 실무능력 부재를 비난했다는 것도 이미 적은 그대로다. 주자의 나라 명의 관료는 실사구시를 언급하는데, 책으로 주자를 배운 조선 관료는 정작 국가경영을 등한히 하면서도 의리를 운운하는 사태가 발생한 것이다.

다시 위정척사 운동으로 돌아가 보자. 그들이 성리학 이외의 모든 사상을 사학(邪學)으로 보고 배격한 것은 이미 말한 바 있지만, 여기서 지적할 점은 시대착오적 면모다. 그들은 기술과 과학의 발달로 새로운 세상이 출현했음에도 무지했고, 알려고 하지도 않았다. 250여 년 전 척화파와 같이 허공의 관념으로 세계의 변화에 대적했다. 이항로에 의해 제창된 척화주전론은 외세와의 통상을 거부하면서 이를 물리치기 위해서는 선생도 불사하자는 주장으로, 척화론의 데자뷰라고 해도 틀리지 않을 것이다. 기관총과 함포를 맨주먹으로 상대하겠다는 호기는 창대했지만, 근본적으로 병자호란으로부터 250여 년이 지났어도 조선은 동일한 정신세계에 놓여 있었다. 1866년(고종 3년) 병인양요, 1871년(고종 8년) 신미양요를 통해 서양 무기의 위력을 경험하고도 쇄국을 고집함으로써, 국제관계가 악화되고 외래문명의 흡수가 늦어졌다. 이런 나라가 침략의 먹이가 된 것은 오히려 당연하다.

정학(正學)을 지키면 만사가 해결된다는 믿음이 강할수록 현실은 멀어지고, 논의의 허구성은 증가될 뿐이었다. 왜 이런 일이 일어났을까. 조선은 구한말에도 병자호란 때와 같이 여전히 바름과 그름의 구분만이 중요한 대의명분 중시의 사회였기 때문이다. 옳고 틀림에 비하면 쓸모 있음과 없음은 부차적 문제였다.

성리학 이외에 다른 세계관이 용납되지 않는 세상에서 사대부가 추구할 사업은 "의리에 입각하여 자신을 바르게 하는 것"이었지, 이익을 도모하는 것은 멸시됐다. '리(理)'는 타인과 공유될 수 없으므로, 리를 위한 싸움에는 관용, 다양성, 공존, 상생, 상호인정, 화해, 용서, 타협, 협상과 같은 타자 존재를 용납하는 태도가 자리 잡을 수 없다. 모든 시비는 나와 너 가운데 누가 옳으냐의 이분법으로 해결되고 그 너머에 대한 고려는 없었다. 오직 성리학만 바르다면, 다른 학문사상과 종교는 틀릴 수밖에 없다. 어떤 자가 틀린 이론을 주장한다면 인간 자체가 잘못됐다는 증표이니 함께할 가치조차 없다. 여기에 리(理)를 차지하면 부와 권력이라는 물질적 기반도 차지할 수 있었다. 그들이 시효 소멸된 시스템을 끝까지 붙잡고 늘어졌던 이유다. 이런 조건하에 목적 합리적 행위(특정한 목적을 이루려고 할 때 어떤 수단을 택해야 결과적으로 성공할 수 있는지, 또 이러한 목적이 어떤 부차적인 결과로 이어질 것인지 예측하고 계산하는 유형의 행위. 막스 베버)나 실용성을 중시하고, 효과를 따져 묻는 태도는 발붙일 곳이 없었다. 맨손으로 함포를 대적할 수 있다는 호언장담이 통할 수 있었던 배경이다.

구한말로부터 다시 백여 년이 흘렀다. 지금 우리는 정신적으로 조선에서 멀리 떨어져 있는가. 매사를 옳고 그름, 정의와 불의로 나누고, 곧고 바른 우리 편과 뒤틀리고 그릇된 다른 편이라는 이분법 성향은 과거의 일인가. "한국은 하나의 철학이다."가 외국인의 피상적 관찰에 지나지 않는다면 차라리 다행이다. 유감스럽게도 모든 일을 흑백의 진영논리로 진단하는 성향은 여전하다는 것이 중론이다. 그러나 눈앞의 현안이 항상 정의와 부정의, 선과 악의 양자택일로 해결되는 것이 아니다. 둘 다 옳아도 처리되지 않을 때가 있고, 둘 다 틀려도 수습될 수 있다. 유용성 측면에서 접근해야 될 문제에 정의의 칼을 들이대면 양측 모두 상처를 입게 된다. 홍타이지가 적극적으로 범문정(范文程)과 같은 한족, 몽골족 등 이민족을 포용하여 중원 정복에 활용한 것은 절의나 정의로 판단될 문제가 아니다. 당 태종 이세민(李世民)이 경쟁자 장남 이건성(李建成)의 신하였던 위징(魏徵, 580-643)을, 칭기즈칸이 거란인 야율초재(耶律楚材, 1199~1243)를 중용했던 것도 올바름과 관계없다.

분명 하나의 국가가 세계국가의 일원으로, 옳고 바름을 추구하는 것은 바람직한 일이다. 하지만 어떤 경우에도 이를 국가 자체의 생존과 번영보다 우월한 목표로 삼는 것은 심각한 오류를 불러올 수 있다. 척화론이 시대를 내려가며 타락한 패거리 문화로 귀착되고, 국가는 나락으로 떨어진 것이 그 증거다.

정의를 고수하고 도덕을 지켜내기 위해서는 국가 이성이 깨어 있지 않으면 안 된다. 역사의 흐름 속에서는 정의도 도덕도 답이 정해져 있는 고정 불변의 것이 아니기 때문이다.

정의(正義)는 항상 "무엇이 정의인가?", "누구에게 정의인가?"의 문제를 남긴다. 위풍당당했던 존주대의가 심양으로 끌려간 조선인 포로 60만에게도 절대 공감되는 정의였을까. 부부유별(夫婦有別)의 준엄한 윤리가 실절(失節)로 낙인찍혀 가족들의 버림을 받은 환향녀에게도 수긍되는 당연한 절의였을까. 리(理)를 주장하는 자, 정의를 외치는 자는 언제든 자신을 돌아보고 성찰하는 겸손함을 잃지 않아야 한다. 지나친 정의가 화가 되는 것처럼, 반성 없는 정의는 순식간에 악마나 괴물로 변신할 수 있다. 삶의 모든 영역에 정의를 들이대는 습관은 오히려 삶을 황폐하게 만들 수 있다. 이는 사적 영역도 마찬가지지만, 정치, 경제, 사회와 같은 공적 범주를 지나 전쟁, 통상, 동맹외교, 영토분쟁, 과거사시비 등 국가 간 마찰로 시야를 넓히면 더욱 분명해진다. 집단과 조직이 커질수록 힘이 정의를 대체하는 경향을 보인다는 것은 단지 라인홀트 니버만의 통찰이 아니다.

리(理)는 옳은 것이 삶의 향상을 가져온다고 믿지만, 실용성 중시의 태도는 삶의 향상을 가져오는 것이 옳다는 신념에서 비롯된다. 내가 사물을 관찰하고 판단함에 있어 이해득실과 유용성을 살피고 측정하는 대신 옳은지 그른지를 먼저 따진다면, 우리는 아직 명분중시의 가치관, 성리학의 우울한 그림자에서 벗어난 게 아니다. 조상들의 부정적 측면을 비판하면서도 부지불식간 그들과 같은 길을 걷는다면 그게 정의는 아니다. 어떠한 경우에도 절의와 정의가 국가 생존, 자유민주기본질서 유지, 평화통일, 경제번영, 국위선양과 같은 국가 이익을 지키기 위한 최적의 목표이자 수단이라고 고집하는 완고함을 버려야 할 때가 됐다.

주자학의 부활은 가능한가

지금까지 우리는 주자학, 좀 더 정밀하게 얘기하면 조상들이 주자학을 대한 융통성 없는 자세가 나라를 위기로 몰고 갔다는 논조로 글을 써왔다. 따라서 주자학이 현대에도 가능한 철학인가를 묻는 것은 의외로 생각될 수 있다. 그러나 주자학이 먼 과거의 일이라고 단정하는 것은 성급하다. 우리 일상에 유학에 뿌리를 둔 가치체계가 깊숙이 녹아 있고, 국익 개념의 미약, 정의 불의의 이분법과 같은 과거 유산에서 완전히 벗어나지 못하고 있는 데서 볼 수 있는 것처럼, 어떤 면에서 성리학의 맹위는 여전하다.

유학은 겉으로만 약화된 듯 보일 뿐 아직은 용도 폐기를 논하는 자체가 난센스일 수 있다. 세계사적 지식과 힘으로 무장한 제국주의 세력이 몰려오는 와중에도, 이항로(李恒老)가 "말마다 옳은 분이 주자이시고, 일마다 모두 옳은 분이 주자이시다(言言皆是者朱夫子也, 事事皆是者朱夫子也)."(『화서 이항로의 위정척사사상』, 이미림, 화서학논총5)라면서 한평생 주자를 높인 것이 불과 백여 년 전 일이다. 그 후 굴곡진 역사 때문에 우리를 지배했던 사상에 대한 반성과 개념 재정립을 위한 기회 없이 산업화를 맞이했다.

과학기술 문명은 미증유의 안락함을 선물했지만, 우리는 만족 대신 채워지지 않는 허기와 소외에 시달리고 있다. 이런 정신적 공동(空洞), 무(無)사상, 무(無)중심 현상은 인간의 지식과 통찰은 전에 없이 성장했음에도, 종교도 철학도 거기에 해답을 줄 만큼 질적 성장을 하지 못했기 때문일 수 있다.

그동안의 서양 쏠림에서, 대동 사회를 만들기 위해 헌신했던 공자에게 눈을 돌리는 현상도 이런 맥락에서 이해될 수 있다. 한때 "공자가 죽어야 나라가 산다."는 말이 많은 공감을 얻은 적도 있으나, 위기가 지속되면 근본을 돌아보게 되듯, 사회가 통합력을 상실할수록, 공자를 찾는 현상도 늘었다. 어떤 이들에게 논어는 마르지 않는 샘물처럼 여전히 영감의 원천인 것이다.

그러나 생각해보자. 공자 철학은 어떤 점에서 현대적인가. 그의 철학은 과거와 전혀 다른 양상으로 심화되는 작금의 정신적 위기와 사회적 해체, 분열과 갈등, 반목을 완화하고 치유하여, 화합과 상호이해를 가져올 수 있는 힘을 가지고 있는가. 선뜻 긍정적으로 답변하기가 어려울 것이다. 공자를 죽이자고 한 것은 그의 도덕이 인간과 인간사회를 위한 순수도덕이 아니라, 기득권에 봉사하기 위해 백성의 순화와 제어를 목적으로 했던 정치 도덕이라는 이유였다. 공자가 가져온 숨 막히는 질곡을 해방하고 개방적인 문화의 도입을 주장한 것이다.

지금 이를 다시 부정하며 공자의 부활을 외치지만, 그들이 제시한 공자상은 현재로서는 체계적인 철학이라기보다 교장선생님 훈화 혹은 말 그대로 '공자님 말씀'에 머물고 있는 혐의가 있다. 공자는 그가 살던 시대의 부도덕과 무질서를 배격하고 혼돈의 사회에 질서와 조화를 돌려주기 위한 선망에 따라 움직였던 사상가였다. 그가 강조한 인, 의, 예, 지는 타인과의 관계, 올바름, 경우와 직분에 맞는 행동, 그리고 배우고 탐구하는 자세를 강조한 것이다. 원래 전통사회 조건과 상황에 부합되는 모범시민의 전형을 제시한 것이지만, 봉건 요소의 보정이 이루어진다면 여전히 지금도 적용성을 잃지 않았다고 볼 수 있다. 그러나 유학은 전체적으로 군주에 대한 충성과 절의를 중시하는 부분이 역대 왕조에 의해 수용 부각되고, 이에 영합하여 봉건적 보수적인 예론(禮論)이 강조되면서 기득권을 옹호하고, 사회변화를 저지하는 반동적 면모를 보인 점을 부인할 수 없다. 따라서 공자가 살려면 공자의 부활이 아니라, 획기적 변신이 필요한 시점이다.

우리가 알고 있는 유학은 사실상 주자에 의해 재해석되고 조직화된 철학체계라 할 수 있다. 철학은 무엇을 표상하든 최종적으로 인간을 규정하기 위한 시도다. 우주와 세계 내에서 인간의 위치, 인간의 가치와 가능성, 삶에 목표와 의미를 부여하기 위한 기획이 빠진다면 철학은 철학이 아니게 된다. 철학으로서의 주자학은 당연히 세계를 해석하고, 인간을 사회, 국가, 세계 내에 질서 있게 위치 지우려 했다. 물론 주자 철학도 역사의 산물이기 때문에 자기 시대를 해명하고, 불합리를 보정하기 위한 시도였다는 사실을 잊으면 안 된다. 당송(唐宋)시대 극성기를 지난 불교와 도교의 부패상으로부터 사회와 인간을 구제하려는 노력이 신유학-이학(理學), 즉 주자학으로 나타난 것이다.

주자가 상정한 인간은 맑고 순정한 인간-선(善, 올바름 또는 정의) 그 자체인 인간이었다. 인간에게 측은지심(惻隱之心), 수오지심(羞惡之心), 사양지심(辭讓之心), 시비지심(是非之心)의 사단(四端)이 있다는 것은 인의예지의 가능태(端)가 본성 속에 있는 증거인 바, 이것이 현실에서 실현되면 인의예지라는 덕으로 나타난다. 인간이 덕으로 무장되면 사회는 저절로 질서와 조화를 찾게 될 것이다. 주자학은 이를 위해 먼저 우주론, 세계관을 구축했다. 천지만물의 본체인 우주

(天)에는 명(命)이라고 하는 윤리적 성격의 절대 진리가 있다고 상정한 것이다. 이렇게 되자 세계는 돌연 도덕적인 실체로 변신했다. 사실 인간과 자연의 천지만물을 포괄하는 총체로서의 천(天)이 도덕적 성격을 가지고 있는지의 여부는 누구도 증명할 수 없고, 다른 증거를 들어 반박할 수도 없는 문제다. 이런 종류의 형이상학은 그 자체로 목적이 있는 것이 아니라, 그 다음 주장, 즉 인간은 본성이 선하기 때문에 선해지기 위해 수양하고 노력할 의무가 있다는 것을 강조하기 위한 보조수단으로 작동한다.

주자에 의하면, 인간의 마음속에는 우주에 있는 명(命)이라는 절대선(絕對善) 구조가 마치 그대로 복사된 것 같이 깃들어 있다고 한다. 다만 인간의 명을 하늘의 명과 구별하기 위해 이를 성(性)이라 한다. 따라서 명과 성은 그 본질과 구조가 같다. 이렇게 우주와 인간은 같은 바탕과 같은 성질을 가진 존재가 되는 것이니, 인간은 마땅히 우주의 명(인간의 성)을 실현하기 위해 노력해야 한다. 인간은 "착하라!"는 하늘의 명령에 따르고 복종할 의무가 있다는 말이다. 인간이 선하다는 증거는 위에서 말한 대로 누구에게나 사단(四端)이 내재해 있다는 사실에 있다.

한편 인간과 자연이 물질로 이루어져 있는 것은 명백하니, 이를 기(氣)라 한다. 결국 세상은 기라는 물질과 마치 플라톤의 이데아처럼 거기에 내재해 있는 명 또는 성으로 이루어져 있다. 그런데 명 또는 성이 기(氣)라는 물질세계를 구성하는 근원적 원칙 혹은 이치(理致)라는 점을 부각시키기 위해 특별히 리(理)라고 지칭한다. 인간을 비롯한 만물에는 리가 구비되어 있다. 리는 기에 내재해 있으면서 일체를 이루고 있다. 리(理)는 명 또는 성과 같으니, 결국 성즉리(性卽理)가 된다. 인간이 수양하고 공부하여 본연의 리(理)를 찾을 때

비로소 완전한 도덕적 실체, 성인의 경지에 도달하게 되는 바, 주자의 요체는 누구나 기(氣)로 이루어진 오욕칠정의 불순물 덩어리를 제거하고, 순수하고 맑고 완결 무결한 리를 회복하기 위해 노력해야 한다는 데 있다. 모든 리가 우리의 마음에 구비되어 있고 조금도 부족함이 없기 때문에 자신을 성찰하면 참된 인간이 된다. 주자는 이를 위해 여러 가지 정교한 개념과 장치를 동원하였으나, 이를 언급하는 것은 이 책의 범위에서 벗어난다.

주자학은 그가 살았던 11세기 이민족의 침입으로 황제의 위엄이 땅에 떨어진 상황에서, 사대부가 앞장서서 남송(南宋) 사회의 모순을 교정해야 한다는 사명의식을 가지고 설계된 체계였지만, 당대를 뛰어넘는 엄청난 성과였다는 사실은 분명하다. 인간은 진리를 추구하는 인식주체인 동시에 선(올바름, 정의)을 행하려는 의지 주체다. 서양철학에서는 18세기 칸트 이후 순수이성과 실천이성이라는 개념으로 명백해지고 이 두 개념의 분화와 교차, 변증법적 종합을 통해 근대 이성 개념이 발전했던 사실을 염두에 두면, 리라는 개념은 이들의 맹아인 요소를 모두 갖춘 선구적 개념이었던 점을 부인할 수 없다. 즉 리(理)는 세계의 진리인 동시에 선 그 자체였다.

"문 : 리는 사람과 사물이 하늘로부터 다 같이 타고난 것인데, 감정이 없는 사물의 경우에도 리가 있는지요? 답 : 물론 리가 있다. 예컨대 배는 물에서만 운행할 수 있고, 수레는 뭍에서만 운행할 수 있는 것 따위가 그것이다(問; 理是人物同得於天者, 如物之無情者, 亦有理否. 曰; 固 是有理, 如舟只可行之於水, 車只可行之於陸 : 朱子語類)."(『중국철학사』, 풍우란, 박성규 역, 까치) 주자는 모든 사물의 이치(理致)를 끝까지 파고 들어가면 앎에 이른다(格物致知)고 하였다. 그러므로 리는 진리, 지식의 총합을 말하는 것은 명백하다.

그러나 다른 한편 "이 리(理)가 있은 후에 그 기(氣)가 있고, 기가 있으면 반드시 그 리가 있다. 그런데 맑은 기를 타고난 사람이 성현인데, 이는 마치 보석이 맑고 깨끗한 물속에 있는 경우와 같다. 탁한 기를 타고난 사람이 우매한 사람인데, 이는 마치 보석이 탁한 물속에 있는 경우와 같다. 이른바 명명덕(明明德, 밝은 덕을 밝힘)이란 마치 탁한 물속에 나가 저 보석을 닦는 것과 같다. 또 사물에 있는 리는 마치 보석이 지극히 더럽고 탁한 곳에 떨어진 경우와 같다(有是理而後有是氣, 有是氣卽必有是理. 但稟氣之淸者, 爲聖爲賢, 如寶珠在淸冷水中. 稟氣之濁者, 爲愚爲不肖, 如寶珠在濁水中. 所謂明明德者, 是就濁水中揩拭此珠也. 物亦有是理, 又如寶珠落在 至汚濁處 : 朱子語類)."(『중국철학사』) 여기서의 리는 진리보다 선에 가깝다는 것을 알 수 있다. 그래서 거울처럼 맑은 천리가 인욕에 의해 가려져서 타락하게 되니, 공경한 마음으로 흐린 물을 제거하듯이 인욕이 생기지 않도록 노력하라고 했던 것이다. 천리에 돌아간 인간은 공자처럼 마음먹은 대로 행해도 법도를 어김이 없는 경지에 이르게 된다(從心所欲不踰矩). "성인의 천만 마디는 다만 사람들에게 천리를 보존하고, 인욕을 제거할 것을 가르치려는 것이다(聖賢千語萬語, 只是敎人存天理滅人欲 : 朱子語類)."(『중국철학사』)

이와 같이 리는 사물의 진리이자 본질이면서 도덕원리라는 점에서 순수이성과 실천이성의 원형을 포괄하는 획기적인 개념이었지만, 진리로서의 리가 어떻게 진리를 알 수 있는지, 근본적으로 진리란 무엇인지를 고찰하는 인식론을 촉발하지 못했고, 또한 모든 인간을 선(올바름, 정의)의 주체로 보는 선으로서의 리가, 인간은 타인의 강제가 아닌 자기 스스로의 의지로 선을 행하는 존재라는 자각, 즉 인간 일반의 존엄성을 인정하는 데 이르지 못했다. 그리하여 "너는 인간을 너의 인격에서든 다른 모든 사람의 인격에서든 언제나 동시에 목적으로 사용하고 수단으로 사용하지 않도록 하라(칸트)."는 격언과 같이 타자를 인정하고 존중하는 실천론과 인격론으로 발전하지 못했다.

철학이 한 시대의 속성과 본질을 비춰주는 거울이라면, 시대 변천에 따라 수정되고, 새로운 면모를 보강해야 했음에도, 주자학은 얼음 속의 박제처럼 성립 당시의 모습으로 수백 년을 이어져왔다. 송을 이은 원, 명, 청의 황제권이 워낙 강력하여 학문에 위축을 주었고, 한편 주자학을 관학이자 정통으로 대접하면서 다른 학설의 발전을 막은 데도 원인이 있을 것이다. 그러나 조선에서는 특히 자발적 고착화, 화석화가 이루어졌다는 점을 주목해야 한다.

원래 진리로서의 리는 폭발성이 강한 개념일 수 있었다. 리는 만물에 내재한 세계의 원리라고 했지만, 과연 "리(理)란 무엇인가?"에 대해 진지한 성찰이 있었다면, 예를 들어, 무도한 왕에게도 충성을 다해야 하는 것이 리인지, 왕후장상에 씨가 있는지, 인간을 양반과 상놈으로 나누는 것이 합당한지, 중화와 야만을 구분하여 야만을 배격하는 게 만고불변의 진리인지 등등 얼마든지 근대사회를 향한 원동력으로 작용할 만한 주제를 착상해낼 수 있었을 것이다. 그런데 거기서 끝이었다. 유학자들은 당시의 윤리질서, 국법체계 등의 현실 그대로를 리가 구현된 것으로 보았고, 특히 조선 유학자들은 자신들을 위한 정치, 경제 기반을 확보하게 되자, 도전세력이 전무한 상황에서 정신적 나태에 빠지게 됐다. 리의 성격과 본질에 대한 치열한 사색이 없었고, 인간에 대한 반성적 성찰이 없는 무비판적인 안주 속에서, 리에 대한 공부는 선으로서의 리, 천리를 보존하고 인욕을 제거하는 것에 국한됐고, 결국에 가서는 예절에 대한 집착으로 귀결됐다. 천리는 천리일 뿐 다른 의문이 없었고, 인욕만 닦

아내면 저절로 천리를 회복할 것이었다.

그러나 아무리 주자라 해도 인욕 제거를 마음공부의 최종 지향점으로 제시한 것이 정당한지에 관해서는 점검이 필요하다. 원래 인간이 인간인 이상 인욕은 아무리 노력해도 멸절시킬 수 없는 불가능한 목표였다고 보는 것이 옳다고 생각한다. 주자의 요구가 가혹할수록 인간은 성현에 가까워지기는커녕 왜소해지고, 비참해질 뿐이었다. 혹자가 맹렬 수행을 통해 성인에 근접하는 성취를 이뤘다 해도 배우는 사람 모두가 같은 경지에 도달할 수 없기 때문에 예절로의 퇴락은 당연한 수순이었다. 인욕을 얼마나 없앴는지 여부는 측정할 수 없는 지표지만, 어떤 이의 행동이 예에 합당한지의 평가에는 누구나 참가할 수 있었다.

조선 유학자들이 구체적 수행방법을 제시한 『소학』을 중시하고, 예에 부합하는 지에 관해 소소하고 깨알같이 논한 배경이다. 따라서 주자학의 부활을 논하려면 일단 인욕 제거의 요구를 수정하거나 방점을 다른 곳에 두지 않으면 안 된다. 인욕은 없앨 수 있는 것이 아니다. '희로애락애오욕'으로 표현되는 욕망이야말로 인간을 인간이게 만드는 필요조건이다. 욕망이 없는 인간은 한낱 자동인형이나 기계에 다름 아니다. 욕망이 리와 조화를 이룰 수 있도록 하는 발판을 마련할 때, 비로소 인간에게 있어 가장 중요한 가치라 할 수 있는 자유와 접목이 가능해진다. 피히테의 말처럼 인간이 이성적인 존재인 이상, 어떤 존재라도 이 존재의 의지에 반하여 덕스럽거나, 현명하거나, 행복하게 만들거나 강요해서는 안 되기 때문이다. 말하자면 인간과 인간의 행위에 가치가 있다면, 그것은 욕망을 통제하려는 자발적 의지와 선택에 따라 선을 행한 데 있지, 타인의 강요에 의해 덕행을 한 것에 있는 것이 아니다.

서양이 인류에 공헌한 최대 부분은 '자유' 개념을 발견하고 발전시킨 데 있다. 자유야말로 인간을 인간답게 만드는 유일한 요소로, 자유 없는 인간은 완전한 의미의 인간이라 할 수 없다. 자유 없는 평등은 평등이 아니요, 자유 없는 행복도 행복이 아니다. 인간을 선(올바름, 정의)을 행하는 도덕주체, 실천이성의 구현자로 존중하더라도, 자유를 기반으로, 자유에서 기원된 것이 아닌 도덕적 행동은 아무런 가치가 없다. 도덕의 목적은 자유의 실현, 가시화에 있는 것이다. 타인의 강요에 의하거나, 자발적 결의에 의하지 않고, 인욕을 제거하고 천리에 도달했다고 해도, 그렇게 성인(聖人)이 됐다 해도, 그를 온전한 성인으로 볼 수 없는 것은 당연하다. 인간의 생명, 자유, 행복의 추구권을 명기한 미국독립선언, 인간의 절대적 자유와 압제에 대한 저항권을 체현한 프랑스대혁명 등은 인간을 그 전의 인간과 그 후의 인간으로 가를 만큼 중요한 역사적 경험이자 자산이다. 칸트와 헤겔이 자유를 궁극의 이상으로 삼아 철학체계를 세운 것은 논리 필연적 귀결이라 할 수 있다.

자유는 물론 방종과 다르다. 자유는 선택이요, 결정이며, 책임이다. 자유의지에 따른 선택은 자신의 행동과 결과에 책임지겠다는 엄숙한 선언이다. 인간은 자발적 반성과 사유를 통해 자유의 소중함과 무거움을 받아들였을 때 노예적 유아적 상태를 벗어나 비로소 누구도 침해할 수 없는 존엄성을 가진 인격체로 정립된다. 인욕 제어(制御)와 천리 실현의 필수적 전제조건은 자유다. 자유, 자발, 책임지겠다는 결단 없이 도달된 선(올바름, 정의)은 빈 껍데기에 불과하다. 이렇게 인간은 자유를 통해 성숙의 조건을 확보했고, 인간에 내재한 모든 가능성을 꽃피울 가치실현의 도정에 들어섰다. 자유는 인간 완성의 전제이자 목표가 된다.

주자는 사회질서 회복을 위해 엄격한 수양을 요구했지만, 정신을 중시하고 물질을 경시하며, 덕과 수양에 중점을 두고 실무와 능력을 가볍게 보며, 정치에만 관심을 쏟고 경제를 무시하며, 예(禮)를 통한 사회통제에 방점을 두는 까닭에 개인과 개성의 발전에는 무심했다. 이로 인해 유학은 변화를 억누르고 인습과 관습에 얽매여 진보를 향해 나갈 탄력성과 유연성을 잃고 결과적으로 서양에 뒤처졌다. 그러나 주자가 12세기 인물이라는 점을 고려하면, 소위 동양의 정체 책임을 전부 그에게 돌리는 것은 무리다. 모든 관념은 역사의 산물이고, 자유를 경험하지 못한 곳에서 자유개념이 자라나는 것은 기대할 수 없다는 점에서, 주자가 자유를 말하지 않은 것은 그의 잘못이 아니다.

주자학이 사실상 주자가 애초 제시한 모습 그대로 전승된 것은 실은 동양에 주목할 만한 역사적 변전과 도약이 없었다는 점을 증거한다고 할 수 있다. 정치상황, 사회경제적 조건이 획기적으로 바뀌고, 자유를 주장할 수 있는 자유와 자유의 본질과 핵심을 체험했더라면, 주자학은 어떤 형태로든지 변모를 겪었을 것이다. 그것은 중국보다 주자학만을 정통으로 떠받든 조선에 더 해당되는 말이다. 조선은 마르크스 유물변증법 내용과는 반대로 상부구조인 주자학 이데올로기가 하부구조인 사회경제적 물적 기반의 변화를 막은 최초의 국가였기 때문이다.

학자들도 주자학 사상 독재에 대해 불만을 드러냈다. 삼전도 비문을 고의로 거칠게 써서 탈락을 자초했다는 혐의를 받는 장유(張維, 1587~1638)는 "중국의 학설은 갈래가 많아서 정학과 선학, 단학이 있으며, 정주(程朱)를 배우는 자가 있고, 육씨(陸氏, 육상산)를 배우는 자도 있어서 문로가 하나만이 아니다. 그러나 우리나라는 유·무식을 논할 것 없이 책을 끼고 글을 읽는 자라면 모두 정주의 학문을 외울 뿐이고, 다른 학문이 있다는 말을 듣지 못했다."(『谿谷漫筆 ; 양명학의 이해』, 박연수, 집문당)고 일갈했다.

대체적으로 정권에서 소외된 남인은 주류인 서인 노론계보다 열린 사고를 가지고 있었다. 송시열에 대항하다 사약을 마신 윤휴에 대해, 사관은 "(윤휴가) 주자(朱子)에 대해서 반대하고 거슬려서 장구(章句)를 마구 뜯어 고쳤으며, 『중용(中庸)』에 이르러서는 주(註)를 고친 것이 더욱 많았다. 그리고 항상 스스로 말하기를, '자사(子思)의 뜻을 주자가 혼자 알았는데, 내가 혼자 모르겠는가?' 하였으니, 이는 진실로 사문(斯文)의 반적(叛賊)이다."라고 평하여 조선 후반기 정신적 사상적 질곡의 진면모를 엿보게 한다(1677년 숙종실록 숙종 3년 10월 17일, 『윤휴와 침묵의 제국』, 이덕일, 다산북스). 주자학은 더 이상 정상적 의미의 학문이 아니라, 단지 정쟁 도구, 적과 아군을 가르는 기준이었을 뿐이다.

여기서 주자학의 부활은 과거의 복제 형태로는 안 된다는 점은 자명하다. 우선 자유에 기반을 두면서도 최종적으로 인간의 완전한 자유의 향유를 목적으로 주자학의 핵심개념을 재정립할 필요가 있다. 관용, 사랑, 원만한 인간관계, 덕의 완성된 모습 등을 의미하는 인(仁)은 유학의 핵심 개념이면서도 사실상 소홀한 대접을 받았다. 주자는 인설(仁說)에서 인을 마음의 덕(心之德)으로 정의하면서, 리의 지위를 부여하였지만, 결국 관념성에 치우쳐 실천적이고 친근한 개념으로 성장하지 못했다. 또한 현대와 같은 갈등과 분열의 시대에, 주자와 같이 인간 본성론과 수양론으로 몰고 갈 게 아니라, 화합과 공존을 목표로 상황에 맞는 중용의 도(時中之道)를 행한다는 의미에서, 중용 개념의 재해석도 가능하다고 본다(君子之中庸也 君子而時中 小

人之反中庸也 小人而無忌憚也 ;『中庸』).

도덕철학으로서의 유학은 인간에 대한 증진된 과학지식을 참고로 선(올바름, 정의) 의지를 고양하고, 자율을 기초로 선을 행하도록 도덕론을 정비하고, 인간에게 굴레를 씌우는 봉건적 예론을 배척하고 평등하고 자유로운 개성과 창의성을 북돋는 신개념 사회관계론을 지향해야 한다. 사유가 정체된 사회, 일부가 사상을 독점하여 다양성과 공존을 배격하는 사회는 모든 것이 멈춘다. 조선이 경멸한 일본이 열린 자세로 근대화 물결에 탑승한 동안, 조선은 세계사적 흐름에서 멀어진 것은 반드시 주자학 때문이라기보다는 학문을 대하는 고루하고 경직된 태도 때문이다. 조선 주자학이 진리와 정의를 독점했다고 자부한 기간은 초라한 정신 승리와 역사상 가장 비참한 가난으로 점철된 시기다.

맺음말 - 더 나은 미래를 위하여

내가 인조시대를 주목한 것은 이런 이유였다. 반정 주역들이 내건 정변(政變)의 명분과 뒤따른 행적은 조선과 세계의 간극을 벌리는 역사적 분기(分岐)를 가져왔고 결과적으로 회복 불능의 괴리와 퇴행으로 이끌었다. 이들은 임란으로 황폐화된 국가를 발전 지향의 선순환 궤도에 올려놓는 대신, 현실 안주와 체제 고수를 택했고, 이를 위해 절의론, 조선중화론 같은 공허한 이데올로기를 배태한 추상적 관념체계에 집착함으로써 창의적 사고와 실용적 실천의 싹을 잘라 버리는 악순환의 길로 내몰았다. 이들의 선택은 병자호란과 삼배구고두라는 미증유의 수치를 불러왔고, 치욕에 대한 진솔한 반성과 대안 모색 대신 외부와 벽을 쌓아 세상의 변화를 외면하는 자폐적 봉쇄국가의 길을 걷도록 만들었다.

청의 성세(盛世) 동안 누린 상대적 안정은 국가 역량의 자주적 개화라기보다 외세 불간섭이 가져온 잠깐의 도취에 가까웠다. 조선은 국제정세가 격랑에 휩싸이고, 본격적인 약육강식 현실이 도래하기 전에 스스로의 부패와 모순으로 기초부터 흔들렸고, 외침을 막아낼 주체세력의 부재와 동원 가능한 인적 물적 가용자원의 부족으로 제국주의 폭력에 허무하게 굴복하고 말았다. 이렇게 인조시대는 조선후기를 규정하고, 기본구조를 만들어낸 시기로 보는 것이 나의 시각이었다. 조선후기는 모두 인조의 자손이 왕위에 올랐으며, 이들은 모두 직·간접으로 인조가 남긴 정치적 유산, 가령 차남인 효종이 아니라 적장자인 소현세자가 등극했더라면 일어나지 않았을 예송 논쟁 같은 소모적 정쟁에서 벗어나지 못했다. 역사에 만약은 없지만, 그때 반정 주역들이 다른 대안을 택했더라면 지금 우리의 위상과 모습은 많이 달랐을 것이다.

우리가 조상들의 행적에 자부심과 존경심을 느끼는 대신 아쉬움과 미련을 갖게 되는 것은 어떤 설명과 변호로도 보상되지 않는 대목이다. 수차례 계속된 말이지만, 조심스럽게 그들의 세계로 들어가 그들의 시각과 관점으로 그들의 행동과 언어를 이해하려는 노력은 충분히 이해할 수 있으나, 그들과 같은 눈높이에 서는 것만으로 문제가 해결되는 것이 아니다. 조선후기를 규정지은 거목 송시열은 긍정적이든 부정적이든 어떤 평가에도 열려 있지만, 만약 내 의견과 다르다는 이유만으로 타인의 견해를 절대 용납할 수 없다는 생각이 든 적이 있다면, 우리는 아직 송시열의 그림자를 벗어나지 못한 것이다.

정적(政敵)을 기어코 사문난적으로 몰고 가야 끝을 보았던 그들이 말이 부족했거나, 타인에 대한 타박과 비난이 모자라서, 정의를 실현하지 못했던 것은 아니다. 불편하더라도 다름을 인정하고, 상생과 공존을 받아들이는 상태가 될 때, 우리는 비로소 내 안의 송시열의 실체를 들여다볼 수 있으며, 조선을 극복할 준비를 갖추게 된다. 우리가 과거에 대해 철저하고 냉정한 비판을 멈추고, 개선과 시정 노력을 멈춘다면, 역사는 반복될 것이다. 모든 부분에서 특히 정치 방면에서 과거를 답습하는 거조(擧措)가 엿보이지 않는가. 누구라도 내 염려가 기우에 불과하다고 나무랄 수 있겠는가.

참고문헌

1. 資料

조선왕조실록, 승정원일기
강도충렬록, 김창협 편찬, 신해진, 김석태 역주, 역락, 2013.
심양장계, 소현세자 시강원, 장하영 등 역주, 창비, 2008.
남한일기, 남박, 신해진 역주, 보고사, 2012.
병자록, 나만갑, 서동인 역주, 주류성, 2017.
남한기략, 김상헌, 신해진 역주, 박이정, 2012.
택리지, 이중환, 안대회 역, 휴머니스트, 2018.
당의통략, 이건창, 이덕일 역주, 자유문고, 1998.

2. 단행본

우인수, 조선후기 산림세력연구, 일조각, 2002.
이한우, 숙종, 해냄, 2007.
한명기, 정묘,병자호란과 동아시아, 푸른역사, 2009.
이정철, 왜 선한 지식인이 나쁜 정치를 할까. 너머북스, 2016.
임종진, 무엇이 의로움인가, 글항아리, 2015.
김인숙, 화살 맞은 새, 인조대왕, 서경문화사, 2018.
존 B. 던컨, 조선왕조의 기원, 김범 역, 너머북스, 2013.
마르티나 도이힐러, 이훈상 역, 한국의 유교화과정,너머북스, 2013.

신동준, 조선국왕 vs 중국황제, 신동준, 역사의 아침, 2010.
박상태, 장석규, 장만(張娩)평전, 주류성, 2018.
설석규, 조선시대 유생상소와 공론정치, 도서출판 선인, 2002.
한명기, 병자호란, 푸른역사, 2013.
윤용철, 병자호란 47일의 굴욕, 말글빛냄, 2017.
황의동, 우계학파 연구, 서광사, 2005.
오구라 기조, 한국은 하나의 철학이다, 조성환 역, 모시는 사람들, 2017.
허태구, 병자호란과 예 그리고 중화, 소명출판, 2019.
박종천, 조선시대 예교담론과 예제질서, 소명출판, 2016.
이기순, 인조, 효종대 정치사연구, 국학자료원, 1998.
오영교, 조선후기 체제변동과 속대전, 혜안, 2005.
허태용, 조선후기 중화론과 역사인식, 아카넷, 2009.
임계순, 淸史, 신서원, 2004.
주돈식, 조선인 60만 노예가 되다. 학고재, 2008.
한명기, 광해군, 역사비평사, 2018.
정병석, 조선은 왜 무너졌는가, 시공사, 2016.
이덕일, 송시열과 그들의 나라, 김영사, 2000.
김병기, 조선 명가 안동 김씨, 김영사, 2007.
박종천, 조선후기 사족과 예교질서, 소명출판, 2015.
이재철, 조선후기 사림의 현실인식과 정국운영론, 집문당, 2009.
문소영, 못난 조선, 전략과 문화, 2010.
배우성, 조선과 중화, 돌베게, 2014.
이덕일, 윤휴와 침묵의 세계, 다산초당,, 2011.
계승범, 우리가 아는 선비는 없다, 역사의 아침, 2011.
가시모토 미오, 미야자마 히로시, 조선과 명청, 너머북스, 2014.
이경구, 조선, 철학의 왕국, 푸른역사, 2018.
한국민족미술연구소, 진경문화, 현암사, 2014.
백승종 등, 조선의 통치철학, 푸른역사, 2010.

윤인숙, 조선 전기의 사림과 소학, 역사비평사, 2016.
이선열, 17세기 조선, 마음의 철학, 글항아리, 2015.
이정철, 대동법, 역사비평사, 2010.
이미림, 조선후기의 정치사상, 지식산업사, 2002.
마에다 쓰토무, 일본사상으로 본 일본의 본질, 이용수 역, 논형, 2014.

3. 논문

임헌규, 논어 인개념의 재해석 동방학 제34집, 2016.
이미림, 화서 이항로의 위정척사사상
- 위정척사론의 기반 華夷論의 구조, 화서학논총5, 2012
임헌규, 논어의 仁에 대한 茶山의 정의와 해석
- 주자와 비교를 통하여, 동방학 제38집 2018.
정옥자, 병자호란시 언관의 위상과 활동, 한국문화12. 1991.
황경선, 존재론적 관점으로 본 중용의 중 개념, 철학탐구55. 2019.
임헌규, 유가 인개념의 변환구조
- 공자, 맹자, 주자를 중심으로, 범한철학34, 2004..
박종숙, 中庸의 실천을 위한 모색
-주희, 중용장구의 중용을 중심으로, 중국학연구57, 2011.
임헌규, 주자의 인개념
- 仁說을 중심으로, 철학연구86, 2003.
오석원, 춘추의 華夷思想과 한국의 민족의식, 유교사상문화연구8, 1996.
손애리, 문명과 제국사이
: 병자호란 전후시기 주화, 척화논쟁을 통해 본 조선
지식관료층의 '國' 표상, 한국동양정치사상사연구10, 2011.
방상근, 17세기 조선의 예질서의 재건과 송시열
; 현종대 예송논쟁의 재해석, 한국동양정치사상사연구16, 2017.

계승범, 조선 속의 명나라를 통해서 본 조선 지배층의 중화인식,
명청사연구35, 2011.
정두희, 역사인물 송시열의 숭명배청론 재평가, 역사비평 1996.
김용흠, 전쟁의 기억과 정치
-병자호란과 회니시비, 한국사상사학47, 2014.
김대식, 인조-효종 시기 名儒들의 학술교류
-송시열, 윤휴, 윤선거 등을 중심으로, 교육사학연구27, 2017.
계승범, 조선후기 조선중화주의와 그 해석 문제, 한국사연구159, 2012.
이은순, 이경석의 국정운영과 대외 시국인식,
조선시대사학보29, 2004.
주영아, 17세기 조선을 바라보는 박세당의 역사인식
-인조반정과 일련의 사건을 중심으로, 동방학31, 2014.
오석원, 우암 송시열의 춘추의리사상, 유학연구17, 2008.
김문준, 우암 춘추대의 정신의 이론과 실천, 동양철학연구13,
조현걸, 우암 송시열의 춘추대의사상, 국제정치연구14, 2011.
계승범, 조선의 18세기와 탈중화 문제, 역사학보213, 2012.
한기범, 우암 송시열에 대한 후대인의 추숭과 평가,
한국사상과문화42, 2007.
김효정, 병자호란 이후 瀋陽에 대한 기억의 변이 양상,
한문학보36. 2017.
오수창, 병자호란에 대한 기억의 왜곡과 그 현재적 의미,
역사와현실104, 2017.
오항녕, 기억의 시냅스
: 효종과 송시열, 그리고 정조, 동서철학연구48, 2008.
신항수, 조선후기 북벌론의 실상, 내일을 여는 역사19, 2005.
최준하, 우암 송시열의 傳문학 연구, 우리말글, 1993.
김　미, 우암 송시열의 병자호란제재 전기문학연구,
한중인문학연구, 2018.

이송희, 송시열의 춘추필법 실행 양상
: 비문과 전을 중심으로,OUGHTOPIA33, 2018.
이재경, 병자호란 이후 비밀접촉의 전개, 군사103, 2017.
구와노 에이지, 조선 소중화 의식의 형성과 전개
; 대보단 제사의 정비과정을 중심으로,
한일공동연구총서3, 2002.
오석원, 춘추의 화이사상과 한국의 민족의식,
유교사상문화연구8, 1996.
이재철, 지천 최명길의 경세관과 관제변통론, 조선사연구1,
원재린, 지천 최명길의 학문관과 정치운영론,
한국사상사학29,2007.
오수창, 최명길과 김상헌, 역사비평 1998.
김세정, 지천 최명길의 주체성과 창조정신, 유학연구28, 2013.
김준태, 출처론 연구
-병자호란 직후 김상헌 처신 논란을 중심으로,
철학사상문화27, 2018.
허태구, 최명길의 주화론과 대명의리, 한국사연구162, 2013.
정성식, 17세기 초 김상헌과 최명길의 양면적 역사인식,
동양고전연구45, 2011.
전다혜, 17세기 관료학자 이경석의 현실인식과 정치활동,
건대석사논문, 2014.
정두영, 최명길, 인조반정의 주역이 주화를 역설한 까닭은?
내일을 여는 역사60, 2015.
김일환, 고난의 역사를 기억하기, 한국문학연구26, 2003.
김민혁, 숙종조 정치 상황에 따른 정치적 글쓰기
-최명길에 대한 포폄을 중심으로, 한국한문학연구66, 2017.
박균섭, 수양론과 북벌론의 불협화음: 송시열과 효종,
교육철학51, 2013.

오항녕, 조선 효종대 정국의 변동과 그 성격, 태동고전연구9,
이희환, 효종대의 정국과 북벌론, 전북사학42, 2013.
한가람, 정묘, 병자호란기 조선 사대부의 전쟁관,
고대석사학위논문, 2016.
김경래, 인조대 朝報와 공론정치, 한국사론53,
오수창, 인조대 정치세력의 동향, 한국사론13,
남미혜, 병자호란기 조선 피로인의 호지체험과 삶,
동양고전연구32, 2008.
김인숙, 인조의 원종추숭, 역사와 담론36, 2003.
허태구, 병자호란 강화협상의 추이와 조선의 대응,
조선시대사학보52, 2010.
이인복, 인조의 군주관과 국정운영, 조선시대사학보79, 2016.
김지영, 17세기 효종가족의 탄생과 전쟁경험, 한국계보연구3,2012.
남은경, 심양일기연구
-소현세자, 봉림대군의 심양체험을 중심으로,
동양고전연구22, 2005.
김용덕, 소현세자연구, 사학연구18, 1964.
박현모, 10년간의 위기
: 정묘-병자호란기의 공론정치비판,
한국정치학회보37, 2003.
박현모, 정묘호란기의 국내외정치
-국가위기시의 공론정치, 국제정치논총42, 2002.
이희주, 조선초기의 공론정치
-공론의 존재양식과 공론정치의 특수성을 중심으로,
학국정치학회보44, 2010.
우인수, 조선 인조대 정국의 동향과 산림의 역할, 대구사학41,
오수창, 인조대 정치세력의 동향, 한국사론13, 1985